Les stratégies du terrorisme

Sous la direction de
Gérard Chaliand

Les stratégies
du terrorisme

DESCLÉE DE BROUWER

Les textes en anglais ont été traduits par Juliette Minces ou revus par Anthony Berrett.

© Desclée de Brouwer, 1999
Nouvelle édition augmentée, 2002
76 *bis*, rue des Saints-Pères, 75007 Paris
www.descleedebrouwer.com

ISBN 2-220-05052-1

Avant-propos

Les attentats du 11 septembre 2001

Gérard CHALIAND

Les attentats du 11 septembre 2001 marquent une date dans l'histoire du terrorisme international. Bien qu'ils se situent dans le fil du terrorisme classique, ils se distinguent par le nombre des victimes et parce qu'ils ont, par le recours aux commandos suicides, frappé les États-Unis de façon spectaculaire au cœur même de ses symboles.

Ils ne marquaient pas le début d'une ère nouvelle, celle d'un terrorisme dévastateur pouvant contribuer à mettre à genoux un puissant État mais ils parvenaient à produire un effet de choc en montrant la vulnérabilité du sanctuaire américain. Les services de renseignements américains s'étaient révélés impuissants malgré toute leur technologie d'écoute et de surveillance. S'il y avait un précédent quelconque à l'événement qui venait de se produire, il était moins dans le rappel de Pearl Harbor, dont la caractéristique était la surprise, que dans un événement moins ancien : en 1983, deux avions suicide tuaient à Beyrouth 241 marines et 58 parachutistes français provoquant bientôt le retrait des troupes alliées du sol libanais. Les attentats du 11 septembre, pour audacieux et inattendus qu'ils étaient, rééditaient avec des avions les techniques de l'attentat suicide de Beyrouth. Ces actions, organisées

I

et coordonnées avec soin, n'avaient de chance de réussite que si ceux qui les commettaient étaient prêts à s'immoler. Ce que j'ai appelé le « modèle tamoul », qui existe depuis bientôt une trentaine d'années, fondé sur l'attentat suicide minutieusement organisé démontrait une fois encore sa terrible efficacité.

Le retentissement des attentats tient d'abord au fait qu'ils ont eu lieu aux États-Unis et qu'ils ont provoqué un nombre de victimes encore jamais atteint par le terrorisme non étatique. Ils démontraient, en passant, l'importance prise par la privatisation de la violence organisée et son caractère transnational. L'impact psychologique en était sans précédent. Le 11 septembre était bien le jour qui ébranla l'Amérique. Et l'onde de choc, puisqu'elle concernait les États-Unis de façon aussi fortement symbolique, était mondiale.

Que s'était-il passé ?

A 8 h 40, heure locale, le NORAD (North American Aerospace Defence Command) était avisé du détournement du vol 11 d'American Airlines, Boston-Los Angeles. Trois minutes plus tard, la FAA (Federal Aviation Administration) informe le NORAD du détournement du vol 175 de United Airlines, Boston-Los Angeles.

8 h 46 : le NORAD donne ordre à la chasse américaine d'établir un contact visuel avec les deux vols en question. A la même heure, selon le NORAD, le vol 11 d'American Airlines frappe la tour nord du World Trade Center, à Manhattan, entre le 80e et le 85e étage. L'impact fait un trou béant dans la façade et l'incendie se répand.

8 h 48 : la chaîne de télévision CNN diffuse des images du World Trade Center en direct.

8 h 52 : quatre avions de chasse F-15 décollent de la base militaire d'Otis-Falmouth (Massachusetts).

8 h 55 : le vol 77 d'American Airlines, Dulles-Los Angeles fait demi-tour en direction de Washington DC.

9 h 02 : l'avion du vol 175 d'United Airlines s'écrase contre la seconde tour du World Trade Center, entre le 73e et le 75e étage. Le choc est filmé en direct par les télévisions.

9 h 24 : la FAA informe le NORAD du détournement du vol 77 d'American Airlines. Deux avions de chasse F-16 reçoivent à leur

base militaire de Langley (Virginie) l'ordre d'établir un contact visuel avec l'appareil détourné. Le NORAD met en place d'autres appareils pour assurer la protection de l'espace aérien au-dessus de Washington DC.

9 h 26 : la FAA ordonne l'annulation de tous les vols commerciaux sur le territoire américain.

9 h 38 : le vol 77 d'American Airlines s'écrase sur le Pentagone.

9 h 45 : la FAA ordonne aux 4 873 avions civils alors en vol d'atterrir au plus tôt et ferme l'ensemble de l'espace aérien américain.

9 h 50 : la Maison Blanche et le Pentagone sont évacués.

10 h 53 : le vol 93 de United Airlines Newark-San Francisco s'écrase près de Pittsburg (Pennsylvanie). L'appareil a, selon toute vraisemblance, été abattu par la chasse américaine.

Si l'effet de surprise fut total parce que les attentats s'étaient déroulés sur le sol américain, l'hostilité militante d'Al-Qaïda et de son chef, Ossama ben Laden, était loin d'être inconnue. Le 8 août 1998, les deux attentats contre les ambassades américaines de Dar es-Salam et de Nairobi étaient sans ambiguïté l'œuvre d'Al-Qaïda. Le bilan est important : plus de 200 morts dont 12 Américains et des milliers de blessés. Par rétorsion, le 20 août, quelque 70 missiles de croisière tomahawk sont lancés contre des camps d'entraînement d'Al-Qaïda en Afghanistan, ainsi qu'au Soudan, contre une usine soupçonnée de fabriquer des produits toxiques.

Le 12 octobre 2000, un attentat suicide était commis contre le destroyer *USS Cole* dans le port d'Aden (Yémen). Une embarcation chargée d'explosifs heurtait le navire et provoquait 17 morts parmi l'équipage. L'implication d'Al-Qaïda dans l'attentat ne faisait pas de doute pour les autorités américaines. En fait, le 2 février 1998, Ben Laden décrète la guerre « contre les croisés et les Juifs ». « Tuer tous les Américains et leurs alliés civils et militaires est un devoir pour tout musulman susceptible de l'accomplir dans tout pays où cela est possible. » On peut remonter plus haut, le 23 août 1996, la « guerre » est déclarée entre Al-Qaïda et les États-Unis. Dès avant 1995, Ben Laden avait désigné ceux-ci comme l'ennemi numéro un. D'autres attentats seront généreusement attribués à l'organisation de Ben Laden : celui de Dharan (Arabie Saoudite) qui fit 23 morts parmi les soldats américains, celui qui détruisit en 1992 le cantonnement des forces américaines en Somalie, causant la mort de 18 rangers, et même celui de la tentative quasi avortée de faire sauter les tours du World Trade Center, en février 1993 (6 morts).

En fait, Ossama ben Laden était loin d'être un inconnu pour les services américains. Au cours des années de guerre contre les Soviétiques (1980-1989), il est présent et actif en Afghanistan. Il travaille en liaison avec le Palestinien de Jordanie, Abdullah Azzam, qui s'occupe d'organiser les volontaires issus du monde musulman qui veulent participer à la lutte. La famille Ben Laden, originaire de l'Hadramaout (Yémen), installée en Arabie Saoudite, a prospéré à l'époque du roi Saoud. Les moyens financiers d'Ossama ben Laden sont considérables. Il fait construire des routes et des entrepôts pour les moudjahidin. Les deux islamistes sont en contact étroit avec la CIA et les services pakistanais (Inter Service Intelligence) et sont proches du Hezb-i-islami de Gulbudin Hekmaktyar, le plus radical des mouvements islamistes afghans sur lequel Américains et Pakistanais ont misé. La guerre contre les Soviétiques terminée, Ben Laden ne participe pas à la guerre civile afghane et retourne en Arabie Saoudite. A cette date, il dispose avec Al-Qaïda, fondée en 1988, d'un réseau informel entraîné en Afghanistan dans une dizaine de camps d'entraînement pour volontaires issus des mouvements ou groupes islamistes : Algériens, Égyptiens, Pakistanais, Saoudiens, etc. Les rapports avec la dynastie royale se gâtent lorsque celle-ci, au moment de la guerre du Golfe (1990-1991), accepte d'accueillir sur le sol saoudien des soldats américains. Présence considérée comme intolérable sur le sol sacré du pays où se trouvent La Mecque et Médine par les islamistes radicaux tel Ossama ben Laden.

Il rejoint le Soudan, qui est un État islamiste, en 1992 et y reste jusqu'en 1996. Il y entretient des camps d'entraînement pour volontaires islamistes en liaison avec d'autres mouvements islamistes yéménites et somalis. Il continue de critiquer l'attitude de la famille royale à l'égard des Américains. En 1994, il est destitué de sa nationalité saoudienne. La CIA cherche en vain à le faire extrader, mais le Soudan lui demande de partir et Ben Laden se retrouve au printemps en Afghanistan, dans la région de Djalalabad qu'il connaît bien. Il y prend d'abord contact avec le président Rabani, alors au pouvoir à Kaboul, puis avec les talibans après que ceux-ci investissent la capitale en septembre 1996.

L'intervention soviétique en Afghanistan avait été l'occasion, pour les États-Unis, de rendre à l'URSS la monnaie de sa pièce. En effet, depuis l'échec au Vietnam et la chute de Saïgon (1975), les États-Unis avaient subi une série de revers dont avait bénéficié l'Union soviétique : Angola (1976), Éthiopie (1977), chute du Shah (1979), montée au pouvoir des sandinistes au Nicaragua (1979). Après la retraite des troupes soviétiques, les États-Unis se désintéressent officiellement de l'Afghanistan, laissant le champ libre à leurs alliés pakistanais et saoudiens et à des compagnies pétrolières telles qu'Unocal qui, en vain, cherche, au cours des années quatre-vingt-dix, à concrétiser le projet d'un gazoduc. Celui-ci était destiné à relier le Turkménistan au Pakistan, en passant par l'Afghanistan.

Lorsqu'il devint clair que Gulbudin Hekmaktyar ne parvenait pas à l'emporter contre l'alliance des Tadjiks, des Ouzbeks et des Hazaras dont le représentant officiel était le Tadjik Rabani et le ministre de la Guerre le commandant Massoud, les services pakistanais décident de miser sur les talibans. Hekmaktyar s'était déjà déconsidéré en 1991 auprès des Saoudiens en prenant parti pour Saddam Hussein. La guerre qui avait atomisé l'Afghanistan en espaces de solidarité relativement limités avait permis à des minorités ethniques jusque-là écartées du pouvoir ou discriminées d'acquérir une large autonomie militaire.

Les talibans étaient de jeunes Pachtouns (le groupe le plus nombreux et traditionnellement dirigeant du pays) repliés depuis des années au Pakistan. Il s'agissait d'urbanisés ayant fréquenté les medressas islamistes telles que celles du Jamiat Uléma Islami (déobandi), particulièrement conservatrices. Organisés, entraînés et équipés par les soins des services pakistanais et de l'armée, les talibans rencontrent de rapides succès à partir de 1994, particulièrement en zone pachtoune.

Dans une première phase, les talibans sont perçus de façon positive car ils mettent au pas les petits seigneurs de la guerre qui pressuraient les populations. C'est en 1996 que la CIA projette de faire enlever Ossama ben Laden. Le chef d'Al-Qaïda s'installe bientôt à Kandahar où il se lie avec le mollah Omar. Les rapports entre Al-Qaïda et les talibans sont interactifs : Al-Qaïda apporte l'argent et les cadres, les talibans : le sanctuaire. Assez rapidement, l'espoir de voir le régime reconnu par les Nations Unies s'évanouit, on ne peut que constater l'infléchissement du régime des talibans vers des positions proches de celles d'Al-Qaïda.

Le projet proclamé des islamistes radicaux est la reconstitution de l'Oumma, la communauté des croyants, sans considération pour des frontières généralement tracées par les colonisateurs européens. L'islamisme radical qui est une instrumentalisation politique du religieux à forte connotation moralisatrice entend par ailleurs revenir à la pureté réelle ou supposée de l'Islam des premiers siècles. Ses ennemis sont les régimes corrompus que soutient l'Occident et plus particulièrement les États-Unis. Ce projet est, par définition, voué à l'échec. Mais, ce que dénoncent les islamistes radicaux, quelle que soit leur tendance, est concret : en effet, la très grande majorité des régimes qu'ils dénoncent sont à la fois corrompus, inefficaces et impopulaires. Ils ne se justifient pas par la croissance qui est aujourd'hui la légitimisation ultime d'un régime. L'islamisme radical, véhiculé par des urbanisés sans perspective et désireux de changer l'ordre des choses, exprime le ressentiment face aux échecs de la croissance et rêve de puissance recouvrée.

Deux jours avant le 11 septembre, celui qui était le chef militaire incontesté de l'Alliance du Nord, Ahmed Shah Massoud, était assassiné par deux jeunes Arabes qui s'immolaient en même temps que leur victime. Recommandés par une association islamique ayant son siège à Londres, ces deux jeunes gens s'étaient fait passer pour journalistes et leur caméra était piégée. Lorsque survient le 11 septembre qui ne pouvait être suivi que par une riposte américaine, la mort du commandant Massoud, commanditée par Al-Qaïda, paraît opportune.

L'Administration américaine réagit énergiquement. Très vite, l'enquête permet de découvrir l'identité des responsables. Le nombre des Saoudiens qui ont participé aux attentats est inattendu. Colin Powell, avec un sens diplomatique très sûr, rassemblait autour des États-Unis la coalition politique la plus large possible. Sa démarche contrastait avec celle du numéro deux du Pentagone, Paul Wolfowitz qui, dès le matin du 12 septembre, désignait l'Irak comme objectif de la riposte, comme si cet État était responsable des attentats. Car d'emblée, Ossama ben Laden et Al-Qaïda en sont désignés par les États-Unis comme les organisateurs.

Le Pakistan, qui plus que tout autre État avait contribué à la montée au pouvoir des talibans, était sommé de choisir son camp. Sans hésiter, le général Musharaf sauvait à la fois son État et son pouvoir, limogeait le chef des services spéciaux et le vice-chef d'état-major en considérant le risque de collaborer avec les Américains comme infiniment moindre que celui de s'opposer à ceux-ci. L'Arabie Saoudite, qui n'avait cessé d'appuyer les courants islamistes depuis plus de deux décennies, et les Émirats arabes unis qui avaient reconnu le régime des talibans rompaient toute relation diplomatique.

Les États-Unis mettaient en place leur riposte militaire par mer et par terre. L'appui immédiat de Vladimir Poutine facilitait les relations avec l'Ouzbékistan, pays clef de l'Asie centrale, qui offrait aux États-Unis une base logistique. Tout, du point de vue diplomatique, paraissait conforter les États-Unis, excepté l'attitude d'Ariel Sharon qui refusait d'adopter un profil bas pour la durée du conflit. Au contraire, Israël poursuivait une politique de répression très dure en réponse aux attentats du Hamas et des autres mouvements extrémistes palestiniens qui recouraient à l'attentat suicide.

Qu'espérait Al-Qaïda ?

Rien moins, à l'occasion de la riposte militaire des États-Unis, que des puissants mouvements de masse dans le monde musulman qui éventuellement déstabiliseraient ou jetteraient à bas certains des régimes honnis par les islamistes radicaux. Cette attente fut déçue. Elle partait du présupposé qui fut jadis celui du *foco* à la cubaine, selon lequel l'exemple de la lutte armée entraîne les masses et permet de faire l'économie de la patiente organisation et de l'encadrement. Les quelques manifestations plus ou moins spontanées, surtout au Pakistan, furent aisément matées. Si les sympathies allaient vers Al-Qaïda et Ben Laden dans les pays musulmans d'une façon générale, aucune organisation politique n'était en mesure de transformer ce courant en violence organisée, capable d'ébranler un régime.

Les opérations militaires débutent le 7 octobre. Elles sont essentiellement aériennes, avec appui au sol, pour améliorer la précision des tirs de commandos SAS britanniques et de forces spéciales américaines. Les États-Unis avaient choisi de mener cette guerre avec le seul appui de la Grande-Bretagne. Durant un mois, les bombardements détruisent logistique, capacité de défense antiaérienne et infrastructure militaire des talibans. Parallèlement, les Américains cherchent à susciter, de l'intérieur, une alternative pachtoune au régime. Au nord, l'Alliance du Nord est matériellement renforcée. La guerre de l'information atteint son zénith entre octobre et le début de novembre entre CNN et Al-Jazirah, la chaîne arabe de télévision, basée au Qatar. Aux États-Unis, on s'inquiète de la propagation par courrier de la maladie du charbon qui aura provoqué, au total, cinq morts. L'Administration, à plusieurs reprises, avise la population qu'il faut s'attendre à des attentats. En fait, tout au long du conflit, les attentats du 11 septembre restent sans suite.

Obnubilés depuis l'attentat au gaz sarin perpétré dans le métro de Tokyo (12 morts) par la secte Aum, les autorités et la majorité des chercheurs américains se sont essentiellement préoccupés de terrorisme de destruction de masse. Les attentats du 11 septembre différaient du terrorisme classique, non dans sa technique, mais dans sa finalité. Habituellement, le terrorisme est un moyen violent de guerre psychologique pour forcer à une négociation dans le cadre d'un rapport de forces inégal. Dans le cas d'Al-Qaïda, il n'y avait rien à négocier, l'hostilité était absolue, le combat, à mort.

Lorsque commence l'offensive terrestre, la situation évolue très vite : chute de Mazar-é Charif, de Kunduz, bientôt de Kaboul. La répression à l'égard des volontaires étrangers est menée sans quartier ainsi que l'a ouvertement déclaré Donald Rumsfeld, le responsable du Pentagone. Les forces des talibans se replient, ne pouvant rien faire face au pilonnage intensif de l'aviation américaine. Les Américains disposent d'une panoplie d'armements sans cesse perfectionnés : capacité d'observation et de collecte des renseignements exceptionnelle grâce aux « Global Hawk », utilisation d'engins guidés, coordination entre les unités spéciales au sol et la précision des frappes. Utilisation des opposants : Alliance du Nord et, au Sud, accord (souvent moné-taire) avec des chefs tribaux opposés pour une raison ou une autre au régime en place. Enfin, les talibans commettent l'erreur d'accepter le combat frontal. Il est vrai qu'ils sont issus de milieux urbains et n'ont plus rien de commun, dans leur mode de combat, avec le combattant irrégulier afghan traditionnel pour lequel la guérilla est spontanément la manière de combattre. Kan-dahar tombe au début de décembre. Le mollah Omar est en fuite, et les derniers combats autour du complexe souterrain de Tora Bora cessent à la mi-décembre. Ossama ben Laden est, lui aussi, sorti de la nasse.

Le 22 décembre, le gouvernement provisoire tel qu'il a été mis en place lors de la conférence de Bonn au début de décembre, est à Kaboul. Sous la direction d'un Pachtoun, Hamid Karzaï, il est largement composé, aux postes clefs, de personnalités de l'Alliance du Nord, et tout particulièrement de Tadjiks. Ces der-niers représentent quelque 25 % de la population totale tandis que les Pachtouns sont crédités de 40 %. Objectif premier : faire régner l'ordre. La présence de troupes, notamment occidentales, doit y aider. Par ailleurs, les diverses aides, alimentaires, finan-cières, etc., devraient permettre de pourvoir aux besoins essen-tiels des populations. Si la situation est précaire, elle ne se présente pas sous des auspices trop négatifs dans une société complexe, où les tensions sont fortes.

Le conflit avec les talibans et Al-Qaïda est la conséquence loin-taine de l'aide apportée aux islamistes radicaux par opposition aux autres mouvements de résistance afghans contre les Sovié-tiques. Il est la conséquence de la diffusion du wahhabisme par l'Arabie Saoudite et de la politique du Pakistan, tous deux alliés proches des États-Unis. L'utilisation du fondamentalisme sunnite contre les Soviétiques, puis contre les Russes, lorsqu'il s'était agi de disputer la périphérie de la Fédération de Russie, tant en Asie centrale qu'au Caucase, enfin contre l'Iran chiite, avait été la poli-tique pratiquée ou encouragée par les États-Unis. Cette politique se retournait contre eux dès le début des années quatre-vingt-dix et par la suite, de façon de plus en plus systématique, jusqu'au zénith du 11 septembre. Cette date représentait à la fois l'introduction de la tragédie sur le territoire américain et le choc en retour d'une politique mal maîtrisée au cours des années quatre-vingt-dix. Rien de sérieux n'avait été mis en place durant les années de prospérité économique et d'euphorie boursière, sans parler de l'affaire Lewinski qui affaiblissait l'exécutif, contre la menace jugée archaïque et lointaine de l'islamisme radical retranché en Afghanistan. Si l'échec des services spéciaux pris par surprise était patent, celui de l'Administration ne l'était pas moins sur le plan politique. L'Amérique s'était assoupie, gorgée de puissance et de prospérité. En ce sens, les attentats du 11 septembre ont été salutaires. L'organisation de la riposte a été remarquablement menée et les États-Unis ressortent de l'épreuve plus forts et, sans nul doute, plus unilatéralistes que jamais. Les Européens, excepté la Grande-Bretagne, n'ont, pas plus que l'OTAN, guère été présents, bien que l'Allemagne, contrairement à la France, ait mené une politique active qui conforte son statut en Europe. Vladimir Poutine a manœuvré avec célérité et finesse et a transformé la situation politique et diplomatique de son pays. Les Iraniens ont habilement manœuvré sans trop changer de cap. On verra, dans les mois à venir, quelles conséquences ces revirements et ces manœuvres auront sur l'acheminement des hydro-carbures du bassin caspien. Les perdants, en dehors des Palestiniens, sont, dans une certaine mesure, l'Arabie Saoudite dont la politique ambiguë a été perçue de façon évidente et le Pakistan qui, pour sauver l'essentiel, a dû renoncer à ses aspirations illusoires de « profondeur stratégique » grâce à l'hinterland afghan.

Le sanctuaire pour islamistes radicaux est détruit et, avec lui, le régime qui a consenti à se suicider pour ne pas livrer Ben Laden. Le nouveau gouvernement, quelle que soit sa précarité, a le mérite d'être multiethnique, ce qui ne peut que réjouir ceux qui pensent que les minorités ne doivent pas être opprimées ou dis-criminées.

Si le sanctuaire n'est plus, ce qui était essentiel, les réseaux liés à Al-Qaïda ne sont pas éradiqués pour autant. Déjà, les troupes spéciales américaines collaborent avec le gouvernement philippin pour lutter contre le réseau d'Abu Sayyaf (Mindanao), lié à Al-Qaïda. La Somalie est sous haute surveillance. Reste à savoir quelle politique va être choisie par l'Administration américaine. Il est probable qu'elle finisse par vouloir frapper l'Irak qui, dans l'histoire du terrorisme islamiste, n'a guère joué de rôle.

Présentation

La mesure du terrorisme

Gérard CHALIAND

Le terrorisme contemporain a bientôt trois décennies d'existence. Il est en effet convenu de situer sa double naissance à la date de 1968.

D'une part, la matrice proche-orientale qui voit le jour lorsque le Front populaire de libération de la Palestine de Georges Habache détourne deux avions de la compagnie israélienne El Al (été 1968). Le FPLP inaugurait la vague contemporaine du terrorisme *transnational*, c'est-à-dire celui qui frappe ailleurs que sur le théâtre même où se situe le conflit. Les émules ne manqueront pas et le Moyen-Orient se distingue comme la source la plus fertile en terrorisme transnational.

D'autre part, la matrice latino-américaine, qui, après l'échec du Che en Bolivie, préconise la guérilla urbaine (Carlos Marighella au Brésil, les Tupamaros en Uruguay, l'Ejército Popular de Liberación et les Montoneros en Argentine). Ces groupes opèrent chez eux. Ils sont très vite imités, en Occident et au Japon, par des mouvements qui espèrent modifier la situation des pays démocratiques : Weathermen and Symbionese Liberation Army aux États-Unis, Front de libération du Québec au Canada, Rote Armee Fraktion en Allemagne fédérale, Brigades rouges en Italie, Action directe en France, etc.

Ces mouvements idéologiques plus ou moins influencés par le marxisme-léninisme, après avoir participé comme les Japonais à des actions transnationales, disparaissent bien avant l'effondrement du système communiste européen. Les seuls mouvements qui perdurent en Occident sont ceux qui ont une certaine épaisseur nationale ou disposent, en tout cas, d'une sympathie active d'une partie au moins de la population (IRA, ETA).

Les causes de l'échec tiennent aux aberrations idéologiques de ces groupes, dont les cadres furent précisément parmi les plus instruits, sinon les plus intellectuels, des mouvements de contestation violente des dernières décennies. Les Tupamaros d'Uruguay partaient du présupposé selon lequel la démocratie uruguayenne n'était qu'une dictature déguisée et que l'usage de la violence révolutionnaire, provoquant la répression policière, amènerait le peuple à prendre conscience de la véritable nature de l'État et à rejoindre les révolutionnaires.

Après quelques succès tactiques initiaux, les Tupamaros, sans bras politique capable de créer un mouvement de masse organisé et dont les militants actifs étaient tenus à la plus stricte clandestinité, furent isolés et finirent par provoquer la montée au pouvoir d'une dictature qui dura une douzaine d'années.

Les mouvements européens – et plus particulièrement les mieux organisés d'entre eux, comme la Rote Armee Fraktion et les Brigades rouges – n'eurent jamais de base de masse, leur aura ne dépassant que rarement certains cercles intellectuels, artistiques ou étudiants, et jamais aucun de ces mouvements ne représenta une menace en termes de poids politique.

La réussite majeure de ces divers mouvements en Europe occidentale a été de provoquer une série de mesures législatives en matière de garde à vue, de perquisitions et un développement de la coopération policière entre États.

Ces mouvements dépérissent au milieu des années 80.

L'essentiel du terrorisme transnational est d'origine moyen-orientale et s'est essentiellement manifesté, avec plus ou moins d'intensité, en Europe occidentale.

Un glissement s'est opéré entre le terrorisme des débuts mené par les Palestiniens comme substitut à la guérilla et le terrorisme de coercition diplomatique parrainé par des États (Irak, Syrie, Libye, Iran – depuis 1979).

Jusqu'au début des années 80, il a surtout été laïque et a pris, à partir de la révolution iranienne, une connotation religieuse, même si le projet reste fondamentalement politique.

Dans les années 90, il se distingue par le fait qu'il se manifeste aussi aux États-Unis, où l'on a longtemps cru être épargné : World Trade Center (1993). Plus inattendu encore, l'attentat meurtrier du bâtiment fédéral d'Oklahoma City exécuté non par des étrangers, mais par des membres de milices d'extrême droite (1994). Par ailleurs, une escalade a lieu dans les moyens lorsqu'en mars 1995, la secte japonaise Aum utilise du gaz sarin dans le métro de Tokyo. De tels actes peuvent se reproduire et à plus large échelle [1]. Longtemps, le terrorisme a techniquement usé des mêmes méthodes : détournements d'avions, prises d'otages, investissements d'ambassades, assassinats de personnalités ou de personnages symboliques (chefs d'État, hommes d'affaires, ambassadeurs, etc.).

Des spécialistes, dont certains alimentent le sensationnalisme des médias et l'angoisse du public, agitent depuis longtemps déjà le spectre du terrorisme apocalyptique de demain. Celui-ci serait biologique, voire nucléaire. Cela est improbable dans le cas du terrorisme biologique, mais non impossible, et hautement douteux, sinon fantaisiste, à moyen terme, dans celui du nucléaire.

La réalité des dernières décennies montre, pour l'instant, que l'usage du terrorisme aveugle tend à devenir une norme.

Si l'on veut s'en tenir à une typologie sommaire, on peut diviser les terrorismes contemporains en quelques catégories :
– mouvements nationalistes ;
– mouvements ou groupes idéologiques d'extrême gauche (aujourd'hui caducs) ou d'extrême droite ;
– mouvements ou groupes d'inspiration religieuse, mais dont le projet est politique ;
– sectes ou groupes millénaristes ou préoccupés par un problème spécifique (tels les activistes opposés à l'avortement) ;

---

1. L'attentat de Tokyo a fait douze morts mais aurait affecté près de 5 000 personnes.

– groupes parrainés ou manipulés par des États (pouvant éventuellement être recrutés dans les catégories précédentes).

En soi, le terrorisme est une méthode et l'appréciation politique d'un mouvement ou d'un groupe dépend, comme dans toute analyse, d'une quelconque forme de violence politique, du contexte spécifique du mouvement ou du groupe.

L'observateur impartial du phénomène terroriste notera que le terme de « terreur » trouve son origine politique dans la Révolution française au sens de terreur exercée par l'État.

Est-il certain, comme il est communément admis, que ce sont les populistes russes qui sont les premiers terroristes modernes, alors que leur projet est le tyrannicide, c'est-à-dire l'assassinat du tsar ?

L'assassinat de M. Rabin relève-t-il du terrorisme ou bien cette catégorie d'actes est-elle plus justement qualifiée d'assassinat politique ?

Nous sommes aujourd'hui, en Occident, habitués à ne considérer la violence comme légitime que si elle est exercée par des États. C'est faire peu de cas de qui ne dispose pas d'autres moyens pour être entendu ou pour tenter de modifier une situation ressentie comme oppressive. C'est aussi faire bon marché des méthodes utilisées par tel ou tel État, généralement non démocratique, pour lutter contre les actes à caractère terroriste.

TERRORISME OU TERRORISMES ?

L'objectif premier du terrorisme est de répandre la terreur. Celle-ci peut être exemplaire (« tuer un, être vu de mille ») ou massive. A cet égard, les actes de terreur majeurs du XXe siècle sont sans conteste Hiroshima et Nagasaki, ainsi que les bombardements, destinés à briser le moral des populations, sur Dresde, Tokyo ou Coventry. Le terrorisme d'État, qu'il s'agisse d'États totalitaires ou despotiques, fait infiniment plus de victimes que les mouvements pratiquant des méthodes terroristes.

La mesure du terrorisme

Selon les statistiques du Département d'État américain, au cours de la période 1968-1995 le terrorisme transnational aurait provoqué la mort de 8 700 personnes. Ce chiffre est, militairement, de peu de conséquence. Le véritable impact est d'ordre psychologique : ce qui est d'abord visé, ce sont les esprits et les volontés.

Dans les faits, les succès politiques des divers terrorismes sont, à ce jour, extrêmement limités. Le succès le plus tangible est le retrait des troupes occidentales après un attentat suicide qui coûta, en 1983 au Liban, la vie à 241 marines. Un second attentat de même nature tuait 54 parachutistes français. Quelques succès mineurs ont été remportés ici et là, souvent au terme de tractations secrètes. Mais aucun État n'a été déstabilisé ni aucune politique radicalement modifiée sous la pression du terrorisme.

La réalité première n'est pas la vulnérabilité des États, et particulièrement des États démocratiques, mais leur puissance. En fait, nos États sont aujourd'hui si puissants qu'ils ne sont soumis à aucune menace militaire. Ils ne peuvent être défiés que par des actes à caractère terroriste qui restent l'arme du faible. Le terrorisme, qui est en somme devenu un substitut à la guerre, a certes une considérable capacité de nuisance, mais son rôle déstabilisateur est de peu de conséquence et le nombre de ses victimes, du moins en ce qui concerne le terrorisme international, reste, si l'on se réfère aux trente dernières années, très limité.

Ce n'est nullement le cas des terrorismes d'État. Sans évoquer les hécatombes des régimes totalitaires – nazisme et communismes –, les terrorismes d'État font infiniment plus de victimes. Des exemples de ce type de terrorisme d'État abondent, comme hier celui du Guatemala à l'encontre des paysans indiens ou aujourd'hui de la Turquie vis-à-vis des Kurdes [2].

---

2. Le Parti des travailleurs du Kurdistan (PKK) n'est pas un mouvement « terroriste », bien qu'il utilise fréquemment des méthodes fondées sur la terreur, mais un mouvement de guérilla qui tient tête depuis 1984 à l'armée turque (300 000 hommes concentrés dans l'ensemble du Sud-Est anatolien en état de siège où l'armée turque règne sans contrôle du pouvoir civil). L'armée turque y exerce une politique de terreur massive et vise, par la destruction de plus de 3 000 villages (selon des estimations américaines), à déterritorialiser la région qui porte le nom géographique de Kurdistan.

En ce qui concerne les démocraties, il va de soi qu'elles doivent combattre les groupes terroristes qui cherchent à sévir sur leur territoire. Les terroristes vont persister et, selon toute probabilité, devenir plus dangereux.

Quant à Israël, visé plus que tout autre État, il est l'illustration des effets politiques limités des attentats individuels. Ceux qu'il subit, à l'heure actuelle, pour l'observateur qui condamne moralement les attentats indiscriminés, sont la conséquence de la politique de dépossession et de refus de la création d'un État palestinien par le gouvernement de B. Netanyahou.

En marge des mouvements à projets politiques, on peut craindre une recrudescence de la violence millénariste à l'approche de la fin du siècle. Quoi qu'il en soit, les démocraties doivent constater que, dans le cadre de la paix, pour l'instant assurée, dont elles jouissent, le coût de la lutte antiterroriste est très modeste comparé au maintien d'un ordre international qui lui est largement favorable.

Quelles sont les menaces à caractère terroriste pour les années à venir, plus particulièrement en Europe ?

La menace principale est celle des mouvements islamistes qui sont, en partie, le nouvel avatar de l'anti-impérialisme. Bien que plus actifs dans certains pays (Algérie, Égypte, Soudan, Liban, Gaza et Cisjordanie, Pakistan, Afghanistan), ces mouvements sont composés d'éléments mobiles, aisément transnationaux et pouvant disposer, en Europe, à la fois de réseaux dormants et de possibilités de recrutement. Pour ne prendre qu'un exemple, nombre de cibles israéliennes sont plus faciles à frapper en Europe qu'en Israël même.

Si les mouvements révolutionnaires d'extrême gauche appartiennent au passé, il n'en est pas de même de ceux d'extrême droite qui peuvent, par exemple en Allemagne, en France ou en Italie, trouver aisément à s'employer. Le terreau américain paraît, à cet égard, fertile.

En marge des mouvements politiques, on constate, de plus en plus, que les nouveaux utilisateurs d'actes à caractère terroriste appartiennent à l'univers du crime organisé. L'exemple de la Colombie où les narco-trafiquants ont, durant une période, utilisé le terrorisme pour forcer la main de l'État après avoir noué une alliance circonstancielle avec les guérillas, peut faire des émules. Le fait que le FNLC ait, ces dernières années, dérivé vers des pratiques de plus en plus mafieuses n'est pas à négliger. A plus large échelle, des mouvements irrédentistes peuvent voir le jour en Europe centrale et orientale et utiliser des méthodes à caractère terroriste. On est en droit de moins se préoccuper d'une escalade qualitative que d'un développement quantitatif d'actions si peu coûteuses et à la capacité de nuisance considérable.

ALLONS-NOUS VERS UN TERRORISME DE DESTRUCTION MASSIVE ?

Le terrorisme international aurait fait environ 10 000 morts pendant la période 1968-1998. Tous terrorismes confondus, le nombre de victimes est sensiblement le même (10 715) pour la période 1990-1995.

L'expérience des trente dernières années démontre à la fois la modestie des résultats militaires des terrorismes et leur impact psychologique considérable.

Pour l'instant – et plus particulièrement en ce qui nous concerne en Europe occidentale – les menaces terroristes n'incluent plus le terrorisme révolutionnaire (disparition des Brigades rouges, de la Rote Armee Fraktion, etc.). Les terrorismes indépendantistes sont en voie de disparition (fin annoncée du terrorisme irlandais, voire basque, détournement mafieux des mouvements corses). Enfin le terrorisme de manipulation favorable à un État (Syrie, Irak, Iran, Libye, etc.), après avoir été dangereux, paraît, pour le moment, s'estomper.

En fait, depuis quelques années, ce type de terrorisme d'État (ou appuyé par un État) a quasiment disparu ou se limite à l'assassinat d'opposants politiques réfugiés à l'étranger.

Peut-être la crainte du développement d'un terrorisme d'extrême droite est-elle fondée. Depuis la montée des partis xénophobes en Europe, cette perspective doit être prise en compte.

Aux États-Unis, les attentats (qui restent le fait d'éléments isolés) d'Oklahoma City et d'Atlanta vont dans ce sens. En Israël même, l'extrême droite ultranationaliste ou ultrareligieuse peut multiplier les incidents intercommunautaires (ou même, comme dans le cas de l'assassinat d'Ytzhak Rabin, recourir au meurtre de coreligionnaires).

Le terrorisme s'est également manifesté comme une nouvelle stratégie utilisée par des organisations criminelles puissantes (Colombie) lorsque celles-ci se sentent menacées dans leur existence. Le recours à ce mode d'action est rare parce que ultime, la criminalité organisée prospérant dans le cadre d'une société plutôt stable. La stratégie violente mise en place par la Mafia en Italie au début des années 90 (exécutions de familles de repentis, assassinats de magistrats, etc.) a produit un effet contraire à celui qui était recherché. Loin de ralentir les mesures répressives, elle a conforté l'opinion publique italienne dans son soutien à l'État.

En France, comme en Europe en général et au Moyen-Orient, le terrorisme islamiste paraît à la fois le plus actif et le plus dangereux. Une partie non négligeable des militants islamistes qui se sont lancés dans l'action a été formée en Afghanistan. Certains ont rejoint leurs pays d'origine, où leur prestige d'ex-moudjahidines leur permet de jouer un rôle dans la formation des mouvements locaux à la lutte armée. D'autres se dirigent vers les pays d'Europe, où se trouvent de larges communautés musulmanes, et s'efforcent d'y faire du prosélytisme, voire d'organiser des réseaux actifs. Enfin, d'autres encore ont rejoint les divers djihad en Bosnie, en Tchétchénie, au Cachemire et au Kosovo.

Depuis 1983 et jusqu'aux attentats de 1998 à Nairobi et à Dar es-Salaam, aussi bien dans le cadre du terrorisme international que dans les terrorismes locaux, les attentats majeurs ont tous été des attentats au véhicule piégé. Le camp des marines et l'ambassade américaine à Beyrouth, le World Trade Center, le bâtiment fédéral à Oklahoma City, l'ambassade et le Centre communautaire juif à Buenos Aires, les tours Khobar en Arabie Saoudite, enfin les ambassades américaines de Dar es-Salaam et de Nairobi, tous sont le fait d'attentats non revendiqués exécutés au véhicule piégé.

Pourtant, aujourd'hui, et plus particulièrement aux États-Unis, on constate la construction sociale d'une menace nouvelle : la quasi-certitude que nous allons vers une ère nouvelle du terrorisme de destruction de masse, celui d'un terrorisme par usage d'agents chimiques biologiques ou radioactifs (voire nucléaires).

Cette perspective a créé aux États-Unis comme un vent de panique. Quelle en est l'origine ?

L'usage de gaz se limite pour l'instant à l'attentat au sarin dans le métro de Tokyo (12 morts) en 1995, organisé par la secte millénariste Aum. Sans doute peut-on ajouter l'effet produit par la découverte de l'ampleur du programme irakien en matière chimique et biologique.

Le président Clinton s'est ému à la lecture d'un thriller politique, *The Cobra Event,* et, depuis, l'administration américaine prépare les États-Unis au choc d'un éventuel terrorisme de destruction massive. Le terrorisme « postmoderne » sera, nous dit-on, chimique ou biologique.

Quels risques tangibles comporte en effet l'apparition d'un terrorisme de destruction de masse ?

Pour commencer, qu'entend-on par destruction de masse ? Quel nombre approximatif de victimes ?

Les divers scénarios proposés par les chimistes et les biologistes ne permettent pas, d'une façon générale, de dénommer le phénomène appréhendé de destruction massive. C'est bien de terrorisme non classique, c'est-à-dire de terrorisme n'utilisant pas d'armes ou d'explosifs, dont il s'agit.

Il convient cependant de rappeler que les terrorismes, d'une façon générale, cherchent moins à provoquer un nombre important de victimes qu'à attirer l'attention. Le seul élément véritablement nouveau dans le terrorisme des dernières années est que les attentats, souvent, sont devenus plus meurtriers. Mais ils sont restés classiques dans leur méthode. La nature du terrorisme aurait-elle changé ? Quelles raisons les différents groupes terroristes auraient-ils de franchir le saut quantitatif qui sépare les attentats classiques de ceux pouvant déboucher sur des destructions dites massives ?

Il est illusoire de prétendre que la mondialisation dans les communications multiplie aujourd'hui l'effet d'annonce, celui-ci étant déjà considérable en 1968 lors des premiers détournements d'avions de la compagnie israélienne El Al par le Front populaire de libération de la Palestine de Georges Habache.

Les moyens de se procurer les agents létaux, chimiques ou biologiques, voire nucléaires, sont peut-être devenus plus faciles maintenant, encore que certains engrais chimiques communément employés dans l'agriculture auraient pu être utilisés il y a déjà des années.

Quoi qu'il en soit, à tort ou à raison, le « nouveau terrorisme » se distinguerait du terrorisme classique par la recherche de l'effet létal maximum.

Ne doit-on pas plutôt estimer qu'il est devenu nécessaire de frapper plus fort pour être entendu, la répétition, depuis 1968, des mêmes techniques avec des résultats assez similaires ne faisant plus la une des journaux que si l'action a lieu dans les grands centres urbains des pays occidentaux, ou affecte directement les Occidentaux, et tout particulièrement les Américains ?

QUELS ACTEURS ?

Quels groupes seraient susceptibles d'utiliser un terrorisme non classique destiné à faire un grand nombre de victimes et à semer une panique inédite ?

Les deux catégories les plus susceptibles de recourir à un terrorisme de destruction massive sont :

1) les sectes millénaristes qui, en vertu d'une cohérence idéologique, adoptent un comportement de justicier, infligeant à une société corrompue ou abominable un châtiment d'ordre divin. L'approche du troisième millénaire pourrait susciter un acte de cette nature ;

2) les cas pathologiques d'individus isolés (dont les moyens seraient relativement limités) mais décidés à punir ou à tirer vengeance.

Il me semble que dans le cas du nationalisme radical (sauf en cas d'absolu désespoir) ou de mouvements religieux classiques – même extrêmes –, les choix sont infiniment plus rationnels. L'expérience oblige à dire que dans les deux premiers cas, les États-Unis seraient à la fois le terreau de ces catégories et leur cible. En effet, nulle part on ne trouve davantage de sectes extrêmes, d'individus marginalisés et de savoir-faire dans un pays où presque tout est en vente libre.

La réponse à une menace de ce type est évidemment à chercher – avant même les contre-mesures à prendre pour limiter les dégâts éventuels – dans le renseignement. Si les individus isolés peuvent être difficilement repérables, les groupes, eux, sont beaucoup plus faciles à identifier et à neutraliser, si nécessaire.

Dans la pratique, il semble que le terrorisme biologique serait le plus probable et le plus létal. Cependant, le souci suscité par l'attentat de la secte Aum paraît démesuré (même s'il est nécessaire d'être prêt à une éventuelle escalade). Il faut bien, pour l'instant, se dire que le terrorisme non classique (type métro de Tokyo) se distingue non par sa capacité de destruction massive mais par l'usage d'un moyen nouveau d'origine chimique.

L'avenir dira si – en dehors de larges crédits pour les chercheurs – les craintes d'un terrorisme de destruction véritablement massive est une piste sérieuse. L'argument du pionnier en matière de terrorisme aux États-Unis, Brian Jenkins, reste à mon avis valide : « *Terrorists want a lot of people watching, not a lot of people dead.* »

Deux hypothèses fréquemment avancées par certains spécialistes paraissent d'emblée devoir être écartées :

l'une portant sur les moyens : le terrorisme nucléaire est hautement improbable ;

l'autre sur les effets : il est absurde d'imaginer qu'une action terroriste dite de destruction massive puisse déstabiliser un État occidental.

En fait, nous n'avons pas connu ni même été menacés par un terrorisme de destruction massive. La probabilité n'en est pas nulle, mais son apparition n'est pas inévitable. Non seulement réussir une opération permettant de causer des dégâts considérables n'est point si aisée, mais encore faut-il que la motivation du groupe concerné soit le carnage. Après tout, la secte Aum n'a pu (après des essais de préparation) réussir qu'un attentat modeste et la police japonaise, largement informée de l'existence de la secte, aurait pu mettre celle-ci hors d'état de nuire.

L'attentat de Tokyo, aux yeux d'une grande partie des spécialistes américains, semble marquer une coupure nette entre terrorisme classique et terrorisme nouveau. Or, depuis 1995 les faits ne corroborent pas cette hypothèse.

Certes, il appartient aux États de prévoir un minimum de mesures appropriées pour répondre, le cas échéant, à des menaces nouvelles, mais il est illusoire de penser, même avec un gros budget, pouvoir répondre à toutes les menaces. Une fois encore, le renseignement reste la moins coûteuse et la plus performante des contre-mesures. Si le terrorisme de destruction massive est possible, il est improbable, compte tenu des intérêts et des objectifs de l'écrasante majorité des organisations utilisant le terrorisme. Si ce terrorisme-là devait se produire, il serait probablement biologique ou chimique ou radiologique, et son impact psychologique serait considérable même si le nombre de victimes n'était pas très élevé. Il faut rappeler l'incident de Bhopal, en Inde, en 1984, où des pesticides furent répandus par erreur, provoquant la mort de plus de 3 500 personnes. Aussi convient-il, dans la mesure du possible, d'être préparés.

En dernière analyse, il est possible que dans un avenir relativement proche apparaisse, mais de façon sans doute isolée, un terrorisme non classique. Le plus vraisemblable serait l'usage d'un agent chimique qui provoquerait un nombre relativement limité de victimes, mais dont l'impact serait très important. En fait, c'est moins de destruction massive dont il s'agirait que d'un effet de *panique de masse*.

Le tapage, surtout aux États-Unis, autour de cette menace potentielle paraît cependant excessif et rappelle que nos sociétés restent, en matière de tragédie, des sociétés du spectacle.

Paris, janvier 1999

1

Origines et réalités
de l'islamisme activiste

Jean-Philippe CONRAD *

A Raoul Girardet

*L'islam est idéologie et foi, patrie et nationalité, reli-
gion et État, esprit et action, livre et épée.*
Hassan Al-Banna

La France a, depuis la fin des années 70, payé un lourd tribut
à un terrorisme qui se revendique comme islamique. L'attentat
contre l'immeuble du Drakkar à Beyrouth en 1983, les attentats
à Paris en 1986, l'explosion au-dessus du désert du Ténéré du
DC 10 d'UTA en 1989, le détournement de l'Airbus d'Air
France en 1994 ou la campagne de terreur de 1995 sont autant
d'exemples de la guerre indirecte menée contre notre pays et ses
intérêts, par différents adversaires. Ces adversaires, certains
auteurs avides de simplification et de sensationnalisme les ont
désignés sous les termes réducteurs de « terroristes islamistes »
ou de « combattants du djihad ».

Ces exemples ne sont pas neutres, car même s'ils ne représentent que les épisodes les plus dramatiques et non la totalité
du combat mené contre la France, ils ne se rattachent pas à une
même guerre mais à des conflits différents, menés par des acteurs
autonomes agissant selon des stratégies indépendantes.

---

* Enseigne au collège Interarmées de défense.

Les responsables de ces actions ont été, en effet, tour à tour, des autorités politiques étrangères ou des chefs d'organisations indépendantes. Leur origine a été moyen-orientale ou maghrébine. Les itinéraires de leurs auteurs ont emprunté les chemins éloignés de l'Afrique noire, de la Turquie, de l'Afghanistan ou de la Bosnie. Leur volonté de frapper la France a été inspirée par des raisons géopolitiques, des motifs économiques ou stratégiques, voire le souci d'acquérir une audience médiatique internationale ou la volonté de transmettre un message particulier à une fraction ciblée de la population française.

Comment, dès lors, porter un regard objectif et synthétique sur cette mouvance dont certains auteurs prétendent qu'elle a commencé ses premiers forfaits il y a plus de quarante ans, en y incluant la guerre d'Algérie et les actions violentes commises pendant cette période sur notre territoire [1] ?

Pourquoi, pour reprendre les exemples précédents, vouloir d'entrée trouver une filiation logique entre l'action d'un « djihad islamique » libanais désireux de frapper des troupes d'occupation étrangères, la volonté de hauts responsables politiques iraniens de modifier la politique étrangère du « petit Satan », l'opération de services spéciaux libyens mécontents de la présence militaire française au Tchad, ou la décision d'un groupe islamique armé algérien, particulièrement sanguinaire, de porter le combat salafiste hors d'un territoire national où il ne peut remporter la victoire ?

D'autres spécialistes ont alors parlé de « menace multiforme ». Il importe, dans ce cadre, de définir l'ampleur de la menace et d'étudier ses différents aspects.

La menace terroriste d'origine islamiste apparaît d'une importance prioritaire pour les intérêts vitaux de notre pays. En s'attaquant à ses citoyens, l'acte terroriste vise directement la souveraineté de l'État dont il cherche non seulement à modifier la politique étrangère sur les plans politique, économique ou militaire, mais également à influencer la politique intérieure.

Mais, en termes de bilan matériel, quel est l'impact réel de ce

---

1. D'abord entre factions algériennes puis contre la puissance coloniale elle-même.

terrorisme ? Si l'on s'en tient au froid discours des chiffres, on constate que les actions terroristes d'origine islamiste ont tué en vingt ans moins de 300 personnes sur notre territoire et environ 600 si l'on y ajoute les pertes subies, entre autres, hors de France par les militaires en poste au Liban, les passagers du DC 10 ou nos ressortissants en Algérie.

Ne revenons pas sur les habituels parallèles avec les accidents de la route qui ne sont en rien comparables, mais rappelons plutôt que, dans la période récente où 17 personnes décédaient lors d'attentats à l'engin explosif (de la campagne de l'été 1995 à l'attentat du 3 décembre 1996), une cinquantaine d'assassinats étaient commis dans le Sud de la France par des indépendantistes corses dont les argumentations politiques dissimulent de moins en moins les comportements mafieux.

Comment ne pas garder en mémoire que, de 1968 à nos jours, ce sont près de 4 000 personnes qui sont tombées victimes du conflit irlandais ? Comment ne pas évoquer la situation d'Israël ou celle du peuple libanais ? Comment, enfin, pour rester dans le domaine de l'activisme islamique, ne pas observer le Pakistan où, depuis quelques années, les affrontements interfactions se soldent par une dizaine de victimes quotidiennes ?

Ceci posé, la menace reste entière, alors que la France, état démocratique, n'occupe pourtant pas de pays étranger ni n'impose son autorité à des populations présentes sur son territoire contre leur gré.

Notons, par ailleurs, que la France a historiquement un lien privilégié avec l'Islam, qui n'est pas simplement marqué par les croisades, la conquête de l'Algérie ou la guerre contre les Druzes. Et même si ses motivations n'ont pas été – loin s'en faut – uniquement humanitaires, la France a su proposer aux populations musulmanes un mode d'accueil original et cohérent – l'intégration –, imposant un tournant à sa politique d'immigration traditionnellement tournée vers des populations européennes de culture chrétienne. En 1997, l'islam est la deuxième religion de notre pays.

Dans ce cadre et afin d'appréhender dans sa globalité le problème de l'activisme islamiste, il est nécessaire de revenir à l'étude des sources du fondamentalisme islamique, d'analyser les données historiques de la montée de l'islam radical au XXᵉ siècle, avant d'étudier les différentes manifestations de l'activisme islamique et d'évaluer quelles menaces il a fait peser sur la France.

PRÉCAUTIONS LIMINAIRES

Avant d'aborder ces différents thèmes, il importe de préciser quelques précautions de vocabulaire. Ainsi rappellerons-nous que l'*islamisme* n'est pas une doctrine théologique mais un concept qui désigne l'utilisation politique de l'islam. L'islamisme doit, en ce sens, être différencié du *fondamentalisme* qui est la volonté de retour aux textes fondateurs de l'islam (sourates et haddiths). Le fondamentalisme bascule ainsi dans l'islamisme quand il est utilisé comme idéologie afin d'imposer à la société et à l'État d'un pays le modèle rigoureux de l'islam originel [2].

Aussi utiliserons-nous dans cet article le terme d'*islamisme politique* (ou d'islamisme modéré) pour définir les mouvements qui veulent – par les moyens légaux – utiliser l'islam pour réformer les systèmes institutionnels et les modes socioculturels d'un ensemble géopolitique donné. Nous emprunterons le terme d'*islamisme radical* (ou d'islamisme extrémiste) quand ces mêmes mouvements chercheront à transformer complètement cet ensemble géopolitique. Nous choisirons le terme d'*islamisme activiste* (ou d'islamisme combattant) quand ces mouvements auront recours à la violence pour atteindre leur but. Le terme d'*islamisme terroriste* (ou de terrorisme islamique) correspondra à une nouvelle étape de cette troisième phase, celle où l'islamisme activiste emploie les techniques du terrorisme (aveugle ou ciblé) pour imposer ses vues ou marquer son identité.

---

2. Ce modèle est d'autant plus rigoureux qu'il fait référence à un islam idéalisé. Cet islam « pur » est bien souvent un islam réinterprété en fonction des présupposés politiques de son auteur. Un des premiers signes du passage à l'islamisme est donc, sans conteste, la refonte des normes juridiques en vigueur autour de la charia (loi islamique), et – en pays arabe – l'arabisation de l'enseignement et des pratiques administratives et socioculturelles.

LES SOURCES DU FONDAMENTALISME ISLAMIQUE

Selon la conception musulmane, le Coran (*Al Quran* : la récitation) représente la parole de Dieu, transmise par l'archange *Jibril* (Gabriel) au prophète Mahomet, dernier des envoyés divins. L'islam se définit par un corpus théologique : les 114 sourates du Coran et également les haddiths, traditions inspirées des actes de Mahomet et rapportées par ses proches. Ces éléments ont fait très rapidement l'objet d'interprétations qui ont permis de systématiser un modèle juridique [3] représenté par la charia (loi coranique).

L'islam se définit également par référence à une entité géopolitique, celle de la communauté des croyants *(oumma)*, qui abolit les frontières des États au profit d'un espace géopolitique appartenant au peuple de Dieu et dont la vision est directement tirée du souvenir idéalisé de la conquête fulgurante des cavaliers arabes. Les premiers combattants d'Allah ont créé en moins d'un siècle un territoire qui s'étendait aux marches de l'Inde et incluait le Maghreb et le Machrek.

Le modèle politique originel n'est pas – contrairement à ce que prétendront par la suite les théologiens salafistes – celui du *califat* (succession). Cependant, Mahomet, puis les quatre premiers califes, Abou Bakr, Omar, Othman et Ali, ont été les chefs à la fois religieux et politiques de l'oumma.

Mais, à la mort d'Ali, la succession est interrompue au profit de la dynastie des Omeyyades qui, dépourvue de légitimité religieuse, élabore, en une soixantaine d'années, les règles politiques et administratives de ce qu'on peut alors désigner comme un empire musulman.

Les lois politiques *(syassat)* et la religion *(din)* sont de fait séparées. Les *oulemas*, savants issus des grandes écoles religieuses et qui occupent les fonctions d'imams ou de juges, n'interfèrent pas avec le pouvoir politique des émirs. Ils attendent en revanche que les chefs politiques agissent dans le respect des lois de l'islam dont ils sont les garants.

---

3. Rappelons que plusieurs écoles juridiques se sont superposées dans le monde sunnite avant d'être, à leur tour, contestées.

Les premiers fondamentalistes

Le chiisme

La scission majeure de l'islam a eu lieu à la fin du VIIe siècle, quelques années à peine après la mort de Mahomet. Les chiites [4] affirment leur fidélité à Ali [5] et au califat. Cette fidélité politique se transforme bientôt en autonomie religieuse et entraîne la création d'une théologie et d'un droit propres. Les chiites attendent ainsi toujours le retour du douzième imam, disparu en l'an 873 de l'ère chrétienne. Ils représentent environ 15 % de la population musulmane.

La catégorie politique utilisée par les chiites pour se distinguer de la sunna est l'imamat. Ali, en effet, est un imam avant d'être un calife. Notion fondamentale pour les chiites, car la catégorie califale relève, à maints égards, du temporel alors que l'imamat est d'abord religieux.

Très marqué par l'influence perse, le chiisme est troublé au XIIe siècle par un important débat théologique sur la notion de l'interprétation. Les oulemas traditionalistes estiment, comme les sunnites, qu'il faut s'en tenir au respect des coutumes. Les oulemas fondamentalistes estiment que les plus sages d'entre eux (les futurs ayatollahs : docteurs de la loi) ont droit à interprétation. La suprématie de ces derniers permet la création d'un clergé autonome doté d'importantes ressources financières obtenues par les dons obligatoires des fidèles.

Mais ce n'est qu'au XXe siècle que le chiisme se radicalise sous l'autorité d'un laïc iranien originaire d'une famille religieuse, Ali Cheriati (1933-1977). Celui-ci, à l'image des tenants de la théologie de la libération dans le monde catholique, adapte l'islam chiite à son temps, par l'apport des idéologies anti-impérialistes [6].

---

4. Chi'isme vient de *chi'ali* (partisan d'Ali).

5. Ali est battu par les Omeyyades à la bataille de Kerbela, où son propre fils, Hussein, trouve la mort. Cet événement est depuis célébré chaque année par la communauté chiite. Ali a été écarté du califat sur la question de l'arbitrage en 657 et assassiné quatre ans plus tard.

6. Ali Cheriati est ainsi le traducteur persan des *Damnés de la terre* de Frantz Fanon.

Violemment critiqué par les mollahs iraniens, Cheriati suscite pourtant l'intérêt des jeunes classes intellectuelles de son pays, au lendemain de la victoire du chah d'Iran sur le Premier ministre progressiste Mossadegh (1954), qui sonne le glas de l'opposition marxiste.

Ce renouveau radical du chiisme ouvre alors la voie à l'aya-tollah Ruhollah Khomeiny, figure marquante du centre religieux de Qom, qui va imposer le premier modèle de théocratie dans le monde musulman. C'est au début des années 70 que Khomeiny définit le principe du régime du « docteur de la loi » *(velayat-i fâtih)*, qui redonne au chef religieux le pouvoir politique.

Le hanbalisme

Dans le monde sunnite, Ahmed Ibn Hanbal propose, au XIIIᵉ siècle, une critique fondamentaliste de l'islam en refusant aux oulemas le droit à l'interprétation. La doctrine hanbaliste est achevée par Ibn Taymiya (1263-1328), qui va déclarer apostat le peuple mongol, accusé de s'écarter des seuls textes sacrés que sont le Coran et la sunna. Il est le premier auteur musulman à s'interroger ouvertement sur le châtiment qui doit être infligé au chef politique qui a abandonné la voie de l'islam.

Le wahhabisme

Ibn Abd Al-Wahhab (1703-1792) offre, au XVIIIᵉ siècle, un nouveau modèle fondamentaliste en s'opposant tout particuliè-rement au soufisme. Théorie d'un islam puritain, le wahhabisme prône l'excommunication *(takfir)* de tout musulman qui ne res-pecte pas les principes originels de l'islam.

C'est au wahhabisme que revient la paternité originelle de la doctrine salafiste [7] (retour au chemin des ancêtres), dont on verra plus loin la renaissance au XIXᵉ siècle et l'influence dans la mou-vance islamiste activiste à la fin du XXᵉ siècle.

Vision rigoriste de l'islam, le wahhabisme influence la tribu des Saoud depuis le XVIIIᵉ siècle jusqu'au début du XXᵉ siècle,

---

7. Salafisme vient de *Salaf* (ancêtre).

qui voit, dans son premier quart, la conquête de l'essentiel de la péninsule arabique, sous l'autorité d'Abdelaziz Ibn Saoud, fondateur de la dynastie saoudienne actuelle.

Le renouveau de la doctrine salafiste

Le monde musulman – l'Empire ottoman étant en plein déclin – ne peut, au XIXᵉ siècle, qu'appréhender avec inquiétude la montée en puissance d'un Occident chrétien qui possède désormais le monopole des sciences et de la technique.

Au moment où les puissances européennes – en particulier la France et la Grande-Bretagne – entreprennent la conquête des terres musulmanes, un certain nombre de voix s'élèvent pour déterminer comment l'islam pourrait affronter les dangers de la modernité.

Le large débat sur la réforme *(islah)*, qui reprend le nom de *salafiya*, connaît, dès la fin du XIXᵉ siècle et au début du XXᵉ, un certain nombre de théoriciens dont les plus illustres restent le Persan Djamal Eddine Al-Afghani (mort en 1897), l'Égyptien Muhammad Abduh (mort en 1905), le Syrien Rachid Rida (mort en 1935), l'Algérien Ibn Badis (mort en 1940) et l'Indien Muhammad Iqbal (mort en 1940). Tous tentent de concilier la modernité nécessaire avec un retour aux valeurs les plus authentiques de l'islam. Cette réactualisation de la foi des anciens passe par une critique de la décadence des mœurs et de l'abandon de la pratique religieuse. La doctrine salafiste va se définir par rapport à la restauration du califat et à l'élaboration d'une véritable doctrine de justice sociale.

Au XXᵉ siècle, apparaissent, en Égypte et dans le continent indien, deux mouvements qui adoptent une doctrine étonnamment proche, les Frères musulmans et le groupe islamique. Ils peuvent être considérés comme les premiers mouvements islamistes politiques par l'élaboration de la synthèse d'une confrérie religieuse traditionnelle et d'un mode d'organisation structurelle axé sur l'appréhension sociale de la communauté.

Si certains ont cru détecter (au grand mécontentement des deux mouvements) l'apport du soufisme dans le message religieux, l'influence marxiste est incontestable dans le message politique et le mode organisationnel. Pourtant, cette nouvelle idéologie reste fondamentalement musulmane. Pour les islamistes, la société idéale, loin d'être un simple rassemblement de croyants, se définit au premier chef par la nature du pouvoir politique.

La naissance des Frères musulmans (Al Ikhouan al mouslimoun) *au Moyen-Orient*

Hassan Al-Banna, né en Égypte en 1906, est instruit, par un père soufi, des principes panislamiques de Djamal Eddine Al-Afghani. La conquête du trône d'Arabie par Abdelaziz Ibn Saoud est un de ses modèles d'adolescent. C'est pendant ses études au Caire qu'Al-Banna a ses premiers contacts avec le milieu de la salafiya avant d'obtenir son premier poste d'instituteur en 1927.

Al-Banna fonde la société des Frères musulmans en mars 1928 avec une dizaine de camarades. Vingt ans plus tard, le mouvement approche les deux millions d'adhérents.

Brillant orateur, Al-Banna sait exacerber le ressentiment de ses compatriotes à l'encontre de la présence britannique et attribue dans ses discours les malheurs de la communauté musulmane à la domination occidentale.

Construite comme une confrérie religieuse dont les membres doivent obéissance au guide *(murshid)* conseillé par une assemblée *(Majliss El Choura)*, la société des Frères musulmans devient rapidement un mouvement politique structuré [8] dont la puissance réelle tient au contrôle d'une multitude d'organisations impliquées dans le domaine social (syndicats, organisations caritatives, associations étudiantes).

Les Frères musulmans prônent une réforme complète de la société [9] où la justice sociale serait assurée, non plus par la charité individuelle, mais par la prise en charge de l'aumône légale *(zakat)* par l'État, qui en effectuerait une équitable redistribution.

---

8. Le serment des Frères musulmans est à l'image des cinq piliers : « Allah est notre but, le prophète est notre modèle, le Coran est notre loi, le djihad est notre vie, le martyre est notre vœu. »

9. La devise des Frères musulmans est « Le Coran est notre Constitution ».

Sur le plan international, les Frères musulmans s'opposent à toute idéologie nationaliste (considérée comme un concept occidental) et appellent à la renaissance de l'oumma. C'est dans ce cadre que sera créée, au sein de la confrérie, une « organisation secrète » dirigée par Salah Achmaoui. D'abord camouflée sous les habits du scoutisme, elle va devenir une véritable structure armée dont les membres combattent lors du soulèvement de la Palestine en 1936 ou de la première guerre israélo-arabe en 1948 [10].

Au lendemain de ce dernier conflit, les autorités égyptiennes ordonnent le désarmement de ces milices clandestines, ce qu'accepte Al-Banna. Il va par la suite prétendre qu'une partie de ses troupes, radicalisée par l'expérience du combat, a fait dissidence pour mener des actions de guérilla contre les troupes britanniques stationnées sur le canal de Suez.

Al-Banna est-il le chef d'une organisation islamiste modérée dont l'idéologie a suscité des vocations activistes dissidentes ou d'une organisation radicale disposant d'une branche armée clandestine ? Il devient, en tout cas, le bouc émissaire d'actes terroristes commis vraisemblablement par des membres de son mouvement [11]. Peu de temps après l'arrestation de 4 000 Frères musulmans, Al-Banna est assassiné le 12 février 1949, à l'instigation, selon toute probabilité, des forces de sécurité égyptiennes.

Le groupe islamique (Jamaa Islamiya) *en Asie*

Abu Ala Maududi naît aux Indes britanniques en 1906, également dans une famille soufie. Devenu journaliste, il se lance dans l'action politique. Percevant l'islam comme une idéologie

---

10. Michel Seurat (sous le pseudonyme de Gérard Michaud) et Olivier Carré se sont interrogés sur les liens entre l'organisation secrète des Frères musulmans et le Mouvement des officiers libres qui, par le coup d'État du 23 juillet 1952, allait préparer l'arrivée au pouvoir de l'un des siens, le colonel Gamal Abdel Nasser. Celui-ci sera pendant près de vingt ans le leader du panarabisme.

11. C'est à des Frères musulmans que furent attribués en 1948 les assassinats successifs d'un magistrat égyptien, de deux officiers anglais, puis du Premier ministre égyptien.

politique dont la fonction est d'appréhender de manière globale la société et l'homme, il prône la nécessité d'une « révolution islamique », seule capable d'effacer le « temps de l'ignorance » *(jahiliya)* qui avait frappé les sociétés pré-islamiques et affecte les sociétés musulmanes corrompues de son temps.

Maududi fonde en 1941 le Jamaa Islamiya (groupe islamique), mouvement politico-religieux dont la structure est proche de celle des Frères musulmans, même si le guide prend ici le titre d'émir. Ce mouvement va non seulement investir le champ social, mais s'impliquer activement dans la vie politique par la participation aux élections et des prises de position radicales [12].

Pratiquant l'entrisme dans les milieux intellectuels et l'administration, le groupe islamique va – comme les Frères musulmans avec les jeunes officiers égyptiens dans les années 50 – trouver de forts soutiens dans la jeune armée pakistanaise, dont la forte conviction nationaliste face à l'ennemi indien est marquée par le sentiment religieux. Son appui certain au régime putschiste du général Zia (avril 1977) va lui permettre de bénéficier du soutien des services de sécurité pakistanais. Le groupe islamique va alors jouer un rôle occulte dont la dimension sera établie lors du conflit afghan.

Les liens entre islamisme radical et islamisme activiste : les apports de Sayid Qotb et de ses héritiers

La matrice politique commune à Al-Banna et Maududi, qui n'impliquait pas la lutte armée et pouvait déboucher sur une action réformiste, va être radicalisée par une nouvelle génération d'islamistes de nationalité égyptienne.

Sayid Qotb et ses successeurs vont s'imposer comme les penseurs d'un islamisme radical véritablement subversif, légitimant la violence bientôt présentée comme une obligation religieuse.

Sayid Qotb, comme Al-Banna, naît en 1906 en Égypte et embrasse la carrière d'instituteur. Membre des Frères musul-

---

12. Le groupe islamique s'oppose ainsi à la partition de l'Inde (1947) puis à celle du Pakistan. Devenu un parti pakistanais d'opposition, il mène des campagnes nationales contre les gouvernements d'Ali Bhutto et du maréchal Ayyoub.

mans, il insiste dans ses écrits sur le concept de jahiliya, en refusant tout compromis avec les gouvernements impies. Ceux-ci, devenus illégitimes dans la mesure où ils n'obéissent plus aux vraies lois de l'islam, ne peuvent qu'être frappés d'excommunication (takfir).

Qotb reprend ainsi un autre concept salafiste, déjà développé par Ibn Taymiya, dont l'emploi devient un des critères de distinction entre les mouvements islamistes politiques et les mouvements radicaux. En déclarant infidèles les gouvernants, Qotb appelle à la guerre civile.

Dès lors, le djihad devient non plus une simple obligation collective de protéger la communauté contre les non-musulmans, mais un devoir individuel et impérieux de lutter contre les mauvais musulmans [13].

Rappelons cependant que Qotb sera, par la suite, désavoué par les responsables des Frères musulmans, qui lui reprocheront son radicalisme en rappelant que le mouvement doit être formé de prédicateurs et non de juges.

C'est dans la période où Qotb donne un nouvel élan radical à la pensée des Frères musulmans que ceux-ci adhèrent à l'élan nationaliste du mouvement des officiers libres. En 1952, les plus déterminés de ses membres sont au côté des putschistes quand ils chassent le roi Farouk et lui substituent le général Néguib. Celui-ci, qui n'était pas membre du mouvement, est bientôt remplacé par Nasser. Les islamistes deviennent alors la cible du nouveau pouvoir, qui emprisonne de nombreux militants. En 1964, l'annonce d'une amnistie générale ne fait que préparer une nouvelle épuration. Sayid Qotb est pendu le 26 août 1966, accusé

---

13. Le djihad, dans sa conception sunnite traditionnelle, est d'abord un effort permanent et personnel que tout musulman doit faire sur soi-même pour s'améliorer dans la voie de Dieu (grand djihad). Rappelons que l'oumma (communauté musulmane) est dénommée, en tant que société religieuse concrète, *dar al Islam.* Celle-ci se différencie de *dar al Rarb* (demeure de la guerre), qui désigne la société des non-musulmans qui n'ont pas conclu de pacte avec la communauté musulmane, et de *dar al Ahd* (demeure de l'alliance), qui est la société des non-musulmans ayant conclu un tel pacte. Le djihad est ensuite le combat que doit mener tout musulman pour lutter contre les adversaires de sa religion, mais une fois seulement que ceux-ci ont repoussé l'appel sincère à la conversion (petit djihad).

d'avoir conspiré contre l'État. Les Frères musulmans qui ont échappé aux nouvelles vagues d'arrestation sont réduits au silence et contraints à l'action clandestine.

C'est dans ce contexte d'affrontement avec l'État égyptien que la pensée de Qotb va se trouver elle-même radicalisée par un de ses compatriotes, Abdel Salem Faraj. Dans un ouvrage intitulé *L'obligation absente*, ce dernier s'appuie sur les textes de Ibn Taymiya pour affirmer que le djihad constitue le sixième pilier de l'islam [14].

Faraj élève ainsi au rang d'obligation religieuse le devoir de contestation violente face à un pouvoir politique infidèle à l'islam. Il définit clairement le passage de la théorie du takfir collectif et de la guerre sainte en général à l'acte terroriste sélectif.

Théoricien du groupe Takfir wal Hijra (Anathème et exil), Faraj est jugé pour sa responsabilité supposée dans l'assassinat du président Sadate et exécuté le 8 avril 1982.

LA MONTÉE DE L'ISLAMISME ACTIVISTE

Comment expliquer que l'activisme islamiste apparaisse comme un phénomène récent alors que ses terres d'élection sont depuis près de cinquante ans l'enjeu de conflits violents ?

Il faut, pour répondre à cette question, rappeler deux éléments. Tout d'abord l'islam arabe est largement minoritaire au sein de l'oumma musulmane. Sur une population totale de quelque 900 millions de musulmans dans le monde, le monde arabe ne représente que 230 millions [15]. Par ailleurs, les pays musulmans non arabes ont été plus directement concernés par les enjeux de la guerre froide, et leurs gouvernements ont fait l'objet de l'attention des États-Unis, soucieux d'éviter toute contagion communiste dans le cadre de la « théorie des dominos ».

---

14. Les cinq piliers traditionnels de l'islam sunnite sont l'affirmation de l'unicité de Dieu (« Il n'y a de Dieu qu'Allah et Mahomet est son prophète »), l'obligation des cinq prières rituelles, le jeûne pendant le mois de Ramadan, l'aumône légale et le pèlerinage à La Mecque.

15. La Turquie, l'Iran et le Pakistan, tous trois véritables puissances régionales, possèdent des populations respectives d'environ 60, 60 et 120 millions.

Quant au monde arabe, ses différents conflits internes n'ont pas laissé de place à l'extension d'un islamisme activiste, dont les facteurs d'émergence s'étaient, jusqu'au début des années 80, tournés vers d'autres idéologies et d'autres combats.

Car si le monde arabe, dès la fin du second conflit mondial, se lance de façon dispersée dans la lutte anticoloniale, le combat anti-impérialiste qui lui succède trouve son idéologie dans les différents nationalismes arabes, héritage ultime des anciens maîtres occidentaux.

Dans le même temps, les affrontements auxquels vont se livrer ces différents nationalismes arabes (parti nassérien, partis Baas de Syrie et d'Irak, voire Jamahirya libyenne) pour le leadership du panarabisme, vont alors se complexifier par le combat pour la libération de la Palestine.

Celui-ci, s'il permet de trouver un ennemi commun – Israël –, engendre une puissance rivale, l'OLP, d'autant plus dangereuse que sa population est dispersée dans l'ensemble des pays arabes. L'Organisation pour la libération de la Palestine, principal représentant du peuple palestinien, est en même temps un mouvement national et laïc, d'inspiration marxiste. Ses nombreuses dissidences, généralement inspirées par les pays arabes soucieux de maintenir leur rang de puissance régionale, ne montrent aucune inclinaison envers une religion islamiste considérée comme réactionnaire sur le plan de l'échiquier mondial.

C'est pourtant oublier que la première rhétorique de libération de la Palestine avait été élaborée au nom de l'islam par Hadj Amin El Husseini, grand mufti de Jérusalem, puis par Azzedine al-Qassem, pionnier des luttes antibritannique et antisioniste, et enfin par le premier président de l'OLP, Ahmad Choukeiry, qui, dans sa résidence du Caire, apparaissait plus proche des Frères musulmans que des jeunes cadres marxisants des multiples mouvements révolutionnaires palestiniens.

L'exportation des Frères musulmans

Le modèle des Frères musulmans se répand dans les pays arabes avant la Seconde Guerre mondiale. Et c'est en 1944 que Mustafa Al-Siba'y crée une branche du mouvement en Syrie.

Au Moyen-Orient, d'autres Frères musulmans apparaissent en 1946 en Jordanie et en 1954 au Soudan. A la même époque, naît en Palestine le Parti de la libération islamique (PLI) qui adopte d'emblée une position activiste axée sur la lutte contre l'« occupant sioniste » et rompt tout lien avec le mouvement égyptien qui l'avait pourtant inspiré.

Au Maghreb, ce sont les différentes politiques nationales d'arabisation qui permettent aux Frères musulmans de développer leurs idées. Car, démunis d'élites arabophones par une politique coloniale qui a imposé l'usage de la langue française, les nouveaux États arabes, et au premier chef l'Algérie, vont faire appel à des enseignants étrangers, en provenance du Moyen-Orient.

Ces professeurs, généralement peu instruits mais majoritairement acquis aux thèses des Frères musulmans, vont arriver d'autant plus facilement au Maghreb que les dirigeants de leurs pays d'origine voient partir avec soulagement de potentiels agitateurs politiques. Partout – mais à des degrés divers en raison de l'état de vigilance des services de sécurité – se reproduit le modèle égyptien. Après le système d'éducation primaire – creuset des nouvelles générations avides d'un idéal qui puisse effacer la honte de la faiblesse arabe –, l'islamisme touche l'université.

Au final, cette nouvelle idéologie donne un espoir nouveau à tous les laissés-pour-compte : au lumpenprolétariat que l'échec des politiques de développement national va largement développer ; aux élites intellectuelles qui n'obtiennent pas les postes promis par leurs diplômes et confisqués au profit des enfants de la nomenklatura.

Même si le mouvement égyptien ne joue aucune influence directe dans la montée en puissance des organisations islamistes maghrébines, son modèle est partout présent.

En Tunisie, l'Association pour la défense du Coran, créée en 1971 par Rached Ghanouchi, devient le Mouvement de la tendance islamique puis l'organisation En Nahda (Renaissance) en 1988.

Au Maroc, si le Mouvement de la jeunesse islamiste marocaine d'Abdelkrim Mottei est une organisation radicale rapidement réprimée, Al Wadl Al Hissan (Justice et bienfaisance), mouvement islamiste politique orienté vers l'action sociale, revendique, dès sa création en 1974 par le cheikh Yassine, le statut de parti légal apte à participer au jeu démocratique par le biais électoral.

Enfin, le mouvement Baas et, dans une moindre mesure, les Frères musulmans apportent de 1970 à 1980 en Algérie une aide non négligeable à l'aile islamiste du FLN (Front de libération nationale) pour développer l'arabisation et l'islamisation du système éducatif algérien. Soutenue par Boumediene, cette branche minoritaire mais puissante du parti unique algérien s'oppose au président Chadli au moment où la chute du prix du pétrole (1986) va développer brutalement le nombre des exclus, que le futur Front islamique du salut (FIS) va bientôt encadrer.

Deux hérauts du prosélytisme islamiste : l'Iran et l'Arabie saoudite

Ces deux pays jouaient traditionnellement, avant la fin des années 70, un rôle de modèle vis-à-vis du monde arabe. L'Arabie saoudite, gardienne des lieux saints et berceau du monde musulman, était en même temps le premier pays arabe à avoir su se débarrasser du joug turc tout en bernant les puissances coloniales. L'Iran était le centre du monde chiite, représenté par d'importantes communautés dans les pays du Moyen-Orient [16]. On rappellera que c'est le chiisme – déjà régi par le puissant appareil religieux des mollahs autour de centres théologiques prestigieux – qui avait permis à l'identité persane de résister à l'Empire ottoman.

A la fin des années 70, ces deux pays sont d'autant plus respectés que leur statut de pétromonarchies leur vaut la sollicitude d'un monde occidental à la fois inquiet de leur influence au sein de l'Opep [17] et rassuré par leur idéologie conservatrice [18].

---

16. Les chiites représentaient 55 % de la population irakienne au moment de la guerre Iran-Irak. Ils sont majoritaires en Azerbaïdjan et au Bahreïn. Ils forment d'importantes communautés historiques, souvent réputées pour leurs qualités guerrières, au Liban (Druzes), en Syrie (Alaouites) et au Yémen (Zaydites).

17. L'Organisation des pays exportateurs de pétrole, au lendemain de la guerre du Kippour (ou guerre du Ramadan pour les musulmans – octobre 1973), crée le premier choc pétrolier en multipliant par quatre le prix du baril de brut.

18. Ces deux régimes sont militairement protégés par les États-Unis. Le régime du chah, dont l'arrivée sur le trône perse doit beaucoup à l'action clandestine des

La révolution iranienne

Début 1979, lors d'une visite officielle à Téhéran, le président américain Jimmy Carter salue le chah, présenté comme le meilleur allié des États-Unis [19], alors que l'ayatollah Khomeiny, de son exil français de Neauphle-le-Château, fait distribuer dans les quartiers pauvres de la capitale iranienne des milliers de cassettes audio de ses prêches enflammés.

La révolution iranienne balaie en quelques semaines un régime qui se voulait trois fois millénaire et permet l'installation d'un système ultraradical qui ferme l'Iran au monde. Quelques mois plus tard, en pleine crise des otages de l'ambassade américaine, l'opinion publique occidentale est passée de la stupéfaction à l'atterrement : fidèle aux principes d'Ali Cheriati, la révolution islamique opère la synthèse du radicalisme islamiste et de l'anti-impérialisme, en ralliant à un islam régénéré la « révolte des déshérités ».

Modèle mondialiste, l'Iran aide à la naissance des « Partis de Dieu » *(Hizb'Allah)* dans les communautés chiites des pays voisins. Les stratégies indirectes du régime des mollahs, des événements de La Mecque (1979) aux multiples actions armées du Djihad islamique, donnent naissance au fantasme du « terrorisme islamique mondial » qui explique le soutien massif apporté par la communauté des pays riches à l'Irak dans le conflit qui va l'opposer à l'Iran.

Et pourtant, force est de constater, près de vingt ans plus tard, que l'Iran est resté une puissance régionale, absente des principaux conflits musulmans. Car si le modèle de la révolution iranienne a profondément marqué l'ensemble des exclus musul-

---

services spéciaux américains et britanniques, dispose en 1979 d'une des plus fortes armées du monde. Son instruction est assurée par des conseillers militaires, entre autres de nationalité israélienne. Le souvenir de l'ancienne armée de Darius est toujours vivant grâce à la garde prétorienne du régime, les 10 000 « immortels ». Quant à l'Arabie saoudite, elle dispose d'une force de sécurité originale, les Mourabitoun, police religieuse qui fait respecter sans faiblesse l'ordre religieux et politique.

19. Quelques années plus tard, celui-ci devait décéder d'un cancer, abandonné de tous ses anciens protecteurs, hormis le président Sadate, qui lui avait offert asile en Égypte.

mans de la planète, le rigorisme idéologique du régime de Téhéran lui a ôté toute capacité d'influence directe, hors de la sphère étroite du Liban. Aucun œcuménisme radical n'a permis l'union des activismes chiites et sunnites. Au final, la prétention iranienne du leadership de l'islamisme mondial a été violemment contestée par les mouvements sunnites, qui ont rappelé leur antériorité historique et soutenu les communautés sunnites dans leurs conflits locaux avec des chiites aidés par Téhéran.

L'Arabie saoudite

Le prestige considérable de la dynastie saoudienne qui est associé à la garde des lieux saints va alors inciter l'Arabie saoudite à faire surenchère de propagande islamiste pour contrer la révolution iranienne en apportant un soutien actif à une multitude d'organisations néofondamentalistes. Les événements de La Mecque en 1979 ont en effet montré aux autorités saoudiennes les risques d'un débordement radical.

L'idée maîtresse est de favoriser le développement d'une « vague islamique » en la dépouillant de sa dimension contestataire, tant au plan politique qu'au plan social, pour la contenir dans le domaine de la stricte pratique religieuse au sein de sociétés musulmanes qui s'ouvrent à la modernité technique de l'Occident.

Forte de sa suprématie religieuse et de sa toute-puissance financière, le royaume wahhabite sait, sous l'œil bienveillant des États-Unis, créer les structures de cette stratégie mondialiste [20]. Mais, faute de cadres, l'Arabie saoudite sous-traite la conduite de ce programme à des instruments mis entre les mains de relais issus des mouvances islamistes égyptienne, jordanienne ou koweïtienne, noyautées par les différentes branches des Frères musulmans. Dans ce cadre, vont être fondées des dizaines d'ONG (organisations non gouvernementales), alors que, tant

---

20. Ainsi sont apparus la Ligue des oulemas, la Ligue des universités islamiques, la Ligue islamique mondiale, la Banque islamique du développement, le Conseil suprême international des mosquées, l'Organisation de la conférence islamique...

dans le monde musulman qu'en Occident, les apports financiers saoudiens vont permettre l'édification de mosquées et de centres culturels islamiques.

Le creuset du djihad : les expériences afghane et bosniaque

Quand, le 29 janvier 1979, les dirigeants de l'URSS déclenchent l'invasion de l'Afghanistan, ils ignorent qu'en tentant de réaliser le vieux rêve stratégique des tsars, ils mènent à sa perte un empire soviétique qui connaît déjà dans les républiques musulmanes les premiers signes de la contestation islamique.

En 1980, l'Afghanistan compte environ 15 millions d'habitants, dont près de trois sont de confession chiite. Cependant, le peuple afghan est déchiré non seulement par les conflits entre confréries religieuses mais surtout par les rivalités interethniques [21].

La résistance afghane va, dans ce cadre, s'organiser autour de trois principales alliances religieuses. La première est un mouvement islamique conservateur qui regroupe les élites traditionnelles, des cadres de l'ancien régime et les membres des confréries soufies [22]. La deuxième, d'obédience chiite, est formée de Hazaras, d'origine perse, et est naturellement proche de la révolution iranienne. La troisième, proche de l'islamisme sunnite radical, prend ses racines idéologiques chez Abu Ala Maududi [23] et est dominée par le Parti de l'islam (*Hezb I Islami* – HIA) de Gulbuddin Hekmatyar. Cette organisation, soutenue par l'armée pakistanaise [24] jusqu'au milieu des années 90, puise ses res-

---

21. 38 % de la population afghane est d'origine pashtoune, 25 % d'origine tadjik, 19 % d'origine hazara (chiite) et 6 % d'origine ouzbek.

22. Citons ainsi le Front de libération nationale de l'Afghanistan ou le Front national islamique.

23. Le plus connu de ses dirigeants est le commandant Massoud, originaire de la région du Panshir et aujourd'hui reconverti dans la lutte antitaliban.

24. On n'évoquera pas plus avant le rôle ambigu des États-Unis qui, en fournissant armes et instructeurs jusqu'en 1988 aux moudjahidines antisoviétiques, n'avaient pas alors imaginé que, quelques années plus tard, se produirait un effet boomerang marqué par les attentats du World Trade Center et de la base de Dahran.

sources financières dans le trafic de l'opium. Elle est, depuis le début des années 80, la principale structure d'accueil et d'encadrement des « volontaires afghans ».

Car, à partir de 1982, plusieurs milliers [25] de jeunes Arabes sunnites, principalement d'origine saoudienne et égyptienne mais aussi algérienne, marocaine, yéménite ou jordanienne, vont, par différents itinéraires, rejoindre le Pakistan pour s'associer à la guerre sainte contre l'envahisseur soviétique. Le HIA les soumet à une double formation religieuse et militaire au sein d'une dizaine de camps d'entraînement. Même si peu d'entre eux participent réellement au combat, ils sont gagnés par le fanatisme d'Hekmatyar, qui, dès 1986, pratique l'assassinat d'Occidentaux et adopte des tactiques de combat particulièrement violentes.

C'est dans ces conditions, autour d'une référence inconditionnelle à un islam salafiste et radical, que naît à Peshawar, spontanément et sans structure précise, une mouvance internationale sunnite activiste, basée sur le sens de la camaraderie et le goût de l'action violente. Ses membres vont chercher à exporter la nouvelle révolution islamiste.

Beaucoup de ces combattants quittent, au début des années 90, le Pakistan, qui subit la pression de plus en plus forte des États-Unis [26]. Certains de ces vétérans rejoignent leur pays d'origine, où leur aura de combattant les intègre tout naturellement au premier rang des mouvements islamistes radicaux, auxquels ils apportent un savoir-faire appréciable dans la lutte armée contre les pouvoirs en place.

Pour ceux qui n'ont pu ou voulu retourner dans leur ancien pays, le passage dans des terres d'immigration où vivent des populations musulmanes suscite la fascination et l'engagement des plus marginalisés ; tout particulièrement chez les jeunes de la seconde génération, dont la réislamisation soudaine est plus la marque de la recherche d'une image de soi que du retour aux traditions familiales. « [Les] réseaux islamistes sont transnationaux, mais moins par une volonté stratégique que parce

---

25. De 10 000 à 30 000, selon les estimations.
26. Sera même lancée la menace d'inscrire le Pakistan sur la liste – économiquement pénalisante – des États terroristes.

qu'ils expriment une nouvelle réalité sociale : celle du déracinement et du nomadisme des diasporas musulmanes dans le monde occidental. On assiste à l'invention d'une oumma fantastique avec la circulation de militants cosmopolites en quête de cause [27]. »

D'autres enfin cherchent de nouvelles causes. La guerre de Bosnie offre alors un nouvel idéal salafiste à d'anciens Afghans, mais aussi à une jeune génération venue des pays arabes, d'Iran, de Turquie et du continent européen.

Slaves islamisés par les Turcs, les musulmans représentent, en 1985, 45 % de la population bosniaque. A la même époque apparaît un mouvement radical, Islamska Zajednica (Destin islamique), créé par le futur président bosniaque Alia Izetbegovic [28].

La déclaration d'indépendance de la Bosnie-Herzégovine (5 avril 1992) participe à une guerre civile de quatre ans, qui se solde par près de 150 000 morts et jette sur les routes plus de deux millions de réfugiés, sous la pression des forces serbes. La solidarité de la communauté musulmane internationale, qui voit dans l'incapacité des pays occidentaux à stopper le conflit une marque de mépris, se manifeste par l'aide humanitaire d'ONG [29] aux buts souvent ambigus, puis par la création à Zenica de la Brigade des moudjahidines [30]. Ses 3 000 combattants participent, dans des conditions extrêmement dures, aux combats de l'année 1994. Ses chefs sont tous des vétérans d'Afghanistan.

Mais, encore une fois, le règlement du conflit met fin aux espoirs des tenants du combat salafiste. Au lendemain des accords de Dayton (14 décembre 1995), les autorités bosniaques, sous la pression des puissances occidentales, procèdent au

---

27. Olivier Roy, *Généalogie de l'islamisme,* Hachette, Paris, 1995, p. 96.

28. Celui-ci est un des auteurs de la Déclaration islamique bosniaque qui débute en ces termes : « Notre but est l'islamisation des musulmans, notre devise est croire et combattre. » On notera que « Croire, obéir, combattre » était la devise des jeunesses mussoliniennes.

29. Ces ONG sont majoritairement regroupées au sein du Conseil international islamique pour l'appel et l'assistance *(Majliss al alamiya al Islamiya lil Daawa wal Ighasa).*

30. La création de la Brigade des moudjahidines est annoncée, à la fin 1993, par la revue bosniaque *L'Appel du djihad.*

regroupement des combattants étrangers, dont les plus expérimentés sont expulsés ou placés sous contrôle.

Le rôle trouble de l'islamisme soudanais

Ancré à la frontière du continent noir, le Soudan est l'un des trois pays arabes les plus peuplés (28 millions d'habitants). Déchiré par un conflit ancien qui oppose les autorités musulmanes aux minorités chrétiennes et animistes du Sud, ce pays a, dès l'indépendance (1956), été marqué par l'influence des Frères musulmans soudanais qui participent à un gouvernement de coalition avec la gauche progressiste en 1964. Mais, dès cette époque, le mouvement soudanais va marquer son indépendance par rapport au tuteur égyptien sous l'influence d'une aile radicale, le Front de la charte islamique (FCI), et de son leader Hassan El Tourabi, docteur en droit diplômé des universités françaises.

Dès lors, les islamistes radicaux vont pénétrer à la fois l'armée et les milieux économiques et financiers. Ils obtiennent, en 1977, la création d'un Centre islamique africain (*Al Markaz Al Islami Al Afriqui*), chargé d'actions de prosélytisme en direction de l'Afrique noire, puis en 1983 la législation d'un code pénal islamique.

A nouveau dans l'opposition en 1985, El Tourabi – qui se veut le nouveau guide islamiste mondial – regroupe ses partisans dans le Front national islamique (FNI) et met sur pied un véritable réseau financier avec l'appui de la Faysal Islamic Bank.

El Tourabi est, depuis 1989, l'éminence grise du nouveau gouvernement militaire soudanais. Soucieux d'affirmer son autonomie par rapport aux « frères chiites de la République d'Iran », il fonde en 1991 la Conférence populaire arabe et islamique (CPAI), présentée comme le seul authentique rassemblement des peuples musulmans, mais qui, en fait, réunit l'ensemble des mouvements islamistes radicaux du monde entier. Les débats, centrés sur les stratégies d'opposition aux pouvoirs en place, ne permettent pas de dissimuler que cet organisme, créé au lendemain de la guerre du Golfe, facilite des rencontres régulières entre responsables de mouvements activistes.

Désigné dès 1993 par les États-Unis comme État terroriste[31], le Soudan est-il un bouc émissaire ou le nouveau sanctuaire du terrorisme islamique ? Ni l'un, ni l'autre, sans doute, mais il représente un foyer d'activisme certain, à la frontière d'un monde arabe instable et d'une Afrique noire dévorée par la corruption, la stagnation économique, les épidémies et les conflits ethniques.

LES MANIFESTATIONS DE L'ACTIVISME ISLAMIQUE

Peut-on dater l'acte de naissance de l'activisme islamique ? L'existence ancienne de branches armées clandestines tentées par l'action violente, du moins pour certains de ses membres les plus extrémistes, rend la réponse difficile. L'utilisation des techniques terroristes permet à la plupart des auteurs, sinon de détourner, du moins de préciser la question. Deux événements, symboles évidents de sa future réalité, permettent d'encadrer le moment du passage de l'activisme à la forme plus médiatique du terrorisme.

C'est d'abord la prise en otage des personnels de l'ambassade américaine à Téhéran par les *Pasdarans (Gardiens de la révolution)* le 5 novembre 1979[32]. D'aucuns y perçoivent la simple manifestation indirecte d'un conflit entre deux États. C'est à notre sens oublier que la décennie des années 1970 nous avait

---

31. Alors que le régime semblait évoluer vers le modèle iranien par l'instauration de « comités populaires » chargés de veiller à l'application de la charia, la création de camps d'entraînement militaires pour les moudjahidines et la présence de nombreux acteurs terroristes au Soudan ont justifié l'inquiétude des pays arabes et du monde occidental.

En 1993, les États-Unis désignaient le Soudan comme « État terroriste » et le Conseil de sécurité de l'ONU, par sa résolution 1044 en date du 31 janvier 1996, demandait aux autorités de ce pays d'extrader les responsables présumés de l'attentat commis le 26 juin 1995 contre le président égyptien Moubarak. Le régime de Khartoum avait, entre-temps, donné des signes d'apaisement en livrant à la France le terroriste Carlos, en provoquant le départ du milliardaire activiste d'origine saoudienne Oussama Ben Laden et en fermant un certain nombre de camps.

32. C'est d'ailleurs l'échec de l'opération héliportée de libération des otages (désert de Tabas) qui incitera les autorités américaines à développer leurs Forces spéciales – fort réduites depuis l'échec vietnamien – en élargissant leurs missions à la lutte antiterroriste sur le plan extérieur.

largement familiarisés avec le terrorisme d'État [33]. C'est ensuite l'assassinat, par ses propres soldats, le 6 octobre 1981, du président Sadate [34], quasiment transmise en direct sur les chaînes de télévision internationales.

Les stratégies indirectes de la République islamique d'Iran

Le projet islamique révolutionnaire de la République d'Iran est apparu très tôt. S'il n'a jamais eu vocation mondialiste, il avait cependant des prétentions internationales. La République d'Iran a répandu son message vers l'ensemble des communautés chiites tout en tentant – partout où cela était possible – de convaincre les communautés sunnites de la justesse théologique de son action.

En ce sens, le projet géopolitique de la religion des mollahs a largement dépassé celui du régime du chah, concentré sur des manifestations de puissance régionale. A titre d'exemple, on peut évoquer la réalité du contentieux avec l'Irak. Simple conflit historico-frontalier à l'époque de la monarchie, elle devient un enjeu idéologique avec l'arrivée des ayatollahs. A cela, une raison principale : 70 % de la population irakienne est d'origine chiite. En 1980, le président Saddam Hussein, craignant de connaître un sort comparable à celui de Reza Pahlevi, déclenche la guerre contre l'Iran [35] avec le soutien pour le moins tacite de la communauté internationale [36].

---

33. Rappelons que, pour G. Chaliand, le terme de terrorisme trouve son origine historique dans la capacité répressive de l'État, avec l'expérience de la Terreur sous la Révolution française.

34. Coupable d'avoir amorcé la paix avec Israël ? D'être le « Pharaon », incarnation honnie du dirigeant impie ? Ou d'avoir rompu ses supposés liens de jeunesse avec les Frères musulmans ?

35. Si la guerre Iran-Irak a bouleversé le rapport de forces entre les puissances régionales qui se disputent la suprématie dans le Golfe et a causé près d'un million de morts, elle s'arrête en 1988 sans véritable gain stratégique. Le 15 août 1990, Saddam Hussein, nouveau maître du Koweït et soucieux de se désengager du front iranien pour mieux se concentrer sur la coalition militaire internationale, reconnaît les accords d'Alger de 1975, dont la contestation avait été à l'origine du conflit avec l'Iran.

36. Y compris de l'URSS, traditionnel pourvoyeur d'armes de l'Irak, qui garde en mémoire la répression islamique iranienne contre le parti Toudeh.

Pour mener à bien ce projet, l'Iran va se doter d'un appareil d'État particulièrement efficace, organisé autour de ses services spéciaux : le ministère du Renseignement et de la Sécurité est chargé des contacts avec les groupes radicaux. Le corps des Gardiens de la révolution (Pasdarans) traite de l'aide logistique, voire de l'encadrement des mouvements activistes. Le ministère de l'Orientation islamique sélectionne et organise l'accueil des stagiaires et des étudiants étrangers, dont un certain nombre sont gracieusement invités à suivre une formation religieuse poussée dans les grands centres iraniens, tel Qom. La fondation des opprimés (*Mostadafin* ou Bureau d'aide à la révolution islamique) prépare le financement des opérations de groupes étrangers.

Si ce dispositif n'a pas permis à l'Iran d'exporter son modèle islamique, il l'a aidé à acquérir une véritable capacité de nuisance, tant en déstabilisant les pays où réside une communauté chiite (Liban ou Bahreïn) qu'en menant de véritables opérations de guerre sur des territoires étrangers (France) ou en frappant à l'extérieur l'opposition en exil (France, Allemagne, Suisse...).

Si, dans ce cadre, l'Iran offre dès 1980 son aide à des mouvements chiites radicaux, il préfère créer des organisations relais qui lui permettent d'agir internationalement sans apparaître directement.

Dans le premier cas, l'Iran apporte son soutien en Irak au Conseil de la révolution islamique d'Irak, créé par le fils du fondateur du parti clandestin Hizb Al Dawat (Parti de la prédication), Mushir Al-Hakim, mort en 1970. Au Liban, l'Iran favorise en 1989 la scission du mouvement Al Amal (L'Espoir – acronyme de *Awfat Muqawinat Al Lubaniya* : Brigades de la résistance libanaise) et apporte tout son soutien à la naissance du mouvement Amal Al Islami (Ferveur islamique), dirigé par Hussein Mussawi dans la plaine de la Bekaa [37].

Mais le contrôle de fait d'Amal Al Islami par les forces syriennes incite les Iraniens à organiser le premier Hizb' Allah'

---

37. Le mouvement Al Amal, qui regroupe les chiites installés dans le Sud-Liban, a été créé en 1969 par l'imam Moussa Sadr, qui devait trouver la mort dans des conditions obscures en Libye, en 1969.

(Parti de Dieu) dont le guide spirituel, le cheikh Mohamed Hussein Fadlallah, originaire d'Irak, dirige depuis 1982 une organisation activiste clandestine, l'Organisation du djihad islamique. Cette organisation financée, inscrite et encadrée par les Pasdarans, va être le fer de lance des actions terroristes de l'Iran de 1982 à 1987 [38]. Un certain nombre de ses premiers militants sont de jeunes chiites qui, en 1980, ont été recrutés par la « Force 17 » (bras armé de l'OLP, dirigé alors par Mahmoud Al-Atour, alias Abou Tayeb) et qui ont voulu continuer la lutte antisioniste après le départ des forces palestiniennes du Liban, en septembre 1982 (opération Paix en Galilée).

A la même époque, l'Iran tente de s'approprier la jeune résistance afghane et suscite l'alliance des huit mouvements chiites qui se fondent, en 1989, dans le *Hizb I Wahdat* (Parti de l'unité) après avoir créé, dès 1986, un Conseil de la coalition islamique d'Afghanistan (CCIA). D'autre part, des contacts sont noués jusqu'en Afrique noire en direction des petites communautés de commerçants chiites.

Enfin, l'Iran, dont le principal adversaire dans le monde musulman reste l'Arabie saoudite, aurait favorisé le réveil de l'Organisation de la révolution islamique dans la péninsule arabique (Oripa, créée en 1975) et fondé deux mouvements activistes, le Hizbollah Fil Hidjaz et le Jihad Islamiya, qui revendiquent des attentats antisaoudiens depuis 1988. Cependant, depuis 1992, cet activisme, essentiellement extérieur, semble avoir cédé la place à des organisations salafistes (attentat de Dahran le 25 juin 1996) qui reprochent au régime sa corruption et la présence de soldats infidèles sur le territoire.

Au final, quel est le bilan de cette stratégie ? L'Iran reste une puissance régionale, mais sa puissance est affaiblie et les dernières élections présidentielles ont montré l'ampleur des contestations internes dans un pays économiquement ruiné, où les radicaux ne règnent que par la terreur. Son projet de révolution mondiale a échoué. Le Hizb I Wahdat afghan est en guerre contre les talibans, le Hizb'Allah libanais, bien structuré, se

---

38. La majorité des militants d'Al Amal refusera la voie activiste, sous l'autorité de Nabih Berri, laïque et prosyrien.

consacre à la guérilla contre Israël, et les émeutes provoquées à La Mecque en 1987 par des militants iraniens et pakistanais ont été un échec patent. En 1991, le régime iranien a assisté sans réagir au massacre des communautés chiites révoltées contre l'armée de Saddam Hussein. Quant aux contacts multiples avec les mouvements radicaux sunnites, ils se sont limités à des appuis financiers ponctuels. Chiisme et sunnisme restent, douze siècles après la mort d'Ali, toujours inconciliables.

Rappelons également que la République iranienne n'a pas craint d'utiliser dans son combat contre les « satans » tous les vecteurs de guerre à sa portée, en favorisant en particulier le trafic d'héroïne, alors qu'elle assure une publicité de premier ordre à la pendaison de trafiquants de drogue sur son territoire.

Dix-huit ans après la victoire de la République islamique, la capacité de nuisance de l'Iran semble limitée [39]. Reste la volonté paranoïaque de certains de ses dirigeants d'éliminer à l'extérieur des opposants politiques pourtant de jour en jour plus inoffensifs.

Les mouvements activistes sunnites : internationale du djihad ou causes dispersées ?

L'Égypte

L'assassinat du président Sadate projette sous les feux des médias internationaux les trois organisations activistes de l'islamisme sunnite égyptien, le Takfir Wal Hijra, le Jamaa Islamiya et Al Djihad. C'est une fraction de ce dernier groupe, dirigée par un officier de l'armée égyptienne, Khal Islambouli, qui abat le raïs lors d'une parade militaire, alors que la ville d'Assiout est le théâtre, pendant plusieurs jours, d'une véritable insurrection islamiste.

Le Takfir Wal Hijra, dirigé par Chouki Ahmed Mustafa, et Al Djihad, dont le chef est Abboub Al-Zomar, qui suivent les préceptes des auteurs issus des Frères musulmans, ont une base militante issue des couches sous-prolétarisées du nord de

---

39. Au Liban, les attentats contre la Force multilatérale de sécurité à Beyrouth (FMSB) ainsi que la majorité des prises d'otages d'Occidentaux. A l'extérieur, les attentats au Koweït en 1983 et en France en 1986.

l'Égypte. Mais le Jamaa Islamiya est, lui, implanté dans les populations rurales de Haute-Égypte ainsi que chez ceux de leurs membres qui ont émigré au Caire. Leur guide spirituel est le cheikh Omar Abdarahman qui, malgré sa cécité, est jugé en 1983 pour son appartenance au djihad par les autorités égyptiennes, qui le soupçonnent d'avoir prononcé la fatwa (jugement religieux) condamnant à mort Sadate. Acquitté, il s'exile aux États-Unis. C'est là qu'il est arrêté en 1994 par le FBI qui le tient pour l'instigateur du premier attentat islamiste commis sur le sol américain, la destruction du World Trade Center (26 février 1993).

Sadate, tout en préparant la paix avec Israël (accords de Camp David du 15 septembre 1978), avait accepté de négocier avec les islamistes radicaux (libération de prisonniers, participation tolérée des Frères musulmans au jeu politique, modifications constitutionnelles importantes [40]...).

Hosni Moubarak, conscient du message, choisira la négociation, en poursuivant l'islamisation de la vie sociale et universitaire [41]. Mais la multiplication des actes terroristes, en particulier contre les minorités coptes et les touristes étrangers, l'incitera, dès 1988, à réprimer les mouvements activistes. Leurs responsables vont alors chercher refuge hors des frontières, tout particulièrement au Soudan où sera préparé le projet d'assassinat contre le président égyptien à Addis-Abbeba en 1995.

Plus de 1 200 personnes ont été tuées en Égypte, soit lors d'actions terroristes, soit lors des opérations de répression. Environ 15 000 islamistes sont actuellement emprisonnés, la plupart sans procès. Et pourtant, le phénomène semble se réduire. La

---

40. Alors que la Constitution égyptienne ne faisait que mentionner la référence à l'islam, Sadate fait adopter en 1980 un nouveau deuxième article selon lequel : « La charia est la source principale de la législation. » À la même époque, son épouse entame un combat médiatique pour défendre le statut des femmes, sujet délicat en Égypte.

41. L'université Al Ahzar du Caire, fondée en 983 de notre ère, n'est pas seulement une des plus grandes universités égyptiennes mais un symbole ancien de l'enseignement de l'islam. En 1997, ses 3 000 étudiants représentent près de 70 nationalités (en particulier asiatiques) et 5 000 professeurs formés dans cette université contribuent à la diffusion dans le monde d'un message islamiste radical.

Ligue égyptienne des droits de l'homme a observé une diminution de 50 % des actes de violence en 1996. En août 1997, six responsables islamistes ont adressé un message aux autorités égyptiennes, en appelant à la trêve des combats. Leur démarche a été soutenue par le cheikh Omar Abdel Rahman. On notera que ce signe de bonne volonté a été émis par des individus las de la vie carcérale alors que les responsables encore en liberté, et particulièrement à l'étranger, ne semblent accepter le principe de négociations qu'en continuant la lutte armée [42].

L'Afghanistan

En Afghanistan, la radicalisation des mouvements sunnites est antérieure à l'invasion soviétique et est due à l'arrivée de nombreux enseignants islamistes d'origine étrangère, au début des années 60. Elle est marquée par la création du Jamaa Islamiya. Les querelles théologiques, mais surtout la rivalité ancestrale entre militants tadjiks et hazaras, durcissent les tensions entre un Hizb I Islami pashtoun et un Jamaa Islamiya persanophone. De même, les rivalités intersunnites s'aggravent. C'est ainsi qu'en juillet 1989, 36 chefs de guerre sunnites, proches du commandant Massoud, sont abattus dans une embuscade tendue par les troupes d'Hekmatyar.

---

42. L'attentat commis au Caire le 19 septembre 1997 contre un car de touristes allemands montre que les groupes terroristes égyptiens, même affaiblis, sont toujours capables d'effectuer des actions violentes, voire suicidaires. On rappellera que, depuis 1992, 39 touristes étrangers ont été tués en Égypte.
22/10/92 : 1 Britannique tué à Daïrout par le *Jamaa Islamiya* ; 26/02/93 : attentat à la bombe dans un café du Caire, 3 morts et 19 blessés ; 08/06/93 : attentat à la bombe contre un bus près des Pyramides : 2 morts et 15 blessés ; 26/10/93 : 2 Allemands, 1 Italien et 1 Français sont tués dans un hôtel du Caire ; 04/03/94 : 1 Allemande est abattue lors d'une croisière sur le Nil par le *Jamaa Islamiya* ; 26/08/94 : 1 Espagnol voyageant en voiture est tué à proximité de Louxor ; 27/09/94 : 2 Allemands sont tués à Hourghada par le *Jamaa Islamiya* ; 23/10/94 : 1 Britannique est tué et 5 blessés lors d'attentats à la bombe au Caire ; 18/04/94 : 18 touristes grecs sont assassinés et 14 blessés à l'hôtel Europa par le *Jamaa Islamiya*, qui revendique l'opération contre des « touristes juifs » ; 19/09/97 : 9 Allemands sont abattus ou brûlés vifs dans l'attaque de leur bus au Caire. Un des auteurs de l'attentat avait participé à l'opération du 26/10/93.

Le Liban

Au Liban, où la pression chiite retient généralement l'attention, une organisation sunnite, le Mouvement de l'unité islamique (MUI), est particulièrement active à partir de son fief de Tripoli, ville portuaire connue pour les combats féroces qui ont opposé, au début des années 80, Palestiniens de l'OLP et dissidents de la Saïka. Encore faut-il rappeler, pour mieux situer l'action du MUI, que les nombreux voyages à Téhéran de son chef, le cheikh Chabane, ont fait de cette organisation un des rares relais sunnites de la révolution iranienne.

Mais le Liban, depuis l'expulsion par l'armée jordanienne des militants de l'OLP en septembre 1970 [43], est devenu le centre de formation privilégié des mouvements activistes palestiniens [44].

La Palestine

Historiquement, la première organisation de combattants palestiniens a été le mouvement des Jeunesses musulmanes d'Ezzedine Al-Qassem [45]. Mais l'influence des frères musulmans est ancienne. Dès 1928, le propre frère de Hassan Al-Banna était venu en Palestine pour y fonder des groupes islamistes radicaux.

La dimension islamique du conflit avec Israël est cependant postérieure à la création de la résistance palestinienne, même si le Parti de la libération islamique (PLI), réfugié en Jordanie, joue un rôle idéologique important dans la conscience identitaire à l'extérieur des territoires occupés.

L'OLP est fondée dès 1965 et une de ses structures, le FPLP, donne à la cause palestinienne sa première tribune internationale

---

43. En référence à ce drame de la cause palestinienne, se crée le groupe Septembre noir, dont l'un des principaux méfaits sera la prise en otages de douze athlètes israéliens aux Jeux olympiques de Munich (5 septembre 1972).

44. Même s'il partagera ce rôle avec d'autres pays aux instances dirigeantes plus fermes, la Jamahirya libyenne, la République populaire démocratique du Yémen, les régimes baasistes irakien ou syrien...

45. Les Jeunesses musulmanes ont été fondées en 1928 par le mufti de Jérusalem pour assurer la défense de cette ville, lieu sacré de l'islam. En 1987, lors du déclenchement de l'intifada, le Hamas constituera des groupes activites sous l'appellation de Phalanges Ezzedine Al-Qassem.

par le détournement en 1968 d'un avion d'El Al sur l'aéroport d'Athènes. Mais, on l'a dit, les mouvements palestiniens sont à l'époque laïcs et bon nombre de leurs dirigeants sont de religion chrétienne. On note cependant que nombre de chefs islamistes contemporains sont passés par les camps d'entraînement palestiniens.

C'est en raison de la prise de Jérusalem par les parachutistes de Tsahal et de son annexion par Israël le 28 juin 1967 que la résistance palestinienne va recevoir l'appui de l'ensemble du monde musulman et non plus des seules populations arabes. C'est d'ailleurs l'incendie de la mosquée Al Aqsa par un extrémiste juif de nationalité australienne, le 21 août 1969, qui déclenche un véritable soutien international au nom de l'islam [46].

On comprend mieux, dès lors, que le phénomène islamiste se soit développé au sein des territoires occupés, dont les populations reprochent à l'OLP – mais aussi aux organisations dissidentes – de poursuivre des buts politiques troubles.

Le Hamas (Ferveur) (acronyme de *Harakat Al Muqawama Al Islamiya Al Filistinia*, Mouvement de la résistance islamique de Palestine), proche des Frères musulmans, renaît au milieu des années 80. Il va rapidement recruter des militants chez les adolescents qui n'ont connu de l'existence que l'humiliation des camps de réfugiés et la présence des soldats israéliens.

L'*intifada* (révolte) n'est rien d'autre que la première manifestation de l'islamisme activiste palestinien. La « révolte des pierres » est en effet lancée à Gaza en 1987 par un nouveau mouvement, le Djihad islamique, qui est inspiré du PLI, basé en Jordanie, et dont les cadres ont, pour la plupart, connu l'expérience afghane aux côtés d'Hekmatyar. Il est bientôt rejoint par le Hamas dirigé par le cheikh Ahmed Yassine, ex-mufti d'Hé-

---

46. Le sommet islamique de Rabat (1969) est la première étape d'une action diplomatique islamique menée avec le soutien de l'Arabie saoudite, gardienne des lieux saints de l'Islam. La charte de l'Organisation de la conférence islamique (née dès 1969) sera publiée dès 1972. La guerre du Kippour sera déclenchée par Sadate pendant le mois du Ramadan sous le nom de code Badr, première victoire militaire remportée par Mahomet en 624. Le Parlement israélien donnera à Jérusalem, le 30 juillet 1980, le statut de « capitale indivisible et éternelle » de l'État hébreu.

bron, qui proclame, début 1989, la lutte armée contre l'autorité israélienne et ses représentants.

Les deux mouvements rappellent que la Palestine est un *waqf* (bien religieux) et qu'il est du devoir de tout musulman de la faire revenir dans le *dar al Islam* (l'ensemble des territoires où s'applique la loi d'Allah).

Mais les buts poursuivis par chacun sont très différents. Le Djihad islamique, qui ne craint pas de s'allier avec des partis laïcs, veut détruire le sionisme. Le Hamas développe largement l'action caritative et sociale pour favoriser la réislamisation du peuple palestinien, préalable nécessaire à sa libération. D'autre part, sont apparus des groupes plus éphémères, comme le Djihad Beit Ul Moquadas (La demeure sacrée), mouvement dissident du Djihad islamique, qui a revendiqué plusieurs attentats à la voiture piégée en Israël.

La riposte israélienne est maladroite. Après avoir favorisé un temps dans les territoires occupés la montée en puissance du Hamas – jugé moins extrémiste que le Djihad islamique et surtout capable d'affaiblir la position politique de l'OLP en Palestine même –, l'État hébreu ne saura pas préparer les changements capables d'empêcher la marche vers l'activisme. Le massacre d'Hébron [47], la poursuite de la colonisation ou l'expulsion vers le Liban de 415 militants islamistes en décembre 1992 provoquent d'autant plus facilement le passage au terrorisme que, de l'autre côté de la frontière, des activistes musulmans aguerris sont prêts à apporter à leurs frères palestiniens un soutien financier et logistique, marqué entre autres par l'instruction aux engins explosifs.

Depuis les accords israélo-palestiniens, le gouvernement de Jérusalem, qui a subi de plein fouet les attaques suicides dirigées contre sa population civile, a changé de politique et tente d'associer la police palestinienne à sa répression anti-islamique. Mais, entre une jeunesse qui aspire à la revanche et l'attitude rigide de Benjamin Netanyahou, le régime d'Arafat, miné par la

---

47. Le 25 janvier 1989, un colon juif extrémiste, médecin d'origine américaine, tue à l'arme automatique 29 musulmans en prière, avant d'être à son tour abattu par la foule.

corruption et dont les forces de sécurité ne sont pas toujours exemptes de sympathies pour l'activisme, a aujourd'hui une position intenable. Nombreux sont ceux qui, dans la mouvance islamiste palestinienne, appellent aujourd'hui à la révolte à Jérusalem *(Intifada Al Qods)*, qui ne pourrait déboucher que sur un bain de sang [48].

L'Algérie

Comment comprendre l'activisme islamique dans un pays où l'islam est religion d'État, où les oulemas de rite malékite ont joué un rôle précurseur réel dans l'aspiration à l'indépendance, où des réformes législatives ont imposé à trois reprises l'arabisation [49], où une aile islamiste a longtemps perduré au sein du parti unique au pouvoir ?

C'est oublier que l'Algérie – présentée par les sympathisants tiers-mondistes des années 70 comme un modèle du développement [50] – était d'abord une dictature, dont les dirigeants vivaient sur le mythe de la victoire militaire contre l'occupant français et l'occultation des répressions internes [51], où les richesses nationales fournies par les réserves de gaz et de pétrole étaient d'abord redistribuées à une nomenklatura corrompue, où la pression d'un système policier s'étendait jusqu'aux populations immigrées en Europe [52].

Les premières manifestations de l'islamisme activiste apparaissent en Algérie dès 1982 avec l'émergence du Mouvement islamiste armé *(Al Haraka Islamiya El Mousseleha)* de Moustapha Bouyali.

A ce mouvement collaborent déjà Abdelkader Chebouti, futur

---

48. On rappellera, à ce sujet, la position ferme du président de la République française lors de son séjour à Jérusalem en 1996.

49. Sans grand résultat d'ailleurs, l'arabe littéraire n'étant ni lu ni écrit par 80 % des fonctionnaires algériens.

50. La même chanson a également été composée pour le pays du *líder máximo*.

51. La liste est longue, de l'exécution des opposants algériens au GPRA à la répression des émeutes kabyles, en passant par le massacre des harkis.

52. On rappellera pour mémoire l'influence de l'ex-Sécurité militaire algérienne (SMA) dans l'activité de l'Amicale des Algériens en Europe.

émir du Groupe islamique armé (*Al Jamaa Al Islamiya Al Mousseleha*), Mohamed Mekhloufi, fondateur en 1992 du Mouvement pour un État islamique (*Al Haraka Min Adjli Dawla Islamiya*) ou Mahfoud Nannah, président du Mouvement de la société pour la paix – ex-Hamas algérien – et actuel ministre. Ali Benhadj, futur numéro deux du FIS qui fréquente Bouyali, refusera par contre à ce dernier une fatwa qui permettrait d'engager la guerre sainte sur le sol algérien.

A la mort de Bouyali, ancien militant du FLN, tué dans une embuscade en 1987, le mouvement est décapité. L'ensemble de ses militants sont amnistiés par décision du président Chadli en 1989.

Or, depuis 1985, l'Algérie connaît une grave crise économique et sociale due à la baisse brutale du prix de pétrole. Cette nation qui avait fait le choix du tout-industriel et utilisé ses devises pour l'importation des biens de consommation, devient un pays surendetté, frappé de plein fouet par le chômage et la crise du logement.

Les émeutes spontanées d'Alger sont alors récupérées par un jeune mouvement islamiste radical, le Front islamique du salut, plus financé par l'Arabie saoudite qu'inspiré des Frères musulmans. Ici encore, la réislamisation de la jeunesse et des classes intellectuelles a été assurée par les professeurs d'arabe étrangers recrutés, dès les années 70, dans le cadre des programmes d'arabisation.

Le FIS sait, dès le départ, se créer une large base populaire par l'action caritative. L'idéal islamique séduit les jeunes qui ne connaissent de la vie politique que l'échec du système marxisant du parti unique ou la décadence du monde occidental. Soucieux de trouver un interlocuteur capable de canaliser la révolte, le pouvoir algérien légalise le FIS en août 1989 et procède aux premières élections multipartistes.

Bien organisé et tirant profit du désintérêt du peuple algérien à l'égard des élections, le FIS remporte 40 % des mairies algériennes en 1990.

Mouvement salafiste, le FIS est alors repris en main par des responsables algérianistes (djezaristes, de *Djezair*, Algérie) au congrès de Batna en septembre 1991, qui voit le Majliss El

Choura (assemblée) du mouvement confirmer la stratégie de prise du pouvoir par la voie légale des élections.

Rappelons que, peu de temps auparavant, la guerre du Golfe avait avivé le sentiment de revanche islamique et provoqué une des premières volte-face politiques du FIS. Quand Abassi Madani, alors en liberté, était revenu d'Arabie saoudite – où il avait présenté le soutien de son mouvement à son premier financier international –, il avait réalisé que sa base militante était en train de lui échapper et avait alors proclamé son appui à l'Irak de Saddam Hussein. Celui-ci venait de profiter de l'arrivée en Arabie saoudite des 500 000 soldats « infidèles » de Tempête du désert pour parer l'invasion du Koweït des couleurs du panislamisme [53].

La victoire du FIS au premier tour des élections législatives de décembre 1991 [54] incite l'armée, qui a tiré de la répression de 1988-1989 une position dominante, à établir l'état de siège et à remplacer le président Chadli par un Haut Comité d'État (HCE) à ses ordres [55].

Après l'interruption du processus électoral (janvier 1992), puis la mise hors la loi du FIS (mars 1992), un certain nombre de militants islamistes vont entrer dans la lutte armée. Les premiers attentats individuels ciblent policiers et militaires, dont les armes sont volées. Alors que plusieurs dizaines de milliers d'islamistes sont incarcérés sans procès, ceux qui sont restés en liberté mettent en place dans la clandestinité des structures activistes, en enrôlant bien souvent des membres de leur famille, des amis d'enfance ou des voisins.

---

53. On assistera ainsi à l'étonnant spectacle des prières télévisées de Saddam Hussein, fondateur du Baas irakien et grand exterminateur des chiites et des Frères musulmans de son pays.

54. Les estimations au soir du premier tour des élections donnent au FIS plus de 40 % des suffrages. L'Algérie est à la veille de devenir la première république musulmane du Maghreb.

55. Ainsi, l'assassinat de Mohamed Boudiaf, figure incontestée de la guerre d'indépendance, symbole de la lutte contre la corruption et proche des autorités marocaines, doit-il vraiment être attribué aux islamistes quand l'on sait que son assassin était un officier – sans doute malléable – des Forces spéciales algériennes et que peu d'attentats islamistes ont pu frapper les autorités du régime ?

Dans l'ensemble des grands centres urbains, se créent, autour d'émirs autoproclamés, des phalanges de combat. Parmi elles, le Groupe islamique armé (GIA), créé vraisemblablement par Mansouri Meliani au début de 1993, qui défend une idéologie salafiste et commet des actions spectaculaires – tout particulièrement, dès 1994, le meurtre de ressortissants étrangers sur le sol algérien.

En mars 1994, la majorité des organisations combattantes rallient le GIA [56]. Certaines sont de tendance dzejariste. Mohamed Said et Abderazak Redjem, chefs de guerre d'un djihad purement algérien, font ainsi allégeance à l'émir national du GIA, Cherif Gousmi. La mort de ce dernier provoque son remplacement par Djamel Zitouni [57], dont les troupes sont majoritairement composées de vétérans d'Afghanistan, d'adolescents désœuvrés (les « hittistes », ceux qui tiennent les murs) et de voyous fraîchement réislamisés.

Alors qu'une partie des islamistes combattants refusent la dérive sanguinaire du GIA et crée l'Armée islamique du salut, qui se veut la branche armée de l'ex-FIS, le GIA pratique une véritable surenchère terroriste, délaissant les attaques contre les représentants du pouvoir pour se livrer à différentes formes d'attentats contre les populations civiles. Journalistes, femmes vêtues à l'occidentale, religieux étrangers sont les cibles favorites d'un mouvement qui, par la terreur, cherche l'audience médiatique. Le détournement de l'Airbus d'Air France sur l'aéroport d'Alger, puis de Marseille-Marignane, prélude au débordement du combat sur le sol français, sera son point d'orgue.

Dès lors, Zitouni prône une véritable politique du chaos, où tout ce qui n'est pas lié au GIA devient une victime potentielle. Aux faux barrages s'ajoutent les attentats à la voiture piégée commis dans les centres urbains [58], puis débutent les premiers

---

56. Communiqué dit de « l'Unité ».

57. Certains observateurs considèrent que ce ralliement cachait la volonté de placer la résistance unie au pouvoir algérien sous le contrôle des dzejaristes, en prenant, peu à peu, le pouvoir de l'intérieur.

58. Le 25 mars 1995, la Phalange des signataires par le sang, groupe GIA basé

massacres de villageois dans les campagnes [59]. En même temps – paranoïa ou souci de garder le contrôle de son organisation –, Zitouni procède à des purges sanglantes au sein du GIA. Les premières victimes sont les dzejaristes [60] puis les vétérans d'Afghanistan. Enfin, en mai 1996, Zitouni fait égorger les sept moines français de Tibeirine, enlevés deux mois plus tôt par un groupe local du GIA.

Aux dissensions internes – dues bien souvent autant aux rivalités personnelles entre émirs qu'à la critique des choix stratégiques – succède une véritable dissidence qui prétend poursuivre le djihad en Algérie tout en combattant Zitouni, accusé d'être manipulé par les services de sécurité. Le chef du GIA est assassiné le 16 juillet 1996 dans des conditions obscures [61]. Son successeur, Antar Zouabri, prend la tête d'une organisation diminuée, menacée à la fois par ses rivaux islamistes et par l'armée algérienne. Il n'en affirme pas moins poursuivre la ligne précédente, compensant l'affaiblissement numérique du GIA par le fanatisme de ses combattants.

Si aucune enquête objective – algérienne ou étrangère – n'a pu, en raison de la censure, établir le bilan exact de six ans de guerre civile, le chiffre minimum de 60 000 morts est couramment accepté, alors qu'aux succès ponctuels de l'armée algérienne depuis le début 1997 répondent en écho des massacres de plus en plus effroyables et nombreux.

Fin 1997, la situation sécuritaire apparaît bloquée en Algérie,

---

à Alger, tue 45 personnes devant le commissariat central d'El Biar dans un attentat suicide à la voiture piégée.

59. L'horreur des exécutions (égorgement à la hache ou à la scie, adolescentes violées lors de « mariages de jouissance » puis assassinées, femmes enceintes éventrées, vieillards et enfants brûlés vifs) ne peut s'expliquer par le seul manque de munitions et montre que le GIA développe une forme extrême de guerre psychologique, basée sur des justifications théologiques bien éloignées de l'islam. Déjà en Afghanistan, certains proches d'Hekmatyar, qui avait accueilli la majorité des combattants algériens, expliquaient le massacre de populations innocentes par la présence en leur sein d'un seul infidèle.

60. Zitouni attribuera d'abord la mort de Mohamed Said et d'Abderazak Redjem (novembre 1995) à l'armée algérienne, avant de reconnaître sa responsabilité en prétendant avoir dû réagir contre un complot dzejariste.

61. Embuscade de dissidents ou assassinat par ses propres troupes ?

entre des mouvements activistes principalement salafistes, concurrents et jusqu'au-boutistes, et un pouvoir qui ne parvient pas à anéantir ce qu'il désigne depuis deux ans comme un « terrorisme résiduel ».

Retenons cependant – sans y voir pour autant la manipulation de certains terroristes algériens par le pouvoir, souvent dénoncée par la mouvance islamiste algérienne mais jamais prouvée [62] – que le terme de « terrorisme algérien » est particulièrement réducteur.

L'observation des faits permet d'attribuer à cinq entités bien différentes les actions armées attribuées aux « islamistes » en Algérie : le GIA tendance Zouabri, qui pratique vraisemblablement les massacres les plus odieux ; les dissidents du GIA, qui organisent des attentats aveugles (en particulier à l'explosif) mais prétendent ne pas commettre de tueries contre les villageois ; les maquisards de l'AIS, moins actifs et qui se livrent à des opérations contre des cibles militaires ; des groupes combattants qui n'ont d'islamistes que le nom et qui cachent de simples bandes de délinquants contrôlant une zone géographique donnée ; les « milices patriotes », système propice aux règlements de comptes locaux dont la responsabilité peut être attribuée à l'adversaire [63].

Rappelons enfin que l'activisme algérien – modèle original et particulièrement violent, qui tire ses racines du mythe afghan [64] bien plus que de l'influence iranienne ou égyptienne – représente

---

62. Cette hypothèse s'appuie sur le constat que le terrorisme islamiste a eu pour premier effet de réduire l'islamisme politique algérien, soit marginalisé (l'ex-FIS), soit contrôlé par le pouvoir (Mouvement de la société pour la paix). Il n'en reste pas moins qu'à ce jour, aucun élément incontestable n'a pu l'établir.

63. L'insécurité dans les zones rurales isolées a incité les autorités à créer des unités d'autodéfense, dénommées « milices patriotes », qui compteraient aujourd'hui près de 200 000 membres. Certaines exactions ont entraîné le procès d'une centaine de leurs membres à Alger en 1995 et la légalisation d'un statut établissant des règles d'emploi strictes.

64. Ainsi, le journaliste algérien Aissa Khelladi écrivait en 1992 en parlant des Algériens vétérans d'Afghanistan : « Beaucoup sont revenus fanatisés à un tel point que les anecdotes qu'ils rapportent ne peuvent que provoquer l'hilarité : ainsi ces chars soviétiques qu'ils jurent avoir détruits rien qu'en lançant contre eux une poignée de sable. » *Les islamistes algériens face au pouvoir,* Alger, Alfa, p. 65.

aujourd'hui, aux yeux des plus extrémistes de la mouvance salafiste l'archétype du combat de l'islam contre le pouvoir *taghout*
(impie).

On comprend comment, dans ce cadre, tant par les contacts
directs avec les pays voisins qu'à travers les relations tissées
entre militants réfugiés en Europe, le GIA a pu inspirer des
actions dans les autres pays arabes méditerranéens. L'apparition
du Groupe islamique combattant (GIC) libyen [65] ou les projets
d'attentats du réseau dit « de Marrakech [66] » en sont des
exemples d'autant plus inquiétants que ces pays, touchés à divers
degrés par l'exclusion socio-économique, sont marqués depuis
dix ans par la montée de l'islamisme radical, dont la progression
a été encouragée par les gouvernements locaux pour affaiblir
l'opposition de gauche.

LES MENACES DE L'ISLAMISME ACTIVISTE CONTRE LA FRANCE

Depuis le début des années 70, la France a subi régulièrement
les attaques terroristes soit sur son territoire, soit contre ses intérêts. Leurs auteurs étaient animés par l'une des trois motivations
suivantes : le groupe terroriste avait désigné la France comme
l'un de ses adversaires (attentat du Pub Saint-Germain par Carlos
en 1974) ; il voulait influer sur la politique française (attentat de
l'aéroport d'Orly par l'Asala arménien en 1983) ; il voulait frapper des intérêts étrangers en France (assassinat du diplomate

---

65. Organisation activiste islamiste en lutte depuis 1993 contre le régime du
colonel Khadafi, le GIC semble avoir recruté ses militants dans la tribu des
Senoussi, qui avait connu l'influence des Frères musulmans. Cette organisation,
qui a rompu tout lien avec le GIA en juin 1996, semble avoir dû interrompre à la
même époque toute action armée en Libye.

66. Le 26 août 1994, deux touristes espagnols étaient abattus à l'hôtel Atlas de
Marrakech. Les auteurs étaient rapidement interpellés au Maroc ainsi que les
membres de trois autres commandos qui devaient commettre des actions similaires.
Tous appartenaient à un groupe de jeunes Beurs français, préparés à l'action violente par des stages paramilitaires et des vols à main armée en France. Leur action
avortée visait à porter le djihad au Maroc en frappant des centres touristiques,
symboles de la décadence du royaume chérifien.

israélien Yacob Barsimentov par les Forces armées révolutionnaires libanaises [FARL] en 1982).

Si l'on considère le phénomène sous un autre angle, l'on esti-
mera que la France a été victime de trois types de terrorisme :
un terrorisme révolutionnaire, un terrorisme identitaire [67], un terrorisme de manipulation.

Le *terrorisme révolutionnaire* est sans doute le plus ancien et
– sans remonter à la pratique du régicide – nous renvoie historiquement aux attentats anarchistes de la fin du XIXᵉ siècle [68].
Indifféremment de gauche ou de droite [69], il prend dans notre
pays, au tout début des années 70, les couleurs de l'extrême
gauche marxiste. Ce groupe terroriste se définit comme l'avant-
garde du prolétariat chargé d'entraîner, par le cycle « provocation, répression, adhésion, révolution », les masses ouvrières
dans le combat révolutionnaire vers un avenir supposé radieux.

Il adopte volontiers une connotation internationale, tout particulièrement dans les domaines logistique et financier. Il évolue
généralement vers une spirale suicidaire dont l'extrémisme est
marqué par des actes de grand banditisme, sanglants mais souvent marqués par l'amateurisme [70].

---

67. Appelé également « nationaliste » ou « indépendantiste ».

68. L'« impôt révolutionnaire », qui désigne entre autres l'argent des vols à
main armée, avait été l'apanage de la bande de Jules Bonnot au début du siècle
bien avant d'être pratiqué par Action directe.

69. Mélange des militants les plus radicaux des Comités Viêtnam ou Palestine,
jeunes ouvriers déracinés ou enfants perdus de la bourgeoisie, les différents
groupes terroristes des années de plomb (Fraction armée rouge en Allemagne,
Brigades rouges en Italie, Front populaire du 25 avril au Portugal, Cellules combattantes révolutionnaires en Belgique, Action directe en France) tentèrent, grâce à
l'appui de leur mouvance politique (en particulier certains avocats et les comités
de soutien aux prisonniers), de nouer des contacts pour des actions communes. Si,
en 1984, la Fraction armée rouge, les Brigades rouges et Action directe annoncent
s'unir pour frapper des cibles communes, on ne peut parler réellement d'internationale terroriste. L'absence de dirigeant unique et de stratégie transnationale n'est
pas compensée par les liens tissés entre militants dans les camps d'entraînement
du Liban, de Libye ou du Yémen.

70. Les jeunes ouvriers de l'usine Fiat de Milan, héritiers de l'anarchosyndi-
calisme et soucieux d'une éthique de la lutte prolétarienne, ne pèseront pas lourd
en Italie devant les jeunes étudiants gauchistes avides de présenter au monde de
leurs parents le spectacle violent de leur révolte.

Le *terrorisme indépendantiste*, qui prétend souvent s'inspirer de la lutte anticoloniale [71], est d'abord représenté en Europe par les deux luttes anciennes du peuple irlandais et du peuple basque. Leur prise en main, vers 1968, par des militants marxistes donnera à l'IRA Provisoire *(Irish Republican Army Provo)* et à l'ETA *(Euskadi Ta Azkatasuna,* Pays basque et liberté) le double aspect révolutionnaire et nationaliste.

Le terrorisme indépendantiste, en France, trouve sa manifestation essentielle en Corse, dont on a déjà dénoncé la dérive vers le crime organisé, marquée par les rivalités meurtrières entre branches rivales. Les trois tendances du Front de libération de la Bretagne (FLB), voire l'éphémère mouvement des Loups noirs en Alsace, n'ont quant à elles pas provoqué de mort d'hommes [72].

Le *terrorisme de manipulation* est en fait l'œuvre de services spéciaux étrangers, agissant à l'abri d'organisations-relais. Carlos, dissident du Front populaire pour la libération de la Palestine (FPLP) était-il un électron libre du terrorisme ou un mercenaire au service de pays arabes ou communistes ? De même pour le groupe Abou Nidal, dont les comptes bancaires ont été régulièrement approvisionnés par des États sponsors successifs [73].

Ce terrorisme est d'ailleurs le pendant de l'action de certains services spéciaux étrangers qui n'hésitent pas, à l'occasion, à frapper leurs adversaires français, en violation flagrante du droit international. Le rôle d'Israël, de la Libye, de l'Algérie ou de la

---

71. L'utilisation du signe Front national de libération, en référence aux mouvements algérien et vietnamien, en est une « démonstration évidente » (Front national de libération de la Corse, Front de libération de la Bretagne...).

72. Il est à noter cependant qu'au-delà de leur aspect parfois folklorique, ces mouvements s'inscrivaient dans un contexte ancien de lutte, dont les inspirateurs avaient été fréquemment marqués à l'extrême droite.

73. On peut même se poser la question du mythe Abou Nidal pour se demander si son sigle n'a pas été parfois usurpé par des services spéciaux agissant sous faux pavillon. Quant au « groupe Carlos », son indépendance d'action ne peut qu'être relativisée, si l'on se remémore les différents pays qui l'ont accueilli et si l'on tient compte de l'aide logistique qu'il a su trouver auprès de l'ex-Stasi est-allemande, service particulièrement performant dans l'emploi de stratégies indirectes vis-à-vis du bloc occidental.

Roumanie, entre autres, est à ce sujet particulièrement troublant dans la période des vingt-cinq dernières années.

Dans ce cadre, si l'on examine la période 1980-1997, rien n'a fondamentalement changé. Le terrorisme corse a régulièrement occupé les premières pages des journaux, même si les opérations judiciaires de 1996 semblent avoir modifié largement la situation. Et en ce qui concerne le terrorisme islamique, il n'a fait que fournir une nouvelle démonstration du terrorisme de manipulation principalement dirigé par l'Iran, ou du terrorisme révolutionnaire brutalement représenté par le GIA algérien.

La France, « petit Satan »

Alors qu'États-Unis et URSS ont eu droit au qualificatif de « grand Satan », l'Iran, en désignant notre pays sous le terme de « petit Satan », montrait son hostilité à la politique arabe de la France, marquée par la présence au Liban et le soutien logistique à l'armée irakienne. Cela explique pourquoi les attaques contre nos intérêts ont d'abord été réalisées à l'extérieur avant de frapper le sol français au milieu des années 80.

La présence française au Liban

Depuis le début de la guerre civile au Liban, la France, en raison de ses liens historiques avec ce pays, se pose comme un partenaire incontournable, dont le rôle a été renforcé par la présence d'un détachement militaire, sous l'égide de l'ONU, dans le sud du territoire [74]. L'entrée des forces syriennes au Liban [75], sous couvert de la « force arabe de dissuasion », est accueillie avec inquiétude par la France, qui voit se profiler l'annexion pure et simple de ce pays par le régime de Hafez al-Assad, soucieux de régner sur l'ensemble du territoire jadis géré par le protectorat français. C'est dans ce contexte difficile que doit être

---

74. Le 420ᵉ détachement de soutien logistique (DSL) a été basé d'abord à Tyr, puis à Nakoura, à proximité de la zone frontalière avec Israël, tenue par l'Armée du Liban-Sud (ALS), alliée de l'État hébreu.
75. À la demande du président chrétien, Soleiman Frangié, en avril 1976.

compris l'assassinat de Louis Delamare, ambassadeur de France à Beyrouth, le 4 septembre 1981.

Pourtant, certains observateurs, dès ce moment, considèrent que le meurtre n'a pu être réalisé sans la complicité au moins passive des services iraniens. Car, à la même époque, ceux-ci ont établi un *statu quo* avec leurs homologues syriens. Si Amal devient un instrument de la présence syrienne, les Iraniens peuvent organiser le Hizb'Allah (Parti de Dieu) dans la plaine de la Bekaa.

Dans un pays déchiré par les combats, l'Iran va chercher un vecteur d'influence déterminant. L'écho disproportionné donné par la presse internationale à l'enlèvement puis à la libération à Beyrouth d'un ressortissant américain [76], va inciter le Hizb'Allah à développer une forme particulière de terrorisme, la prise d'otages. Agissant sous couvert de noms d'emprunt, le Djihad islamique ou l'Organisation de la justice révolutionnaire, ce mouvement va, en six ans, enlever ou faire enlever de nombreux ressortissants occidentaux, dont 13 Français. L'un d'entre eux, Michel Seurat, chercheur reconnu, décédera lors de sa captivité. Les autres, objets d'obscures et difficiles tractations, seront libérés après une détention particulièrement éprouvante [77].

---

76. Le 4 juillet 1982, Mohsen Moussavi, chargé d'affaires de la République d'Iran, est enlevé par les forces libanaises. En représailles, l'évêque grec de Baalbek est à son tour enlevé. Leur libération réciproque est immédiate. Le 19 juillet suivant, le doyen de l'université américaine de Beyrouth, David Dodge, est enlevé, vraisemblablement par des chiites pro-iraniens. L'affaire fait la une des journaux américains jusqu'à la libération de l'otage, le 20 juillet 1983. Le Hizb'Allah va rapidement tirer de ce succès inespéré les conclusions qui s'imposent.

77. Il s'agit de : Gilles Peyrolles (22/09/84-01/04/85 ; FARL ?) ; Maurice Carton (28/03/85-04/05/89 : Djihad islamique) ; Marcel Fontaine (22/03/85-04/05/89 : Djihad islamique) ; Michel Seurat (22/05/85-décès annoncé le 05/03/86 : Djihad islamique) ; Jean-Paul Kaufmann (22/05/85-04/05/89 : Djihad islamique) ; Marcel Coudari (27/02/86-10/11/86 : OJR) ; Aurel Cornea (08/03/86-24/12/86 : OJR) ; Georges Hansen (08/03/86-20/06/86 : OJR) ; Jean-Louis Normandin (08/03/86-27/11/87 : OJR) ; Philippe Rochot (08/03/86-20/06/86 : OJR) ; Michel Brian (09/04/86-11/04/86 : enlèvement non revendiqué) ; Camille Sontag (07/05/86-10/11/86 : OJR) ; Roger Auque (13/01/87-27/11/87 : OJR).

On remarquera qu'à l'exception de Brian (professeur) et de Sontag (retraité), tous les Français enlevés étaient diplomates ou journalistes (Seurat était écrivain et Peyrolles – fils de l'écrivain progressiste Gilles Perrault – était responsable du

Parallèlement à ce terrorisme publicitaire, réalisable avec de faibles moyens mais dont l'écho médiatique grise la mouvance chiite réfugiée dans les faubourgs de Beyrouth, le Hizb'Allah va adopter une stratégie meurtrière.

Après le pilonnage des positions palestiniennes par l'aviation israélienne pendant l'opération Paix en Galilée et les exactions des phalanges chrétiennes dans les camps de Sabra et de Chatila, quatre puissances occidentales décident d'envoyer des troupes pour assurer le retour au calme dans Beyrouth et ses faubourgs [78]. Après les Israéliens, les troupes occidentales deviennent la cible des combattants chiites. Le 23 octobre 1983, deux explosions secouent Beyrouth. On relève les corps de 54 parachutistes français et de 241 marines américains. L'Occident a perdu la face [79].

En même temps, le Hizb'Allah n'oublie pas de pratiquer l'attentat individuel. Ainsi, un attaché militaire français est assassiné à Beyrouth en septembre 1986.

Les attentats du CSPPA en France

Le 17 décembre 1985, deux bombes explosent dans deux grands magasins parisiens au milieu d'une foule occupée aux achats de Noël. Quinze attentats se succéderont en trois vagues jusqu'à l'explosion de la rue de Rennes, le 17 septembre 1986. On dénombrera 13 morts et 325 blessés [80].

Centre culturel français de Beyrouth). La diffusion quotidienne d'un message de soutien aux journalistes emprisonnés lors du journal télévisé d'Antenne 2 a-t-elle plus servi les intérêts des victimes ou ceux des activistes ?

78. Les effectifs de la Force multilatérale de sécurité de Beyrouth, placés sous commandement combiné – hors de la tutelle des Nations unies – étaient américains, français, britanniques et italiens.

79. Là encore, cet attentat réalisé par le Hizb'Allah sert les intérêts des Syriens, qui voient la pression occidentale diminuer au Liban.

80. Première vague : 17/12/85 : Galeries Lafayette (37 blessés) ; 17/12/85 : Printemps (5 blessés) ; 03/02/86 : Galerie du Claridge (8 blessés) ; 03/02/86 : tour Eiffel (pas de victime) ; 04/02/86 : librairie Joseph-Gibert (7 blessés) ; 05/02/86 : Fnac Sport (32 blessés). Deuxième vague : 17/03/86 : TGV Paris-Lyon (5 blessés) ; 20/03/96 : Galerie Élysée-Point Show (2 morts et 4 blessés) ; 20/03/86 : RER Châtelet (pas de victime). Troisième vague : 04/09/86 : RER gare de Lyon (pas de victime) ; 08/09/86 : bureau de poste de l'Hôtel de Ville (1 mort et 22 blessés) ; 12/09/86 : cafétéria La Défense (54 blessés) ; 14/09/86 : Pub Renault (2 morts et 1 blessé) ; 15/

Les attentats sont signés par un groupe inconnu, le Comité de solidarité aux prisonniers politiques arabes (CSPPA). Orientée d'abord sur la piste des FARL, l'enquête permet de démanteler le réseau et d'interpeller, le 21 mars 1987, son chef, Foued Ali Salah, activiste chiite d'origine tunisienne formé à l'université religieuse de Qom. Son groupe parisien, constitué de chiites plus ou moins motivés, n'est que la partie émergée d'une structure libanaise du Hizb'Allah où apparaissent d'autres groupes terroristes agissant en Europe [81].

Or, les Iraniens n'en sont pas à leur coup d'essai à Paris. Le 18 juillet 1980, Annis Naccache avait échoué dans sa tentative d'assassinat de l'ancien Premier ministre iranien Chappour Bakthiar.

Si les revendications du CSPPA ont alors permis de penser que l'objectif était la libération d'Annis Naccache et de Georges Abdallah [82], puis le règlement du contentieux Eurodif, il est clair

---

09/86 : préfecture de police (1 mort et 60 blessés) ; 17/09/86 : magasin Tati (7 morts et 54 blessés).

81. Joseph Abdallah, Libanais chrétien, fonde en 1983 les FARL. En contact avec des groupes terroristes d'extrême gauche et le FPLP de Georges Habache – également d'origine chrétienne –, les FARL vont pratiquer la lutte armée contre les impérialismes américain et sioniste à Paris (novembre 1981 : tentative d'assassinat contre un attaché militaire américain, Colin Chapman ; février 1982 : meurtre d'un autre diplomate américain, Charles Ray ; avril 1982 : meurtre du diplomate israélien Yacov Barsimentov ; mai 1982 : double attentat de la rue Cardinet [2 morts et 50 blessés] et de l'avenue de La Bourdonnais [2 morts]. Abdallah est arrêté par la police française pour ces actions le 25 octobre 1984. Foued Ali Salah, sunnite converti au chiisme, a effectué des études religieuses à Qom de février 1981 à juin 1982. C'est vraisemblablement pendant ce voyage qu'il est devenu membre du Hizb'Allah libanais. De retour en France fin 1982, il a patiemment organisé, en relation avec le Liban, les structures de son groupe. Mohamed et Abbas Hamade, membres du Hizb'Allah libanais, ont été interpellés en République fédérale d'Allemagne en janvier 1986, alors qu'ils importaient de Beyrouth de l'explosif liquide, similaire à celui utilisé par le groupe de Salah. Mohamed Hamade avait par ailleurs participé au détournement, en juin 1995, du Boeing TWA sur Beyrouth où avait été abattu un militaire américain à proximité d'un parterre de journalistes avides d'images sensationnelles. Quelques semaines après l'arrestation des frères Hamade en Allemagne, un autre militant du Hizb'Allah, Bachir Khodr, était interpellé par la police italienne.

82. Annis Naccache, qui avait abattu un policier et le concierge de l'immeuble,

aujourd'hui que la principale motivation iranienne était d'amener le gouvernement français à modifier sa stratégie vis-à-vis de Saddam Hussein, en clair, soit cesser l'approvisionnement en armement à l'Irak, soit agir de même avec l'Iran.

Mais l'Iran n'a pas désarmé avec le démantèlement des réseaux en Europe. En juillet 1987, un militant du Hizb'Allah, Hussein Al-Hariri, détourne un DC 10 d'Air Afrique et abat un ressortissant français pour montrer sa détermination à obtenir la libération des membres du réseau Salah. Quelques mois plus tard, en août 1988, est découvert en Côte-d'Ivoire une importante réserve d'explosifs stockée par des chiites libanais.

À la même époque pourtant, se termine de façon ambiguë le conflit Iran-Irak, source principale de la guerre indirecte iranofrançaise. Le règlement du contentieux d'Eurodif permet la libération des derniers otages. Le Hizb'Allah, affaibli sur le plan international et objet de l'attention vigilante du pouvoir syrien, réorganise ses forces vers la guérilla contre Israël. L'Iran se concentre sur l'élimination des opposants politiques [83].

La France, « terre des croisés »

Pourquoi le GIA a-t-il fait de la France, dont il désigne les habitants sous le terme de « croisés », son principal adversaire extérieur ?

Trois raisons sont généralement avancées. D'abord, la France, héritière de son passé colonial, représente un bouc émissaire facile pour une population algérienne élevée dans le culte de la guerre d'indépendance. Les islamistes n'ont-ils pas d'ailleurs caricaturé la mouvance intellectuelle algérienne francophone sous le terme péjoratif de « Parti des Français » *(Hizb Al Francia)* ?

La France, ensuite, est le premier partenaire économique de l'Algérie et le créancier d'un tiers de la dette algérienne. À ce

---

a été gracié en juillet 1990. Chappour Bakhtiar a finalement été assassiné par trois agents iraniens un an plus tard.

83. L'on évoquera pour mémoire les coïncidences de l'Irangate, de l'affaire Luchaire ou du départ de France des principaux responsables des Moudjahidines du peuple, opposants iraniens marxistes.

titre, elle est dénoncée comme le soutien politique et militaire qui permet au pouvoir d'Alger de se maintenir.

Le GIA, enfin, est désireux de se venger des coups portés par la France à ses réseaux de soutien logistique (affaires Chalabi du 8 décembre 1994 et Salim du 20 juin 1995) et d'effacer l'humiliation de l'échec du détournement de l'Airbus d'Air France [84].

Cependant l'explication principale est ailleurs. Le GIA a, tout au long de sa brève existence, voulu se présenter comme le premier mouvement islamiste combattant, voire le seul authentique, que ce soit vis-à-vis de la mouvance activiste algérienne ou de la nébuleuse salafiste. Il a donc cherché constamment les cibles capables de lui assurer une audience médiatique d'envergure au sein d'abord de la population algérienne, puis de la communauté musulmane internationale. Or, la France possède une population d'origine algérienne estimée à près de 4 millions d'individus [85], vivier inestimable de recrutement de militants pour l'hébergement de combattants en fuite d'Algérie, l'organisation de réseaux de soutien pour les collectes d'argent et les trafics de matériels divers sous couvert de *trabendo* (contrebande).

On comprend ainsi que le GIA ait constamment tendu à se démarquer du reste de la mouvance activiste algérienne en pratiquant la politique de la surenchère. En Algérie, l'assassinat de journalistes, d'étrangers ou de religieux a assuré au GIA une crédibilité, sans doute au départ supérieure à ses capacités, qui lui a permis de s'étoffer rapidement.

C'est dans ce cadre qu'il faut analyser la campagne d'attentats commis sur notre territoire pendant l'été 1995 [86] et qui a pro-

---

84. Ainsi la mouvance islamiste radicale algérienne reste-t-elle persuadée que le gouvernement français a caché d'importantes pertes humaines causées par les quatre preneurs d'otages aux passagers et au Groupe d'intervention de la gendarmerie nationale (GIGN). D'autre part, il reste vraisemblable que le véritable projet du commando – une des rares opérations suicides du GIA avec l'attentat du commissariat d'El Biar – était de faire exploser l'avion au-dessus de Paris, acte terroriste encore jamais réalisé.

85. Environ 800 000 immigrés réguliers, 3 millions de Français de la deuxième ou troisième génération et, selon les estimations, de 100 000 à 300 000 clandestins.

86. 11/07/95 : double assassinat de la rue Myrha (Paris XVIIIᵉ) ; 25/07/95 : station RER Saint-Michel (7 morts et 85 blessés) ; 17/08/95 : avenue de Friedland

voqué 13 morts et 283 blessés. On oublie d'ailleurs généralement que la première victime de cette campagne a été le cheikh Abdelkader Sahraoui qui, s'il avait été membre fondateur du FIS, était coupable aux yeux du GIA d'avoir incité à respecter les lois de la France sur son territoire. Le 1ᵉʳ novembre 1995, le réseau de Boualem Bensaid était démantelé alors qu'il s'apprêtait à placer une voiture piégée sur un marché de la région lilloise.

L'action de ce réseau permet de tirer un certain nombre d'observations : il était dirigé par un émir du GIA, venu d'Algérie et désigné par Zitouni ; il était composé de jeunes Beurs, pour beaucoup réislamisés de fraîche date et qui avaient fait leurs preuves dans les réseaux de soutien logistique ; il disposait de complicités dans les communautés algériennes – mais également d'autres origines arabes – installées en Europe, et principalement à Londres, où résidait le coordinateur financier des opérations, Rachid Ramda ; il était formé d'individus motivés et aguerris à la vie clandestine ; il disposait de fortes connexions avec les milieux de droit commun.

Dès lors, la question fondamentale posée par la compréhension de la personnalité d'un Khaled Kelkal est celle de la contamination par l'islamisme activiste d'une frange de la population française d'origine immigrée, touchée par la crise des banlieues et à la recherche d'une image identitaire [87].

Or, si l'on avait craint, pendant la révolte des pierres et la crise du Golfe, l'embrasement par imitation des banlieues françaises, l'expérience avait alors prouvé que la communauté maghrébine, en faisant preuve d'un calme exemplaire, ne se sentait pas concernée.

(17 blessés) ; 26/08/95 : TGV Lyon-Paris (pas de victime) ; 03/09/95 : marché Richard-Lenoir (3 blessés) ; 04/09/95 : sanisette place Charles-Vallin (pas de victime) ; 07/09/95 : voiture piégée devant une école juive à Villeurbanne (30 blessés) ; 06/10/95 : station de métro Maison-Blanche (10 blessés) ; 17/10/95 : RER station Musée-d'Orsay (4 morts et 29 blessés).

87. Khaled Kelkal, premier individu identifié du réseau, a été abattu lors de sa fuite meurtrière le 4 octobre 1995 au lieu-dit de Maison-Blanche, ce qui a provoqué, par démarche symbolique, un attentat commis par d'autres membres du réseau Bensaid à la station de métro parisienne du même nom le jour de l'enterrement de Kelkal.

La situation est tout autre dans les quartiers en difficulté avec le syndrome algérien [88], car de nombreuses associations culturelles sont apparues depuis 1992. Certaines, plus ou moins bien intentionnées, ont développé un prosélytisme très en marge des lois françaises [89].

De nombreux jeunes désœuvrés se joignent à la mouvance islamiste et fréquentent les lieux de prière, où les appels de solidarité aux frères d'Algérie sont peu à peu remplacés par les messages de haine contre l'Occident et la France, accusée d'être partie prenante dans la répression. Nombre de Beurs acceptent de rendre service en hébergeant des clandestins, en trafiquant de faux papiers ou en convoyant des armes. Ce sont les plus déterminés – ou les mieux manipulés – que l'on retrouvera dans le réseau Bensaid.

Et pourtant, le phénomène n'est pas nouveau. Le procès du « réseau de Marrakech » (décembre 1996) a rappelé que celui-ci était dirigé par Abdellah Ziad et Mohamed Zineddine, deux islamistes marocains [90] qui avaient choisi la voie de l'activisme en recrutant de jeunes Beurs, souvent anciens délinquants, à Saint-Denis, Orléans et Avignon. De ce groupe, entraîné quasi militairement, sont sortis les quatre commandos d'août 1996.

Mais Ziad et Zineddine ont-ils agi seuls ? L'entraînement de certains membres du groupe dans les camps salafistes pakistanais, l'armement, transporté au Maroc par des islamistes algériens basés en Italie [91], permettent d'en douter et de considérer

---

88. Il est à ce sujet significatif que Kelkal, petit délinquant expérimenté se sachant découvert, n'ait pas cherché à se cacher en milieu urbain, mais se soit réfugié, armé et vêtu d'un uniforme paramilitaire, dans les massifs du Lyonnais pour imiter le combat des maquisards du GIA en Algérie.

89. Certaines associations, sous couvert de soutien scolaire ou de cours coranique, dispensaient des cours d'arts martiaux et les élèves contrôlaient ensuite le quartier, sous prétexte de « chasse aux dealers ». D'autres, tout aussi officielles, ont joué un rôle majeur dans l'« affaire du foulard » ou les manifestations anti-Rushdie.

90. Ziad et Zineddine, anciens militants du Mouvement de la jeunesse islamiste marocaine (MJIM) d'Abdelkrim Mottei, avaient quitté cette organisation radicale qu'ils jugeaient trop tiède.

91. Une demande d'extradition a été effectuée dans ce cadre auprès des autorités

que des mouvements armés algériens ont pu inspirer un groupe partiellement autonome en France.

Une étape supplémentaire est franchie avec le « groupe de Roubaix ». Le 24 mars 1995, une voiture piégée explose – sans faire de grands dommages – devant le commissariat central de Lille, ville dans laquelle doit se dérouler quelques jours plus tard un sommet du G7. Les auteurs, identifiés rapidement, appartiennent à un groupe qui a commis plusieurs vols à main armée particulièrement sanglants. La plupart de ses membres sont des musulmans pratiquants, mais aucun lien n'apparaît avec la mouvance activiste algérienne.

La réaction aux forces de police prouve la détermination des auteurs. Refusant l'arrestation, cinq membres du groupe meurent après avoir blessé plusieurs policiers, un est arrêté en Belgique, deux seront interpellés en Bosnie [92].

Il est établi que si le groupe n'était pas lié à des structures activistes algériennes, il était en relation avec la mouvance salafiste. Les principaux responsables du groupe avaient participé aux combats de Bosnie dans la brigade de Zenica, déjà évoquée.

Plus surprenante est la radicalisation des membres de ce groupe qui décident de frapper dans une France jugée hostile à leur combat. Était-ce pour ramener, comme on l'a prétendu, de l'argent à leurs frères d'armes bosniaques ? Il est plus vraisem-

---

italiennes à l'égard de Djamel Lounici, responsable d'un vaste réseau d'armes à destination des maquis algériens, interpellé en Italie en septembre 1995.

92. Lors de l'assaut de la rue Carette à Roubaix, quatre membres du groupe – Rachid Souimdi, Said El Aihar, Amar Djouna et Nouri Altinkaynak – sont tués par les policiers du Raid (Recherche-Assistance-Intervention-Dissuasion). Au même moment, Christophe Caze et Omar Zemmiri tentent de franchir la frontière belge avec un véhicule contenant plusieurs armes automatiques, des grenades et un lance-roquettes (armement vraisemblablement ramené de Bosnie). Caze est tué et Zemmiri capturé par les gendarmes belges après avoir pris en otages deux femmes. Lionel Dumont et Mouloud Bouguelhane réussissent à s'enfuir en Bosnie. Après une série de nouveaux hold-up qui coûtent la vie à un pompiste et à un policier, ils seront arrêtés par la police bosniaque. Deux des membres du groupe, Caze et Dumont, étaient Français de souche, les autres, d'origine algérienne, turque ou marocaine. Tous fréquentaient la mosquée de la rue Archimède à Roubaix, connue pour son islamisme virulent. Caze et Dumont étaient mariés à des femmes bosniaques.

blable que leur refus de s'intégrer dans la société française, allié à l'expérience activiste, a donné naissance à un nouveau modèle où se mêlent islamisme terroriste, violences urbaines et grand banditisme [93].

Enfin, le phénomène de ce fanatisme lié à la recherche d'une image de soi idéalisée apparaît tout particulièrement dans la personnalité des deux chefs du groupe, Caze et Dumont. Tous deux Français de souche, ils n'appartiennent pas à des milieux défavorisés et se convertissent à l'islam fort tard. Le premier est alors en 5e année de médecine ; le second, étudiant en histoire, a servi comme Casque bleu en prolongeant volontairement son temps de service dans l'armée française.

Dans une société française où beaucoup de jeunes manquent de repères et d'idéal, l'exemple du groupe de Roubaix ne peut qu'inquiéter, alors que l'État éprouve de réelles difficultés à imposer le respect des lois dans quelques dizaines de quartiers sensibles, refuges d'une économie parallèle liée au trafic de stupéfiants et au recel. On comprend, dans ces conditions, que l'hypothèse d'une action commise par un groupe autonome de jeunes activistes islamistes de banlieue ait pu être évoquée dans l'attentat commis le 3 décembre 1996 à la station RER Port-Royal et toujours non élucidé.

Quelle attitude adopter face à l'activisme islamique ? Il paraît nécessaire, dans une première démarche, de savoir l'identifier et donc de ne pas opérer un dangereux amalgame entre des musulmans désireux de vivre un islam authentique et des extrémistes cherchant à imposer une vision d'un islam arriéré ou travesti.

Deux limites se fixent d'elles-mêmes.

D'abord, ne pas agiter l'épouvantail islamiste à tout-va [94]. Les actions d'origine libyenne qui ont visé notre pays n'étaient que les stratégies indirectes d'un pays dont les références ponctuelles à l'islam cachaient mal ses prétentions impérialistes sur l'Afrique

---

93. Parfois désigné sous le terme de « gangsterrorisme », terme réducteur qui ne fait pas apparaître l'influence – pourtant essentielle – des violences urbaines.

94. Assimiler une religion à ses dérives intégristes est, hélas, un comportement courant. Doit-on cependant condamner le catholicisme en souvenir de l'Inquisition ou du conflit irlandais ?

centrale. Dans le même ordre d'idées, pourquoi certains auteurs font-ils resurgir périodiquement le spectre de la « Secte des assassins [95] », alors que les complots du « Vieux de la montagne » ont bien moins marqué le monde musulman que l'œuvre d'un Saladin, qui a affronté directement l'Occident croisé tout en faisant preuve de volonté de dialogue ? Faire un procès d'intention aux musulmans est une démarche malsaine qui ne peut que les pousser vers la marginalisation, la volonté de revanche et l'extrémisme.

Ensuite, reconnaître aux musulmans le droit, dans notre pays, de vivre leur foi mais dans le cadre strict des principes républicains, marqués par le respect des croyances et le sceau de la laïcité. Aucune conviction, aussi sincère soit-elle, ne peut s'imposer à ceux qui ne la partagent pas et aucune pratique religieuse ne doit bafouer les lois de la République. Dans cette optique, se posent toujours de façon pressante les conditions d'organisation d'un islam à la française, alors que la communauté musulmane sur notre territoire est victime d'enjeux de pouvoir et de rivalités dépendant souvent d'intérêts étrangers.

Il est d'autre part tout aussi indispensable de rappeler que, si l'islam est une composante majeure du monde d'aujourd'hui, l'islamisme radical est une manifestation contemporaine de l'éternelle révolte des exclus contre les nantis. Les partisans du modèle de la révolution iranienne comme les sympathisants de l'extrémisme salafiste sont les vecteurs actuels d'un combat hier représenté par les idéologies du marxisme-léninisme ou de l'anticolonialisme.

Mais, en ce qui concerne l'islamisme politique, pourquoi n'accepterait-on pas la volonté d'un musulman de vivre sa foi dans son pays délivré des maux de la dictature, de la corruption et de la pauvreté ? Dans ce cadre, des choix s'imposent pour notre pays en matière de politique étrangère et notre démarche

---

95. La « Secte des assassins » vient du terme *« Haschichin »* (mâcheur de haschisch). Dans *L'islamisme radical* (Paris, Hachette, 1987, p. 193), Bruno Étienne rappelle que ces combattants chiites, qui ont vécu dans les montagnes libanaises entre le XIe et le XIIIe siècle, se désignaient comme les « pieux exécuteurs des mauvais musulmans ».

diplomatique doit intégrer une action de défense des droits de l'homme dont seraient absentes les tentations économiques, stratégiques ou idéologiques à court terme.

Accepter l'islamisme politique, certes, mais se méfier de l'islamisme radical, car l'angélisme n'est pas de mise dans le nouvel ordre international – ou dans l'absence d'ordre international. Que représentent nos valeurs démocratiques dans des pays ou règnent l'analphabétisme, la famine et les affrontements ethniques ? La conception occidentale du droit international est-elle forcément compatible avec les principes de l'oumma musulmane ? Et comment les démocraties industrielles, minées par le sous-emploi et la perte des valeurs, pourraient-elles offrir au reste du monde les moyens d'échapper à l'extrémisme ?

Tous ces paradoxes expliquent la stratégie pragmatique des États-Unis qui, débarrassés de l'Union soviétique mais inquiets de la présence de zones grises sur un tiers de la planète, y envisagent d'un œil optimiste la montée de l'islamisme. Car cet islamisme modélisé est considéré par les Américains comme garant de stabilité sur le plan intérieur et de libéralisme économique sur le plan extérieur. Les troubles qui agitent l'Arabie saoudite depuis dix-huit ans préviennent des risques d'une telle politique. Celle-ci ne correspond pas, de toute façon, aux intérêts des pays européens, plus directement soumis à la pression islamiste en raison de la présence de larges communautés musulmanes sur leur sol [96].

Dès lors, il importe, après avoir évalué la mesure réelle de la menace de l'activisme islamiste, d'en tirer les conséquences nécessaires. Si, au nom du droit des peuples à disposer d'eux-mêmes, le dialogue est envisageable et parfois nécessaire avec un islam radical qui progresse dans les pays musulmans, toute négociation doit être exclue avec l'islamisme activiste. Simple

---

96. Sur la rive sud de la Méditerranée, deux pays, l'Algérie et l'Égypte, restent en proie à des troubles majeurs. La Libye, dont le régime, pour survivre, n'en finit pas de réprimer des complots successifs, est touchée depuis deux ans. La Tunisie, qui a su associer réforme sociale et répression ciblée, semble pour l'instant à l'abri, mais on peut envisager avec inquiétude la situation du Maroc après la mort du roi Hassan II. On rappellera que, sur la rive nord, se trouve l'Europe.

question de légitime défense. Le terrorisme islamique – comme hier les mouvements terroristes d'extrême gauche ou d'extrême droite – doit être combattu avec l'ensemble des moyens mis à notre disposition par l'État de droit.

Le plus sûr moyen de neutraliser le terrorisme reste de le combattre. Le meilleur allié du terrorisme a toujours été la peur qu'il inspire. Son plus efficace antidote reste la cohésion des citoyens et la détermination des gouvernants librement élus.

2

Du terrorisme
comme stratégie d'insurrection

Ariel MERARI *

Je dois préciser ce que j'entends par « terrorisme politique ». Ce terme a été utilisé par des gouvernements, les médias et même par des universitaires pour dépeindre des phénomènes qui ont peu de points communs. Ainsi, pour certains, le terrorisme signifie des actes violents commis par des groupes contre des États, pour d'autres l'oppression d'un État contre ses propres ressortissants et pour d'autres encore, des actes belliqueux perpétrés par des États contre d'autres États.

Trouver une définition du terrorisme politique qui serait acceptable par le plus grand nombre se heurte à un obstacle majeur, celui de la connotation émotionnelle négative de cette expression. Le mot « terrorisme » est devenu un terme comportant purement et simplement un discrédit plutôt qu'un terme décrivant un type spécifique d'activités. D'une façon générale, les gens l'emploient pour exprimer la désapprobation d'une variété de phénomènes qui leur déplaisent, sans se préoccuper de définir avec précision ce qui constitue un comportement terroriste. Il faut, me semble-t-il, considérer le terrorisme comme un mode de lutte plutôt que comme une aberration sociale ou politique, et aborder ce phénomène d'un point de vue technique plutôt que moral.

---

* Directeur de Political Violence Research Unit à l'université de Tel-Aviv.

UNE DÉFINITION OPÉRATOIRE DU TERRORISME

La signification du mot « terrorisme » varie selon les individus. La terminologie nécessite toujours qu'on se mette d'accord pour arriver à une compréhension commune. Rechercher des définitions basées sur la logique pour des termes qui appartiennent au domaine de la science politique ou des sciences sociales, particulièrement quand ces termes revêtent une connotation émotionnelle négative, n'a aucun sens. Les États-Unis ne peuvent d'aucune manière prouver de façon *logique* que les attentats commandités par la Libye contre les aéroports de Rome et de Vienne en 1985 étaient des actes de terrorisme, à moins que certaines des présomptions de base et la sémantique nécessaire à la définition du terrorisme ne soient acceptées universellement. L'affirmation des États-Unis est certainement logique compte tenu de leur propre définition du terrorisme, mais le colonel Muammar Kadhafi peut toujours soutenir que le terme de « terrorisme » devrait être réservé aux actes tels que le raid punitif mené par les États-Unis contre la Libye (avril 1986) et que les attentats de Rome et de Vienne devraient plutôt être considérés comme des actes de violence révolutionnaire, de lutte armée ou de combat pour la liberté.

Pourtant, pour ceux qui étudient la violence politique, classifier les phénomènes qui entrent dans cette catégorie générale est un premier pas essentiel pour la recherche. Obtenir un consensus sur la signification du terme « terrorisme » n'est pas une fin importante en soi, sauf peut-être pour des linguistes. D'un autre côté, il est nécessaire de faire une différenciation entre les diverses conditions de la violence et de distinguer les divers modes de conflits, quelle que soit la façon dont on les nomme, si nous voulons améliorer notre compréhension de leurs origines, les facteurs qui les affectent et apprendre à y faire face. Les intentions, les circonstances et les méthodes engagées dans la violence d'un État contre ses propres ressortissants sont totalement différentes de celles qui caractérisent la violence exercée par les États contre d'autres États ou par des groupes insurgés contre des gouvernements. Appliquer le terme de « terrorisme » à ces trois situations crée des confusions et nuit à la recherche universitaire de même qu'à l'action politique. Tant que le terme de « terrorisme » signifiera simplement pour celui qui l'emploie un comportement violent à déplorer, il sera plus utile à la propagande qu'à la recherche.

Deux chercheurs néerlandais de l'université de Leyde, Alex Schmid et Albert Jongman, ont adopté une approche intéressante du problème de la définition du terrorisme. Ils ont recueilli 109 définitions du terme auprès d'universitaires et de fonctionnaires et les ont analysées pour trouver leurs principales composantes. Ils ont trouvé que la violence figurait dans 83,5 % des définitions, les objectifs politiques dans 65 % et que 51 % d'entre elles avaient pour élément.central la peur et la terreur. 21 % des définitions seulement mentionnaient l'arbitraire et les cibles prises au hasard, et seulement 17,5 % incluaient la victimisation de civils, de non-combattants, de personnes neutres et d'éléments extérieurs.

Une analyse plus fine de cet ensemble de définitions citées par Schmid et Jongman montre que les définitions du terrorisme données par les fonctionnaires sont vraiment similaires. Ainsi, la *task force* du vice-président des États-Unis (1986) définissait le terrorisme comme « l'utilisation illégale ou la menace de violence contre des personnes ou des biens, pour servir des objectifs politiques et sociaux. Le but en est généralement d'intimider ou de contraindre un gouvernement, des individus ou des groupes à modifier leur comportement ou leur politique ». La définition du Bureau pour la protection de la Constitution de la République fédérale d'Allemagne est la suivante : « Le terrorisme est la lutte menée sur la durée pour atteindre des objectifs politiques, [...] qui utilise des moyens comme des attentats contre la vie et les biens des gens en perpétrant tout particulièrement des crimes graves tels que détaillés dans l'article 129a, sec. 1 du Code pénal (principalement meurtres, homicides, enlèvements avec demande de rançon, incendies volontaires, utilisation d'explosifs) ou au moyen d'autres actes de violence qui servent à préparer de tels actes criminels. » Une définition officielle britannique contient les mêmes éléments sous une forme plus succincte : « Pour notre législation, le terrorisme est "l'usage de la violence à des fins politiques et inclut n'importe quel usage de la violence dans le

75

but de provoquer la peur dans le public ou une catégorie fraction quelconque du public". » On trouve trois éléments communs dans ces définitions : l'usage de la violence ; les objectifs politiques et l'intention de semer la peur dans une population cible. Comparées aux définitions du terrorisme données par les fonctionnaires, celles proposées par les universitaires sont plus diversifiées, ce qui n'a rien de surprenant, mais on y retrouve les trois éléments clés des définitions gouvernementales. Avant de nous réjouir du consensus qui se dégage sur le terrorisme, souvenons-nous que l'échantillon de définitions fourni par Schmid et Jongman reflète, d'une façon générale, les perceptions et l'attitude d'universitaires et de fonctionnaires occidentaux. Les opinions des Syriens, des Libyens et des Iraniens sur ce qui constitue le terrorisme sont totalement différentes, et c'est très vraisemblablement le cas de beaucoup d'autres pays du tiers monde. Le consensus qui se dégage peu à peu chez les Occidentaux sur l'essence du terrorisme n'est probablement pas partagé par la majorité des peuples dans le monde.

Bien plus, les trois caractéristiques de base communément admises du terrorisme énoncées plus haut ne suffisent pas pour établir une définition utilisable. En tant que définitions de travail, celles des fonctionnaires citées plus haut sont trop larges pour être utilisables ; en effet on n'y trouve pas les éléments qui permettraient de faire une distinction entre le terrorisme et les autres formes de conflits violents, telles la guérilla ou même la guerre conventionnelle. Manifestement, aussi bien la guerre conventionnelle que la guérilla font usage de la violence à des fins politiques. Les bombardements massifs et systématiques des populations civiles dans les guerres modernes ont explicitement pour objectif de semer la peur parmi les populations ciblées. Par exemple, un tract lancé sur les villes japonaises par les bombardiers américains en août 1945 était rédigé en ces termes :

> « Ces tracts sont lancés pour vous notifier que votre ville fait partie d'une liste de villes qui seront détruites par notre puissante armée de l'air. Le bombardement débutera dans 72 heures. [...]
> Nous notifions ceci à la clique militaire parce que nous savons qu'elle ne peut rien faire pour arrêter notre puissance considérable ni notre détermination inébranlable. Nous voulons que vous

constatiez combien vos militaires sont impuissants à vous protéger. Nous détruirons systématiquement vos villes, les unes après les autres, tant que vous suivrez aveuglément vos dirigeants militaires... »

Le largage de bombes atomiques sur Hiroshima et Nagasaki qui mit fin à la Seconde Guerre mondiale peut lui aussi être considéré comme un exemple qui correspond à ces définitions du terrorisme, bien qu'à très grande échelle. Il s'agissait d'actes de violence perpétrés à des fins politiques, dans l'intention de semer la peur dans la population japonaise.

L'histoire de la guérilla offre elle aussi de nombreux exemples de victimisation systématique des civils dans une tentative pour contrôler la population. Durant la guerre d'indépendance de l'Algérie, le Front de libération nationale (FLN) a assassiné près de 16 000 citoyens musulmans et enlevé 50 000 autres que l'on n'a jamais revus ; en outre, on estime à 12 000 le nombre de membres du FLN tués lors des purges internes. Une directive du Vietcong de 1965 était très explicite quant aux catégories de personnes qui devaient être « réprimées », c'est-à-dire punies ou tuées : « Les cibles de la répression sont les éléments contre-révolutionnaires qui cherchent à entraver la révolution et travaillent activement pour l'ennemi et pour la destruction de la révolution. » Ce qui incluait entre autres : « Les éléments qui luttent activement contre la révolution dans des partis contre-révolutionnaires tels le Parti nationaliste vietnamien (*Quoc Dan Dang*), le Parti du Grand Viêtnam (*Dai Viet*) et le Parti du travail, et le Parti des personnalités (*Can Lao Nhan Vi*) et les éléments clés des organisations et des associations fondées par les partis réactionnaires, les impérialistes américains et le gouvernement fantoche. » Devaient être « réprimés » aussi les « éléments réactionnaires et récalcitrants qui profitent des diverses religions, comme le catholicisme, le bouddhisme, le caodaïsme et le protestantisme, pour s'opposer activement à la révolution et la détruire, et les éléments clés d'associations et d'organisations fondées par ces personnes ». Un exemple plus récent est celui du Sentier lumineux péruvien, qui assassine et mutile des villageois coupables d'être allés voter.

Si l'on peut appliquer la définition du terrorisme aussi bien à la guerre nucléaire qu'à la guerre conventionnelle ou à la guérilla, ce terme n'est plus qu'un simple synonyme d'intimidation violente dans un contexte politique et n'est plus qu'un terme dépréciatif décrivant un aspect affreux de conflits violents, quelles que soient leur importance et leur nature, que l'humanité a toujours connus sous tous les régimes. Si l'attaque en plein vol d'un avion de ligne en temps de paix par un petit groupe d'insurgés et le bombardement stratégique d'une population ennemie par une superpuissance au cours d'une guerre mondiale sont tous deux qualifiés de « terrorisme », alors les chercheurs en sciences sociales, les hommes politiques et les législateurs ne peuvent que soupirer. Si nous souhaitons utiliser le terme « terrorisme » dans une analyse de sciences politiques, nous devrions le réserver exclusivement à la description d'un type de phénomène plus spécifique, distinct des autres formes de violence politique. Malgré les ambiguïtés et les désaccords évoqués plus haut, le concept de terrorisme dans son usage moderne est plus communément associé à un certain type d'actions violentes perpétrées par des individus ou des groupes plutôt que par des États et qui se produisent plutôt en temps de paix que lors d'une guerre conventionnelle. Bien que, à l'origine, l'utilisation de ce terme dans un contexte politique ait fait référence à la violence et à la répression d'État (le « règne de la Terreur », période de la Révolution française), d'un point de vue pratique la récente définition de ce terme donnée par le Département d'État des États-Unis est plus opérationnelle. Selon cette définition, le « terrorisme » est une violence préméditée, motivée politiquement, perpétrée contre des cibles non combattantes par des groupes nationaux marginaux ou des agents clandestins d'un État dont le but est généralement d'influencer un public. Aussi pour des raisons pratiques, emploierons-nous le mot « terrorisme » pour désigner la violence insurrectionnelle plutôt que la violence d'État.

LE TERRORISME

Comment le terrorisme s'insère-t-il dans la gamme des violences politiques ? Comme il a été dit plus haut, l'usage moderne courant de ce terme fait référence, du moins en Occident, à des actions comme l'attaque en plein vol d'un avion de la Pan Am (vol 103) en décembre 1988, l'attentat contre des passagers dans les aéroports de Vienne et de Rome en décembre 1985 ou la prise de l'ambassade d'Arabie saoudite à Khartoum en mars 1973. Ces actions représentent une forme de violence politique différente de la guérilla, de la guerre conventionnelle ou des émeutes. Des actions de ce genre, quand elles sont menées systématiquement, constituent une stratégie particulière d'insurrection. Cette stratégie devrait avoir un nom, que ce soit « terrorisme » ou tout autre terme, mais retenir celui de « terrorisme » a l'avantage de la familiarité [1]. En fait, les praticiens et les avocats de cette forme de lutte l'ont eux-mêmes souvent employé pour décrire leurs méthodes. Cependant les définitions de ce terme laissent plusieurs questions en suspens.

Terrorisme et guérilla

Les termes « terrorisme » et « guérilla » sont souvent utilisés indifféremment. Hormis une certaine négligence dans l'utilisation de la terminologie technique de la part des médias, des hommes politiques et même des universitaires, cette synonymie fautive reflète une confusion concernant la définition du mot terrorisme et souvent le désir d'éviter la connotation négative qu'il a prise. Le terme « guérilla » ne draine pas de connotation diffamatoire et, de ce fait, nombre d'auteurs semblent lui trouver un air d'objectivité. Comme le fait remarquer Walter Laqueur,

---

1. Les révolutionnaires du XIXe siècle ont souvent employé le terme de « terrorisme » avec fierté. Dans la seconde moitié du XXe siècle, cependant, la plupart des organisations insurrectionnelles qui ont adopté le terrorisme comme stratégie ont évité ce terme et l'ont remplacé par toutes sortes d'euphémismes. Néanmoins, une autorité moderne en matière de doctrine terroriste, Carlos Marighella, écrit : « Le terrorisme est une arme à laquelle le révolutionnaire ne peut jamais renoncer. »

l'usage fort répandu mais impropre de l'expression « guérilla urbaine » a probablement contribué à la confusion. Cette expression a été utilisée par des révolutionnaires pour décrire une stratégie de terrorisme qui serait une extension de la guérilla ou son substitut.

Cependant, en tant que stratégies de l'insurrection, terrorisme et guérilla sont tout à fait distincts. La différence la plus importante c'est que, à l'inverse du terrorisme, la guérilla essaie d'établir son contrôle physique sur un territoire. Ce contrôle est parfois partiel. Dans certains cas, les guérilleros contrôlent le terrain la nuit et les forces gouvernementales le contrôlent le jour. Dans d'autres exemples, les forces gouvernementales sont capables d'assurer la sécurité des principaux axes routiers, mais le territoire de la guérilla commence à quelques centaines de mètres à droite ou à gauche. Dans de nombreux cas, les guérilleros sont parvenus à contrôler totalement une portion conséquente de territoire pendant de longues périodes. La nécessité de contrôler un territoire est un élément clé de la stratégie de la guérilla insurrectionnelle. Le territoire sous le contrôle de la guérilla sert de réservoir humain pour recruter, de base logistique et, ce qui est plus important, de terrain et d'infrastructure permettant la création d'une armée régulière.

La stratégie terroriste ne cherche pas à contrôler matériellement un territoire. Indépendamment du fait que les terroristes tentent d'imposer leur volonté à l'ensemble d'une population et d'agir sur son comportement en semant la peur, cette influence n'a pas de lignes de démarcation géographiques. Le terrorisme en tant que stratégie ne s'appuie pas sur des « zones libérées » comme étape de consolidation et d'élargissement de la lutte. En tant que stratégie, le terrorisme reste dans le registre de l'influence psychologique et est dénué des éléments matériels de la guérilla.

D'autres différences pratiques entre ces deux formes de guerre accentuent encore davantage les différences de base des deux stratégies. Elles sont du domaine de la tactique, mais sont en réalité le produit de concepts stratégiques essentiellement divergents. Elles portent sur la taille des unités, les armes et le type des opérations de guérilla et de terrorisme. Habituellement, les guérilleros mènent des actions militaires en unités de la taille d'une section ou d'une compagnie, parfois même de bataillons et de brigades. On connaît même des exemples historiques où les guérilleros ont utilisé des formations de la taille d'une division dans des combats [2]. Les terroristes, eux, opèrent en très petites unités allant généralement de l'assassin isolé ou de la personne seule qui fabrique et pose un engin explosif de fabrication artisanale à une équipe de preneurs d'otages de cinq personnes. Les équipes les plus importantes comportent de 40 à 50 personnes [3]. Cependant, c'est très rare. Ainsi, en termes de taille des unités opérationnelles, les limites supérieures des terroristes sont les limites inférieures de la guérilla.

Les différences dans l'armement utilisé dans ces deux types de guerre sont aussi facilement perceptibles. Tandis que les guérilleros utilisent le plus souvent des armes de guerre de type ordinaire, comme des fusils, des mitrailleuses, des mortiers et même de l'artillerie, les armes types des terroristes sont des bombes de fabrication artisanale, des voitures piégées et des engins sophistiqués agissant sous la pression barométrique, destinés à exploser dans des avions en vol. Ces différences dans la taille des unités et dans les armes sont purement et simplement les corollaires du fait noté plus haut, à savoir que, tactiquement, les actions de la guérilla sont similaires au mode d'opération d'une armée régulière. Parce que les terroristes, à l'inverse des guérillas, n'ont pas de base territoriale, ils doivent se mêler à la population civile pour éviter d'être immédiatement repérés. C'est la raison pour laquelle habituellement les terroristes, à la différence des guérilleros, ne peuvent se permettre de porter un uniforme. Pour simplifier quelque peu la comparaison, tandis que

---

2. Lors de la bataille de Dien Bien Phu (1954) le Viêt-minh a déployé quatre divisions contre les forces françaises fortes d'environ 15 000 hommes. La bataille elle-même a été menée comme une guerre régulière, bien qu'elle ait été lancée dans le cadre général d'une lutte de guérilla.
3. Les équipes terroristes ayant mobilisé le plus d'hommes ont été utilisées lors d'incidents comportant des prises d'otages. Par exemple 50 membres de la Ligue populaire du 28-Février ont participé à la prise de l'ambassade du Panamá à San Salvador le 11 janvier 1980 ; 41 membres du groupe colombien M-19 se sont emparés du palais de justice de Bogotá le 6 novembre 1985.

la guérilla et la guerre conventionnelle sont deux formes de guerre différentes dans leur stratégie mais similaires dans leur tactique, le terrorisme est une forme particulière de lutte tant en matière de stratégie que de tactique.

Méthode et cause : terroristes et combattants de la liberté

Les groupes terroristes se décrivent en général comme des mouvements de libération nationale, des combattants contre l'oppression sociale, économique, religieuse ou impérialiste, ou une combinaison de tout cela. De l'autre côté de la barrière, dans une compréhensible tentative pour discréditer le terrorisme, les hommes politiques ont présenté les termes « terroristes » et « combattants de la liberté » comme contradictoires. Ainsi le président Bush écrit : « La différence entre les terroristes et les combattants de la liberté est parfois brouillée. Certains disent qu'un terroriste pour l'un est un combattant de la liberté pour l'autre. Je rejette cette opinion. Les différences philosophiques sont absolues et fondamentales. »

Sans vouloir porter de jugement sur la description que fait de lui-même n'importe quel groupe particulier, essayer de présenter les termes « terroristes » et « combattants de la liberté » comme s'excluant mutuellement d'une façon générale, est fallacieux d'un point de vue logique. « Terrorisme » et « combat pour la liberté » sont des termes qui décrivent deux aspects différents du comportement humain. Le premier caractérise un mode de lutte et le second une cause. Les causes des groupes qui ont adopté le terrorisme comme mode de lutte sont aussi diverses que les intérêts et les aspirations de l'humanité. Parmi les causes proclamées par des groupes terroristes figurent les changements sociaux, que les idéologies soient de droite ou de gauche, les aspirations associées à des croyances religieuses, les revendications ethniques, les questions d'environnement, les droits des animaux et des causes spécifiques comme l'avortement. Certains groupes terroristes luttent incontestablement pour l'autodétermination ou la libération nationale. D'un autre côté, tous les mouvements de libération nationale n'utilisent pas le terrorisme pour faire avancer leur cause. En d'autres termes, certains groupes insurrectionnels sont à la fois des terroristes et des combattants de la liberté, certains sont l'un ou l'autre, certains ne sont ni l'un ni l'autre.

Terrorisme et morale

Ce héros de l'approche morale du terrorisme est un Russe nommé Ivan Kaliayev. Kaliayev était un membre de l'« organisation de combat » du Parti social-révolutionnaire clandestin, qui avait adopté l'assassinat de fonctionnaires comme stratégie principale dans sa lutte contre le régime tsariste. Kaliayev avait été choisi par l'organisation pour assassiner le grand prince Serge. Le 2 février 1905, Kaliayev attendait, une bombe sous son manteau, l'arrivée de ce dernier. Mais quand le carrosse du prince approcha, Kaliayev remarqua que la victime désignée était accompagnée de ses deux jeunes enfants. Il prit sur lui de ne pas lancer la bombe afin de ne pas blesser l'innocente progéniture du prince. Deux jours plus tard, Kaliayev accomplit sa mission, fut pris, jugé et exécuté. Par sa définition rigoureuse des cibles permises de la violence révolutionnaire, Kaliayev obtint un statut de saint dans l'évangile des analystes moralistes du terrorisme et devint une espèce de référence permettant d'identifier rapidement ce qui est bien ou mal dans la violence révolutionnaire.

L'analyse la plus concise de la question de la moralité du terrorisme a probablement été offerte par Walzer. Sa position de base peut être résumée par la citation suivante :

> « Dans ses manifestations modernes, la terreur est la forme totalitaire de la guerre et de la politique. Elle anéantit les conventions de la guerre et le code politique. Elle brise les limites morales au-delà desquelles il n'y a plus de limitation ultérieure possible car, à l'intérieur de catégories comme celles de civil ou de citoyen, il n'y a pas de groupe plus petit pour lequel l'immunité puisse être exigée. [...] De toute façon, les terroristes n'ont pas de telles exigences ; ils tuent n'importe qui. »

Le test de moralité, selon Walzer, réside dans la responsabilité des victimes à l'origine d'actes qui sont l'objet des griefs des assaillants. Suivant ce critère, il propose ce qu'on pourrait appeler une échelle sommaire d'assassinabilité : les fonctionnaires gouvernementaux appartenant à l'appareil présumé oppressif sont assassinables. La victime de Kaliayev entre dans cette catégorie. D'autres personnes au service du gouvernement, qui n'ont rien à voir avec les aspects oppressifs du régime (enseignants, personnel médical, etc.), forment une catégorie discutable. Selon le verdict quelque peu ambigu de Walzer, du fait de « l'extraordinaire diversité des activités subventionnées et payées par l'État moderne [...] il semble excessif et extravagant de considérer que toutes ces activités sont autant de prétextes à assassinats ». La troisième catégorie, celle des personnes privées, ne peut en aucun cas être assassinable, selon Walzer. Celles-ci ne peuvent sauver leur vie en changeant de comportement. Les tuer est, par conséquent et sans la moindre équivoque, immoral.

L'analyse de Walzer laisse certains problèmes de principe sans réponse satisfaisante. Le plus important concerne l'essence même du jugement moral. La question fondamentale est de savoir si les normes morales en général et les normes de la guerre en particulier sont absolues, immuables dans le temps et identiques dans toutes les sociétés, ou si elles sont le reflet changeant de la condition humaine et, par conséquent, variables selon les sociétés et sans cesse modifiées pour s'adapter à de nouvelles situations. Si les normes morales relèvent d'une nature absolue, elles ne peuvent alors dériver que de deux sources : d'un édit divin ou d'un trait psychologique universel, commun aux hommes et aux femmes de toutes les sociétés et de tous les temps. Dans le premier cas, il n'y a pas matière à discussion : les règles divines ne sont pas négociables, elles sont affaire de croyance. Pour ceux qui croient en leur source divine, ce sont des règles fixes réglementant la conduite humaine, immuables dans le temps. Walzer admet que son traité repose sur la tradition religieuse occidentale, mais on ne sait pas si c'est l'affirmation d'une identification culturelle ou la proclamation d'une conviction religieuse personnelle. Les normes culturelles sont sans conteste une source puissante qui influence les attitudes, les opinions et les comportements, et peuvent être décrites comme le moule dans lequel les valeurs personnelles sont façonnées. Mais pour pouvoir affirmer le statut de valeur absolue de la race humaine, il est nécessaire de montrer que cette valeur en question est partagée par toutes les cultures. Étant donné l'extraordinaire diversité des cultures, l'affirmation et l'universalité d'une valeur doivent reposer sur l'assertion que cette valeur dérive d'un ensemble d'attitudes et d'émotions qui se retrouve dans toutes les sociétés.

Quant au sujet spécifique que nous sommes en train de considérer, c'est-à-dire les valeurs morales en relation avec la violence politique, l'affirmation de leur universalité n'est pas défendable. La preuve en est que les divergences concernant le code moral de la guerre, que Walzer présente pourtant comme un absolu, sont si courantes. On ne peut expliquer les flagrantes infractions aux règles de Walzer, dans l'histoire moderne, simplement par la folie personnelle ou l'immoralité de certains individus qui se sont retrouvés à la tête des régimes totalitaires qui leur ont permis d'agir contre la volonté de la population. Dans de nombreux cas, les violations de la morale ont été soutenues par la majorité de la population de la nation qui les commettait. De graves entorses aux lois de la guerre ont été faites même par des démocraties, un type de régime où l'action d'un gouvernement est limitée par la volonté publique. Ainsi les bombardements massifs de la population civile japonaise, dans l'intention de porter atteinte au moral de cette population, et la totale destruction d'Hiroshima et de Nagasaki par des bombes atomiques au cours de la Seconde Guerre mondiale étaient, sans le moindre doute, soutenus par la majorité du peuple américain.

Il est clair que, dans son application actuelle, le code moral en général, y compris les règles de la guerre, est le produit des besoins des gens, de leurs perceptions et de leur confort et est tributaire des influences circonstancielles et culturelles. Les différences culturelles concernant le statut des non-combattants sont manifestes dans l'utilisation des otages par exemple. Tandis que la plupart des Occidentaux considéraient que l'utilisation par les Irakiens, en 1990, d'otages civils – hommes, femmes, enfants – comme boucliers humains contre le possible bombardement de cibles stratégiques était un acte répugnant et immoral, beaucoup de personnes dans le monde arabe estimaient que c'était un acte légitime et moralement justifié. Toutefois, il semble que des facteurs liés à la situation jouent un rôle bien plus important que la diversité culturelle dans la conduite de la guerre. La forme de gouvernement est, peut-être, le seul facteur important. Les violations les plus graves des droits de l'homme dans l'histoire moderne ont été commises par des régimes totalitaires occidentaux. La nécessité, telle qu'elle est perçue, joue un rôle tout aussi important. En fait, tous les États ont à maintes reprises violé les règles de la guerre. Dans presque toutes les guerres modernes, les populations civiles ont été intentionnellement victimisées et l'ampleur de la transgression a été déterminée par la capacité et le besoin autant que par les principes moraux.

Le terrorisme ne diffère pas des autres formes de guerre lorsqu'il prend des non-combattants pour cibles. Cependant, plus que toutes les autres formes de guerre, il enfreint systématiquement les lois de la guerre internationalement reconnues. La guérilla et la guerre conventionnelle ignorent souvent ces lois, mais le terrorisme les viole à la fois en refusant de faire la distinction entre combattants et non-combattants, et, s'agissant du terrorisme international, en ne tenant pas compte des limites des zones de guerre. Contrairement à la guerre conventionnelle et à la guérilla, le terrorisme n'a pas de statut légal selon la loi internationale (pour la loi nationale, toutes les insurrections sont traitées comme des crimes). Pour cette raison, le terrorisme en tant que stratégie et les terroristes en tant que parti combattant ne peuvent espérer obtenir un statut légal. Donc, on peut sans se tromper décrire le terrorisme comme une forme illégale de guerre, mais le caractériser comme une forme de guerre immorale n'a pas de sens. Les terroristes font la guerre selon leurs propres normes, non selon celles de leurs ennemis. Les règles de conduite de chacune des deux parties dérivent des capacités et des nécessités et subissent des changements pour des raisons qui sont essentiellement pragmatiques. Certes, les peuples et les États portent un jugement moral sur la justification des guerres et certains actes de guerre particuliers. Cependant, leur jugement, au mieux, ne reflète rien d'autre que leurs propres normes culturelles et, trop souvent, une vue partisane influencée par des intérêts immédiats. Pourtant, la morale, bien qu'elle ne puisse être traitée avec cohérence comme une valeur absolue, est, à un moment donné, dans une société et un contexte donnés, un fait *psychologique* et, par conséquent, politique. Les gens portent des jugements moraux sur des personnes, des organisations et des actions. Ils réagissent selon des normes morales, peu importe à quel point celles-ci peuvent être émotionnelles et irrationnelles. En fait, c'est plus la composante émotionnelle que la composante logique qui donne une telle puissance aux attitudes basées sur la morale.

La morale est un code de comportement qui prévaut dans une société donnée à un moment donné. En tant que telle, la morale correspond étroitement à la loi existante, mais cette dernière a l'avantage de la clarté, de la précision et de la formalité. Comme reflet des normes courantes, le terrorisme est une forme immorale de guerre pour les sociétés occidentales du XXe siècle. Cependant, la puissance de cette représentation est affaiblie par le fait que dans pratiquement toutes les guerres modernes le code moral de comportement (et, bien sûr, les lois de la guerre) a été battu en brèche, à grande échelle, par toutes les parties, du moins lorsque des civils ont été pris pour cibles. A cet égard, la différence entre le terrorisme et les autres formes de guerre est une question de compréhension. Tandis que les terroristes récusent habituellement la loi dans son ensemble, sans même faire semblant de la respecter, les États paient un tribut à la loi et aux normes et ne les violent que dans des circonstances extrêmes.

Les changements de réglementations concernant la lutte contre le terrorisme sont une preuve supplémentaire de la relativité de la morale. Si la loi reflète les normes morales prévalentes dans une société donnée, il est intéressant de noter que tous les États confrontés à la menace d'une insurrection ont édicté des lois d'exception ou des réglementations d'urgence permettant aux forces de sécurité d'agir d'une façon qui serait en temps normal considérée comme immorale. Et, dans ces circonstances, c'est même avec une certaine clémence que les États ont tendance à sanctionner les violations de ces lois par les forces de sécurité ou au mieux de punir de tels « excès ».

LE TERRORISME COMME STRATÉGIE D'INSURRECTION

Dans la pratique, l'inventaire des opérations menées par les terroristes est plutôt limité. Ils placent des charges explosives dans des lieux publics, assassinent des opposants politiques ou lancent des attaques au hasard avec des armes légères, prennent des otages en détournant des avions ou en se barricadant dans des immeubles. Dans la plupart des cas, leurs moyens sont plutôt minces. Prenons par exemple un groupe célèbre comme la Fraction armée rouge allemande (plus connue sous le nom de « bande à Baader-Meinhof »). A aucun moment, le nombre de ses membres actifs n'a atteint 30 personnes. Ils ont été capables d'assassiner plusieurs fonctionnaires et hommes d'affaires, d'en enlever deux, et d'organiser une prise d'otages. Comment ont-ils imaginé pouvoir atteindre leur objectif politique ultime, à savoir renverser le gouvernement allemand pour instaurer un régime marxiste ? La même perplexité concerne aussi des organisations bien plus importantes comme l'Armée républicaine irlandaise (IRA), dont les membres actifs ont été estimés de 200 à 400 hommes et femmes et dont les sympathisants seraient bien plus nombreux. Comment peuvent-ils gagner la bataille contre la Grande-Bretagne ? J'examinerai donc les principaux éléments et les variations du terrorisme en tant que stratégie, en essayant d'expliquer comment les terroristes pensent pouvoir combler le fossé entre leurs faibles moyens et leurs objectifs extrêmes.

L'élément psychologique

Le terrorisme est une stratégie essentiellement basée sur l'impact psychologique. De nombreux auteurs ont noté l'importance de l'élément psychologique dans le terrorisme. En fait, cette composante a également été reconnue dans les définitions officielles de ce terme. La référence à l'intention, qui est d'« influencer un public », dans la définition du terrorisme donnée par le Département d'État américain, ou encore à son but, qui est de « provoquer la peur dans le public ou une quelconque fraction du public », dans la définition officielle britannique de 1974, renvoient aux effets psychologiques de ce type de guerre.

En fait, toutes les formes de guerre ont une composante psychologique importante, qui vise d'un côté à miner le moral de l'ennemi en semant la peur dans ses rangs et de l'autre côté à renforcer la confiance en soi de ses propres forces et son désir de se battre. Dans son fameux traité *Stratégie : l'approche indirecte*, sir Basil Liddell Hart, l'un des plus éminents théoriciens de la stratégie de ce siècle, va jusqu'à affirmer que dans presque toutes les grandes batailles de l'Histoire « le vainqueur avait l'avantage psychologique sur son ennemi avant même que le choc ait eu lieu ». En fait, une idée similaire a été exprimée quelque 2 500 ans auparavant, sous une forme très concise, par le stratège de la Chine ancienne Sun Zi.

Néanmoins, les guerres conventionnelles sont d'abord et avant tout un choc massif entre des forces matérielles, et sont généralement gagnées par l'épuisement physique de la capacité de résistance de l'ennemi, par la destruction de ses forces combattantes, de son infrastructure économique ou par les deux à la fois. Même si l'affirmation de Liddell Hart est juste, l'impact psychologique des manœuvres décisives de l'approche indirecte provient de la croyance de l'ennemi que, pour des raisons matérielles, toute résistance est inutile. Bien que, dans de nombreux cas, cette conclusion soit le produit de la surprise et de la confusion de la direction militaire et ne reflète pas le véritable rapport de forces, elle n'en repose pas moins sur des estimations matérielles, aussi erronées soient-elles. De ce fait, le tour de force psychologique décrit par Liddell Hart peut être caractérisé comme une feinte rapide, telle une prise de type jujitsu, qui parvient à déséquilibrer l'ennemi. Les bases psychologiques de la stratégie du terrorisme sont d'une nature totalement différente. Comme la guérilla, le terrorisme est une stratégie de lutte prolongée. Cependant, la guérilla, mis à part sa composante psychologique, est avant tout une stratégie basée sur la rencontre physique. Bien que les théoriciens de la guérilla de ce siècle aient mis l'accent sur la valeur de propagande qu'ont les opérations de guérilla en diffusant le mot de révolution, en attirant des sympathisants, en réveillant des opposants en sommeil au régime et en leur fournissant des recettes pour résister, l'importance de ces éléments psychologiques reste secondaire. Toutes les doctrines de la guérilla insurrectionnelle insistent sur le fait que le champ de bataille contre les forces gouvernementales est la campagne. L'idée même de mener la lutte dans des zones rurales, loin de la présence des médias, affaiblit la portée du facteur psychologique.

Certes, l'impact psychologique est l'élément le plus essentiel dans le terrorisme comme stratégie. La validité de cette généralisation repose sur les conditions de base de la lutte terroriste. Les groupes terroristes sont petits, de quelques personnes à plusieurs milliers, et la majorité d'entre eux ne comprennent que quelques dizaines à quelques centaines de membres. Même le plus faible des gouvernements dispose de forces combattantes infiniment plus importantes que celles des terroristes insurgés. Dans de telles circonstances, les insurgés ne peuvent en aucune manière espérer gagner la bataille physiquement. Décrire la stratégie du terrorisme comme une forme psychologique de guerre n'explique pas spécifiquement comment les terroristes espèrent gagner de cette façon (par la guerre psychologique). Bien que les terroristes aient rarement été bien clairs pour formuler un plan stratégique complet et cohérent, il est possible de discerner plusieurs idées stratégiques que les terroristes considèrent comme le concept pratique cardinal de leur lutte. Ces idées, bien que présentées comme des notions distinctes, ne sont pas nécessairement exclusives les unes des autres, et des terroristes les ont souvent adoptées conjointement.

Propagande par l'action

L'essentiel de ce qui constituait les bases psychologiques de la lutte terroriste a peu changé depuis le siècle dernier, quand les écrits anarchistes ont, les premiers, formulé les principes de cette stratégie. L'idée de base était : « la propagande par l'action ». Cette maxime signifiait que l'acte terroriste était le meilleur messager de la nécessité de renverser le régime et la torche qui montrerait la voie pour le faire. Les terroristes révolutionnaires espéraient que, grâce à leurs attentats, ils passeraient d'un petit club de conspirateurs à un vaste mouvement révolutionnaire. En un sens, le concept originel de propagande par l'action, tel qu'il a été expliqué et mis en pratique par les révolutionnaires du XIXᵉ siècle, était plus raffiné que son utilisation moderne depuis la fin de la Seconde Guerre mondiale. Tandis que les premiers utilisateurs de cette idée veillaient à choisir soigneusement des cibles symboliques, telles que des chefs d'État, des gouverneurs et des ministres infâmes et oppressifs, afin d'attirer l'attention sur la justesse de leur cause, la version actuelle a choisi les attaques indiscriminées provoquant de nombreuses pertes. En agissant ainsi, ils ont troqué la valeur propagandiste de la justification contre la valeur de choc maximum assurant une massive couverture médiatique. Ce changement semble refléter l'adaptation de la stratégie à l'âge de la télévision. Quoi qu'il en soit, ce concept de base de la nature de la lutte terroriste ne constitue pas une stratégie complète. Comme certaines autres conceptions du terrorisme, dans l'idée de la propagande par l'action le terrorisme est censé n'être que la première étape de la lutte. C'est un mécanisme destiné à hisser un drapeau et à recruter, un prélude qui devrait permettre aux insurgés de développer d'autres modes de lutte. Par lui-même, il n'est pas destiné à renverser un gouvernement.

Intimidation

Comme l'explique ce terme, un autre élément psychologique saillant de la stratégie du terrorisme est l'intention de semer la peur dans les rangs ennemis. La notion est simple et ne nécessite pas de développement. Pour le régime et ses hauts fonctionnaires dont l'existence même est mise en danger par les insurgés, la lutte est une question de vie ou de mort, et généralement il y a peu de chances qu'ils l'abandonnent à cause des menaces terroristes. Néanmoins, des terroristes ont parfois réussi, à travers une campagne systématique d'assassinats, de mutilations ou d'enlèvements, à intimider des catégories sélectionnées de gens (juges, jurés ou journalistes). Une extension de cette idée de terrorisme coercitif s'applique à la population en général. Les fonctionnaires et les employés gouvernementaux ne sont pas les seuls à être punis par les terroristes, qui frappent aussi tous ceux qui coopèrent avec les autorités et refusent d'aider les insurgés.

On peut citer comme exemple de l'utilisation à grande échelle de cette stratégie les meurtres de collaborateurs réels ou supposés des autorités par le Viêt-minh et le Viêt-cong au Viêtnam, le FLN en Algérie et les « groupes de choc » palestiniens dans les territoires occupés par les Israéliens. Une utilisation encore plus extensive de ce type d'intimidation est destinée à obliger la population à s'engager. En fait, tout cela est surtout destiné à atteindre ceux qui restent neutres et qui, dans de nombreux cas, constituent la grande majorité de l'opinion publique, plutôt qu'à intimider les réels opposants. Horne note qu'en Algérie, dans les deux premières années et demie de la guerre du FLN contre les Français, le FLN assassina au moins 6 352 musulmans pour 1 035 Européens. Les tueries étaient souvent atroces afin de maximiser l'effet de terreur.

Des organisations insurgées formulent parfois des exigences ridicules à l'égard de la population, avec pour seul objectif d'exercer et de démontrer leur contrôle. Lors de la révolte arabe de 1936-1939 en Palestine, les insurgés ont exigé de la population urbaine arabe de s'abstenir de porter le tarbouch [4] (le couvre-chef populaire parmi les citadins), et de le remplacer par le keffieh. Ceux qui ignoraient cet ordre étaient sévèrement punis. Dans le même ordre d'idées, en 1955, le FLN algérien exigea de la population musulmane qu'elle s'abstienne de fumer. Il coupait les lèvres de ceux qui désobéissaient avec des cisailles. Encore une fois, il est difficile de trouver une quelconque logique dans cette injonction, si ce n'est une démonstration de pouvoir pour contrôler la population.

La provocation

L'idée de provocation est un élément important de la stratégie terroriste. De même que pour la propagande par l'action,

---

4. Le keffieh était le couvre-chef traditionnel des villageois et certains auteurs considèrent que l'obligation de le porter pour les populations urbaines était un signe de la révolte sociale contre la bourgeoisie, outre l'élément nationaliste qui était le principal motif de la rébellion. A cette époque, les bandes insurgées étaient essentiellement composées de villageois. Indépendamment de la véritable origine de l'exigence des rebelles, le keffieh devint le symbole de la rébellion et les insurgés l'imposèrent à la population comme le symbole de son acquiescement.

on retrouve ce thème dans les écrits des révolutionnaires du XIXᵉ siècle [5]. Il a cependant acquis une importance particulière dans le *Mini-manuel de la guérilla urbaine,* de Carlos Marighella, publié en 1969. Marighella, auteur d'un des guides les plus influents du terrorisme (bien qu'il ait lui-même échoué en tant que praticien du terrorisme), décrivait ainsi le résultat des attentats terroristes :

> « Le gouvernement n'a pas d'autre alternative que d'intensifier la répression. Les réseaux policiers, les fouilles domiciliaires, les arrestations d'innocents et de suspects, les bouclages de rues rendent la vie en ville insupportable. La dictature militaire s'embarque dans une persécution politique massive. Les assassinats politiques et la terreur policière deviennent la routine... Le peuple refuse de collaborer avec les autorités, et le sentiment général est que le gouvernement est injuste, incapable de résoudre les problèmes et a recours purement et simplement à la liquidation physique de ses opposants. »

L'idée est en général simple et vaut non seulement pour l'environnement politique des dictatures latino-américaines, mais aussi pour celui de beaucoup de démocraties libérales. Les attentats terroristes visent à entraîner de la part de n'importe quel régime des réponses répressives qui, forcément, affectent aussi des fractions de la population qui ne sont pas associées aux insurgés. En retour, ces mesures rendent le gouvernement impopulaire, et accroissent par là même le soutien de l'opinion publique aux terroristes et à leur cause. Quand les actions antiterroristes du gouvernement sont non seulement draconiennes mais encore inefficaces, les sentiments antigouvernementaux sont amenés à devenir encore plus forts.

Un cas particulier de cette doctrine de la provocation peut s'appliquer à un conflit ayant une dimension internationale.

---

5. Walter Laqueur, par exemple, note que les révolutionnaires arméniens des années 1880 et 1890 adoptèrent une stratégie basée sur la provocation. Ils supposaient que leurs attaques contre les Turcs provoqueraient de brutales mesures de rétorsion qui, en retour, entraîneraient la radicalisation de la population arménienne et, peut-être, conduiraient les pays occidentaux à intervenir. (*The Age of Terrorism,* Londres, Weidenfeld & Nicholson, 1987, p. 43, note 9.)

Quand les insurgés représentent la faction nationaliste radicale d'une entité politique plus large, ou sont soutenus par un État, ils peuvent espérer que leurs actions terroristes déclencheront une guerre entre le pays qu'ils ciblent et l'État qui les soutient. C'était la conception stratégique initiale du Fatah. Khaled el-Hassan, un important idéologue du Fatah, l'expliquait ainsi :

« La technique de la lutte armée était ostensiblement simple. Nous appelions cette tactique "actions et réactions", parce que nous allions lancer des actions, les Israéliens réagiraient, et les États arabes, selon nos plans, nous soutiendraient et entreraient en guerre contre Israël. Si les gouvernements arabes n'entraient pas en guerre, les peuples arabes nous soutiendraient et forceraient les gouvernements arabes à en faire autant. Nous voulions créer un climat d'esprit combatif dans la nation pour qu'elle se lève et combatte. »

La stratégie du chaos

La stupidité d'un gouvernement peut aussi être utilisée comme la base d'un autre levier psychologique dans la stratégie de certains groupes terroristes. On pourrait appeler cela la « stratégie du chaos », qui est typiquement employée par des insurgés de droite. Elle fait référence à la tentative terroriste de créer un climat de chaos afin de démontrer l'incapacité du gouvernement à imposer la loi et l'ordre[6]. Les insurgés espèrent que l'opinion publique, dans de telles circonstances, exigera que ce gouvernement libéral trop « faible » soit remplacé par un régime fort. Afin de créer un climat de désordre et d'insécurité, les terroristes ont recours à des attentats aveugles dans des lieux publics. Ainsi le groupe néo-fasciste italien Ordine nero (Ordre noir) déposa une bombe dans un train le 5 août 1974, tuant 12 passagers et en blessant 48. Un autre groupe italien d'extrême droite, les Noyaux révolutionnaires armés, a été accusé d'avoir placé une bombe dans la gare de Bologne en août 1980, qui causa la mort de 84 personnes et en blessa 200. La même idée motiva vraisemblable-

---

6. Cette même idée de base a été appelée « stratégie de la tension ».

ment les terroristes allemands d'extrême droite qui firent exploser une bombe au milieu de la foule qui célébrait joyeusement la fête de la bière de l'Oktoberfest à Munich, le 26 septembre 1980. Bilan de l'explosion : 13 morts et 215 blessés. Une tactique similaire fut utilisée par un groupe terroriste belge d'extrême droite qui, de 1982 à 1985, assassina, au cours de vols dans des supermarchés, près de 30 personnes en tirant au hasard sur la foule. Il n'y avait aucune raison apparente à ces tueries, si ce n'est de semer la panique parmi la population. Comme les autres concepts stratégiques du terrorisme décrits plus haut, la stratégie du chaos ne constitue pas un plan d'ensemble pour prendre le pouvoir. C'est simplement un moyen de créer un état d'esprit dans l'opinion publique qui, comme l'espèrent les insurgés, leur donnera de meilleures possibilités de continuer leur lutte d'une façon non spécifiée.

La stratégie d'usure

Certains groupes d'insurgés considèrent le terrorisme comme une stratégie de lutte prolongée, destinée à épuiser l'adversaire. D'ailleurs, c'est le seul cas où le terrorisme est considéré comme un moyen suffisant pour obtenir la victoire plutôt que comme le complément d'une autre stratégie ou son prélude. Les insurgés sont parfaitement conscients de leur faiblesse en tant que force combattante face à la puissance du gouvernement et, à l'inverse des conceptions de lutte décrites plus haut, ils n'espèrent pas devenir un jour assez forts pour vaincre le gouvernement par une confrontation physique. Néanmoins, ils estiment qu'ils sont plus endurants que le gouvernement et que, s'ils persistent, ce dernier finira par céder. Parce que cette stratégie présume que les insurgés peuvent l'emporter grâce à une plus grande persévérance plutôt que par la constitution d'une force supérieure, elle est manifestement adaptée à des conflits dont l'enjeu n'est pas d'une importance vitale pour le gouvernement.

Si le gouvernement considère la lutte comme une affaire de vie ou de mort, il ne succombera pas au harcèlement terroriste, aussi désagréable et durable soit-il. Bien plus, quand un gouvernement lutte pour sa survie ou pour l'existence de l'État, il a moins de scrupules et use de tous les moyens nécessaires pour réprimer l'insurrection, faisant fi des restrictions et des contrôles normalement imposés à l'action des forces de sécurité ou instituant des lois d'exception et des réglementations qui suspendent de telles restrictions. Dans une confrontation à mains nues, un groupe d'insurgés utilisant le terrorisme comme stratégie principale n'a qu'une toute petite chance de gagner, tant que les forces de sécurité demeurent loyales au régime. Cependant, si le gouvernement considère que ce conflit ne touche que les services publics et non la défense de son existence même, son approche du problème sera celle de l'analyse des pertes et profits. Il pèsera les pertes politiques, économiques ou stratégiques qu'il risque de subir s'il cède aux exigences des rebelles, par rapport au prix qu'il devra payer si la lutte continue.

Ce processus d'analyse des coûts et profits est rarement, sinon jamais, une évaluation lucide et méthodique de la situation et des perspectives. Habituellement, le gouvernement procède plutôt par tâtonnements, avec toutes les fluctuations, résultat des pressions politiques, des désaccords et des débats dans l'opinion publique et chez les analystes et les décideurs. Néanmoins, ce qui détermine éventuellement la décision c'est l'importance relative de la lutte tant pour le gouvernement que pour les insurgés, et le prix et la durabilité de la nuisance causée par les terroristes.

Terrorisme expressif

Jusqu'à présent, le terrorisme a été traité comme une stratégie, impliquant un plan élaboré pour réaliser un objectif politique, en général la prise du pouvoir. Pourtant, dans plusieurs cas, le terrorisme a été une réponse émotionnelle, sans objectif stratégique clair, bien que les actes de violence aient été perpétrés par un groupe d'une façon tactiquement organisée. Cette constatation, tout le monde l'admet, nous entraîne vers le territoire obscur de la rationalité des terroristes et du terrorisme.

Si l'on porte un jugement rétrospectif, on peut dire, au vu des maigres succès que le terrorisme a obtenus dans la réalisation de ses objectifs politiques déclarés, que ce n'est pas une stratégie efficace, et les terroristes peuvent, d'une façon générale, être considérés comme des gens irrationnels, du moins en ce qui concerne leur comportement politique. Pourtant, dans certains cas, le combat terroriste semble un acte désespéré dans la mesure où son irrationalité est particulièrement frappante.

Le terrorisme moluquois aux Pays-Bas dans les années 70 en est un exemple. La communauté moluquoise des Pays-Bas est un reliquat de l'ère coloniale néerlandaise. Après l'évacuation par les Néerlandais de leurs colonies en Asie du Sud-Est, une République moluquoise du Sud fut instaurée en 1950, mais bientôt conquise par l'Indonésie. Environ 15 000 Moluquois du Sud, dont la majorité avait été associée à l'ancienne administration néerlandaise, trouvèrent refuge aux Pays-Bas. Les frustrations politiques et sociales engendrèrent, dans cette petite communauté, un groupe terroriste (le Mouvement de jeunesse des Moluques du Sud libres) qui organisa plusieurs attaques terroristes spectaculaires aux Pays-Bas. Les plus connues furent les prises simultanées de l'ambassade d'Indonésie et d'un train de passagers en 1975, puis celles d'une école et d'un autre train, simultanées elles aussi, en 1977. En échange de la libération de leurs otages, les terroristes exigeaient que le gouvernement néerlandais reconnaisse leur État inexistant et libère leurs camarades, arrêtés lors d'opérations précédentes.

Un exemple similaire est celui du terrorisme arménien dans les années 70 et 80. Les deux principaux groupes terroristes arméniens, l'Armée secrète arménienne pour la libération de l'Arménie (Asala) et le Commando Justiciers du génocide arménien (CJGA), exécutèrent de nombreux attentats terroristes de 1975 à 1985, la plupart dirigés contre des diplomates turcs. Derrière tous ces actes, on retrouvait le désir de venger les massacres par les Turcs en 1915, au cours desquels on estime que 1,5 million d'Arméniens périrent. Ces groupes terroristes exigeaient des Turcs la reconnaissance officielle de leur responsabilité dans les massacres, ce que le gouvernement de la

Turquie s'est toujours refusé à accorder. Outre cette exigence explicitement émotionnelle, l'Asala demandait aussi la restauration d'un État arménien indépendant qui comprendrait les anciennes provinces arméniennes de Turquie. Présentement, environ 50 000 Arméniens seulement vivent en Turquie, dont très peu dans la région arménienne historique. Près des quatre cinquièmes des Arméniens vivent dans l'ancienne Union soviétique, dont la majorité dans l'ancienne République arménienne d'URSS. Pourtant, l'activité terroriste arménienne a été principalement dirigée contre la Turquie.

Les terrorismes moluquois et arménien sont tous deux des exemples manifestes du *terrorisme expressif.* La motivation dominante qui a poussé de jeunes hommes et de jeunes femmes à se lancer dans des actes de violence appartient au registre de l'émotion plutôt qu'au domaine d'une planification politique rationnelle. Le terrorisme, dans ces cas, exprime un état émotionnel et n'est pas un instrument utilisé dans le cadre d'une stratégie de l'insurrection. Certes, derrière les activités des autres groupes terroristes, l'élément émotionnel intervient aussi comme force motrice. Cependant, dans la plupart des cas, l'aspect désespéré de la revendication politique n'est pas aussi évident que dans les exemples moluquois et arménien, rendant impossible un jugement extérieur sur le poids du facteur émotionnel.

Jusqu'à quel point le terrorisme est-il couronné de succès ?

L'évaluation du succès du terrorisme, en tant que stratégie, dépend de la façon dont on définit le succès. La plupart des groupes terroristes cherchent à renverser le gouvernement en place et à prendre le pouvoir. Selon ce critère de succès, en ne considérant que les insurgés qui ont utilisé le terrorisme comme stratégie principale, seuls quelques groupes anticolonialistes ont atteint pleinement leur objectif. La lutte contre l'autorité britannique du Ethniki Organosis Kypriahou Agoniston (EOKA) à Chypre et des Mau-Mau au Kenya, et celle du FLN algérien contre la France sont des exemples bien connus.

L'écrasante majorité des milliers de groupes terroristes qui ont existé au cours de la seconde moitié du XXe siècle a misérablement échoué. Ce n'est pas un hasard si les succès du terrorisme ont été limités à la catégorie de luttes anticoloniales. Ce n'est que dans cette catégorie que l'enjeu est bien plus important pour les insurgés que pour le gouvernement. Ce qui explique ce phénomène. Lorsque la lutte de l'organisation terroriste a pour objectif le changement de la nature politico-sociale du régime, comme c'est le cas des insurgés de droite ou de gauche, le gouvernement en place lutte pour sa survie et est prêt à prendre toutes les mesures nécessaires pour écraser l'insurrection. Pour les gouvernements français, italien ou allemand, la lutte contre, respectivement, Action directe, les Brigades rouges ou la Fraction armée rouge, c'était tout ou rien. Il n'y avait pas place pour un compromis et le succès des terroristes aurait signifié la mort du gouvernement.

Cela est également vrai pour la plupart des luttes séparatistes, où les aspirations des insurgés sont perçues par le gouvernement comme une menace pour la souveraineté et l'intégrité territoriale de l'État, comme c'est le cas de la lutte séparatiste basque en Espagne. Les différences de degré dans le succès des terroristes séparatistes reposent principalement sur la question de savoir jusqu'à quel point la sécession de la partie disputée du pays semble, à la plupart des citoyens de l'État, une atteinte à leur chair et à leur sang. Pour la France, par exemple, abandonner les protectorats de Tunisie et du Maroc ou les colonies du Mali et de Madagascar, était bien moins douloureux que de renoncer à son autorité sur l'Algérie qui, légalement, faisait partie de la France et comptait plus d'un million de Français dans sa population à majorité musulmane ; renoncer à la Bretagne ou à la Normandie serait impensable. En ce sens, le succès du séparatisme terroriste dans la réalisation de ses objectifs est la mesure qui permet de déterminer jusqu'à quel point le territoire disputé est réellement une entité séparée.

Cependant, il est vrai aussi qu'une cause nationaliste motive bien plus puissamment les gens que la question sociale et, par conséquent, toutes choses étant égales, l'intensité de la violence née de sentiments nationalistes est en général plus forte que l'ampleur de la violence générée par des griefs socio-économiques.

Tandis qu'il est rare que des insurgés réalisent complètement leurs objectifs, les terroristes ont plus souvent réussi à atteindre des objectifs partiels. On peut discerner quatre types de réussites terroristes partielles : le recrutement d'un soutien interne qui permet aux terroristes d'atteindre un niveau d'insurrection plus élevé ; le fait de sensibiliser l'opinion internationale concernant leurs griefs ; l'acquisition d'une légitimité internationale ; l'obtention de concessions politiques partielles de la part de leur adversaire.

Nous avons déjà mentionné que la notion de base du terrorisme en tant que stratégie est celle de la « propagande par l'action », qui considère ce mode de lutte comme un instrument permettant de répandre le mot d'ordre d'insurrection, d'élargir sa base populaire et ainsi de l'utiliser comme levier et prélude à une forme d'insurrection plus avancée. Pourtant, pour la plupart des groupes terroristes, même cette doctrine élémentaire n'a pas fonctionné. Bien que leurs actes de violence leur aient fait une énorme publicité, ils n'ont pas réussi à s'attirer la sympathie et le soutien du public et à donner naissance à la large insurrection populaire qu'ils espéraient promouvoir. Ce fut le cas, par exemple, des mouvements radicaux tant de gauche que de droite en Europe occidentale et aux États-Unis, dans les années 70 et 80.

Néanmoins, il est des cas où le terrorisme a apparemment aidé à produire l'étincelle qui a déclenché un mouvement plus vaste. L'un des exemples est celui des socialistes-révolutionnaires russes du début de ce siècle. Bien qu'ils aient échoué à transformer leur propre appareil clandestin en un instrument politique capable de s'emparer du pouvoir, et indépendamment du fait que la révolution d'Octobre 1917 a été en réalité faite par les bolcheviks, dont la base était plus large et mieux organisée, les actions terroristes des socialistes-révolutionnaires ont probablement fortement contribué à entretenir la flamme révolutionnaire. Tout au long des années où les sociaux-démocrates (bolcheviks et mencheviks) construisaient leur infrastructure clandestine sans actions d'éclat susceptibles d'enflammer l'enthousiasme des gens, les socialistes-révolutionnaires, en assassinant des ministres de l'État oppressif et d'autres fonctionnaires gouvernementaux, maintenaient vivaces l'esprit et l'idée de la lutte chez les révolutionnaires potentiels. Ironiquement, il semble que le terrorisme socialiste-révolutionnaire, tant critiqué et ridiculisé par les sociaux-démocrates, a ainsi permis à ces derniers d'atteindre 1917 avec la capacité de s'emparer du pouvoir.

Le résultat le plus courant du terrorisme international est de faire prendre conscience des griefs des terroristes sur le plan international. En soi, cette prise de conscience n'est pas suffisante pour entraîner les changements souhaités par les insurgés et parfois produit des effets négatifs pour la cause des terroristes. Pourtant, si les conditions sont favorables, elle fournit aux insurgés une échelle grâce à laquelle ils peuvent grimper plus haut. Dans les pays occidentaux, la première réaction à une campagne terroriste est, invariablement, la condamnation véhémente. Après cette première réaction, cependant, l'opinion publique fait souvent preuve de bonne volonté, est prête à examiner attentivement la position des terroristes et se montre même disposée à considérer leurs doléances favorablement. Paradoxalement, l'opinion publique peut finir par approuver les causes tout en dénonçant le procédé par lequel son attention a été attirée.

Une telle attitude bienveillante à l'égard des terroristes naît très probablement dans des sociétés qui souffrent des attentats, mais qui n'ont rien à perdre si les exigences des terroristes sont satisfaites. Dans ce cas, la fureur initiale fait vite place au souhait de voir disparaître le problème. Quand une attitude politique vis-à-vis de la cause terroriste est positive et semble susceptible d'apporter la paix, les gouvernements adaptent souvent leur politique, de sorte à inciter les terroristes à faire preuve de bonne volonté. En psychologie, on appelle cela « dissonance cognitive », et ce phénomène n'est pas nécessairement conscient. A la base, cela implique de trouver une excuse acceptable à une ligne de conduite qui pourrait entraîner un conflit parce qu'elle contredit certains principes ou certaines croyances. Il est certainement bien plus agréable pour un gouvernement ou pour le public de penser que, tout bien réfléchi, les terroristes n'ont pas tort, plutôt que d'admettre avoir cédé à la pression terroriste.

Quand d'autres pressions et intérêts se conjuguent à la volonté de faire cesser les attaques terroristes, comme ceux de se concilier les influents protecteurs des terroristes, il y a plus de chances de voir un gouvernement ou une opinion publique adopter une attitude plus favorable à la cause terroriste. Les réponses occidentales au terrorisme international palestinien sont un exemple frappant de ce processus. Les attentats terroristes palestiniens en Europe occidentale commencèrent en 1968 et atteignirent leur apogée en 1973. Ils furent fermement condamnés par la Communauté européenne. Pourtant, en peu d'années, l'OLP fut autorisée à ouvrir des représentations dans pratiquement tous les pays européens et, en 1974, environ un an après que l'Organisation des pays exportateurs de pétrole (Opep) eut imposé un embargo sur le pétrole et l'augmentation de son prix, le président de l'OLP, Yasser Arafat, fut invité à prendre la parole devant l'Assemblée générale des Nations unies et l'OLP obtint un statut d'observateur à ce forum international.

Martha Crenshaw remarque fort justement que « la première difficulté quand on veut évaluer les résultats du terrorisme c'est qu'il n'est jamais le facteur causal unique produisant des résultats identifiables. L'imbrication des effets politiques et sociaux avec d'autres événements et tendances fait que le terrorisme est difficile à isoler ». C'est un fait qu'il est impossible d'isoler la part prise par le terrorisme dans le processus de légitimation de l'OLP et d'estimer avec précision sa contribution relative, par rapport à d'autres facteurs comme les pressions économiques et politiques des États arabes. Cependant il ne fait aucun doute que, en dernière analyse, le terrorisme a eu un effet plus positif que négatif sur la légitimité de l'OLP.

Le cas de l'OLP est unique dans le sens où les autres mouvements insurrectionnels nationalistes et séparatistes n'ont pas bénéficié du soutien de tuteurs puissants. Les Kurdes, les Croates, les Cashemiris, les sikhs, pour ne donner que quelques exemples de mouvements séparatistes qui ont été actifs au cours de ces vingt dernières années, n'ont pas gagné autant de légitimité et de soutien internationaux, bien que leurs doléances soient au moins aussi convaincantes que celles des Palestiniens. D'un autre côté, il est également vrai que ces mouvements n'ont pas autant utilisé le terrorisme international, tant s'en faut, que les Palestiniens (ce qui peut s'expliquer par l'absence d'un État « sponsor »).

Certains groupes terroristes, qui n'ont pas été capables de matérialiser leurs objectifs politiques, sont néanmoins parvenus à obtenir de leurs adversaires des concessions significatives. L'exemple des Basques de l'Euzkadi ta Askatasuna (ETA) est typique. Leur longue et violente campagne pour se séparer de l'Espagne n'a pas apporté l'indépendance à laquelle ils aspiraient, mais elle a été, sans aucun doute, un facteur majeur dans la décision de l'Espagne de concéder une large autonomie aux provinces basques. Un autre exemple est celui de l'IRA en Ulster. Bien qu'aucun pas réel n'ait encore été fait vers le changement de statut de l'Ulster, on se montre de plus en plus pressé en Grande-Bretagne de se débarrasser du problème irlandais, et de trouver une solution qui ferait cesser la violence. Les accords anglo-irlandais de 1985 garantissaient que l'Ulster deviendrait partie de la République d'Irlande si un vote populaire en décidait ainsi. Pour l'heure, on a donné à l'Irlande voix au chapitre dans les affaires de l'Ulster, dans le cadre d'une conférence anglo-irlandaise. Il est évident que ces changements dans la politique britannique ont été imposés par la lutte de l'IRA.

Les formes mixtes de soulèvement

Les différentes stratégies de soulèvement sont généralement traitées comme des entités ou des phénomènes séparés. Dans une analyse théorique, cette séparation est nécessaire si l'on veut comprendre l'essence d'une stratégie et ses caractéristiques. Mais le monde réel est toujours plus complexe que les classifications académiques. Dans la réalité, il est parfois difficile de distinguer entre terrorisme et guérilla, même avec les critères proposés plus haut. Selon ses critères, la stratégie de base utilisée par l'IRA, par exemple, entre dans la catégorie du terrorisme : l'IRA ne cherche pas à s'emparer d'un territoire afin d'y établir les « zones libérées », et la tactique de cette organisation entre typiquement dans le registre qui caractérise le terrorisme, à savoir les assassinats et l'utilisation d'engins explosifs déposés dans des lieux publics. Pourtant, pour certaines de ses opérations, comme l'attaque au mortier d'un commissariat de police ou le fait de faire sauter des ponts, ce groupe a employé une tactique et des armes qui sont habituellement associées à la guérilla. Un autre exemple est celui des groupes palestiniens. Ces organisations ont continué à exercer un contrôle territorial au Liban (et, durant la période 1967-1970, en Jordanie), mais le territoire qu'ils tenaient se trouvait hors du principal théâtre de leurs opérations. Bien qu'ils aient utilisé la région qu'ils dominaient pour recruter, entraîner et constituer une force régulière selon les objectifs classiques de la guérilla, leurs recrues provenaient de la diaspora palestinienne de ces pays plutôt que de la population des territoires occupés par les Israéliens. En outre, à quelques exceptions près, ils ont utilisé plutôt les tactiques du terrorisme que celles de la guérilla. Dans leurs opérations en Israël même ou dans les territoires occupés, ils ont surtout employé des charges explosives placées dans des supermarchés, des immeubles résidentiels, des stations d'autobus et autres lieux publics. Même leurs incursions en Israël étaient en général le fait de petites équipes envoyées pour monter des opérations comportant des prises d'otages ou des attaques au cours desquelles ils tiraient au hasard sur des villages civils.

Hormis le fait qu'il est parfois difficile d'établir une distinction claire entre tactiques terroristes et tactiques de guérilla, la confusion est d'autant plus facile à faire que, dans de nombreux cas, les groupes insurgés mélangent systématiquement les deux stratégies. Au Pérou, le Sentier lumineux a utilisé une stratégie de guérilla classique dans la région montagneuse d'Ayacucho, où il a occupé des villes, attaqué des postes de police et des convois militaires et contrôlé de vastes zones. En même temps, cependant, il a mené une campagne typiquement terroriste dans les villes, où il a commis des assassinats, des attentats à la bombe et a enlevé des personnes. On retrouve un mélange similaire dans les activités de nombreux autres groupes latino-américains, comme l'Armée de libération nationale, le M 19 et les Forces armées révolutionnaires, en Colombie ; le Front de libération nationale Farabundo Marti, au Salvador ; et l'Armée de guérilla des pauvres, au Guatemala. Cette stratégie duale de guérillaterrorisme a aussi caractérisé certains groupes dans d'autres parties du tiers monde. Les insurrections du Viêt-minh et, plus tard, du Viêt-cong, regorgent d'exemples où guerre classique, stratégie de la guérilla et terrorisme ont été employés conjointement. Des exemples similaires, quoique à plus petite échelle, abondent en Asie et en Afrique.

Un examen plus approfondi révèle que la coexistence de la stratégie de la guérilla et de la stratégie du terrorisme n'est pas accidentelle. Apparemment, toutes les organisations insurgées qui ont adopté la guérilla comme stratégie principale ont aussi régulièrement utilisé le terrorisme. Certains peuvent affirmer que les mouvements de résistance qui combattaient des armées d'occupation sont une notable exception à cette généralité. Cette réserve, pourtant, repose sur des bases discutables. Les combattants qui se dressent dans leur patrie contre une armée étrangère, comme la Résistance française, et les partisans russes, yougoslaves et grecs durant la Seconde Guerre mondiale, n'attaquaient que l'appareil militaire et officiel de l'ennemi pour la simple raison qu'il n'y avait pas de civils de même nationalité que l'ennemi sur le théâtre des opérations. Le fait de ne pas prendre pour cible des non-combattants ennemis n'était pas le produit d'un choix, mais le reflet d'une impossibilité. Les mouvements clandestins attaquaient en revanche des civils de leur propre nationalité – des collaborateurs réels ou supposés. En outre, bien que dans certains pays, comme l'Union soviétique ou la Yougoslavie, la stratégie adoptée par les partisans était, et de loin, celle de la guérilla, employant de grandes unités qui opéraient à partir de zones libérées ou semi-libérées, dans les pays d'Europe occidentale comme la France, la stratégie des insurgés peut, au mieux, être caractérisée par des actions entrant dans cette zone grise se situant entre guérilla et terrorisme. Les clandestins français n'ont pu établir aucun contrôle territorial et leurs opérations consistaient en des attentats contre des membres isolés des forces d'occupation ou encore à faire sauter des ponts, poser des mines et autres actions similaires, typiques de la guérilla. Il est probable que de nombreux lecteurs se sentiront insultés par cette classification qui met les combattants antinazis dans la catégorie des terroristes plutôt que dans celle des guérilleros. Je dois leur rappeler que les termes « terrorisme » et « guérilla » sont employés ici pour décrire différentes stratégies de guerre qui peuvent être utilisées au service d'une variété de causes, justes ou injustes, et qu'ils n'impliquent aucun jugement moral.

L'absence d'un authentique mouvement de guérilla antinazi en Europe occidentale durant la Seconde Guerre mondiale nous rappelle aussi qu'il n'y a eu aucune organisation de guérilla en Europe occidentale parmi les nombreuses organisations insurgées qui ont opéré dans cette région depuis les années 60. Ce fait est particulièrement frappant si on le compare à l'abondance d'organisations de ce type dans les pays du tiers monde. Comment l'expliquer ? Est-ce parce que les insurgés occidentaux ont tous décidé qu'ils préféraient le terrorisme à la guérilla comme choix stratégique ? La réponse est, bien sûr, autre. En Europe occidentale comme en Amérique du Nord, il n'y a pas eu de choix possible pour les insurgés. La seule option qui pouvait, au moins temporairement, paraître sensée a été le terrorisme. Qu'on imagine l'IRA en Ulster ou les Brigades rouges en Italie essayant de lancer une campagne de guérilla en créant des zones libérées et en menant des attaques avec des troupes de la taille d'une compagnie contre des installations militaires. Si elles avaient opté pour cette stratégie, cela aurait été, sans conteste, la guérilla la plus courte de l'histoire. Pour les forces gouvernementales, l'écrasement de l'insurrection n'aurait été qu'une question de jours.

Plusieurs exemples dans l'histoire montrent très clairement ce qui arrive quand un groupe d'insurgés vise trop haut dans le choix d'une stratégie. L'exemple le plus dramatique de la seconde moitié de ce siècle est probablement celui de l'aventure bolivienne d'Ernesto (Che) Guevara. Guevara, un des dirigeants de la guérilla à Cuba entre 1956 et 1959, tira des leçons erronées des circonstances plutôt particulières qui menèrent les insurgés au succès. Il croyait que l'expérience cubaine pourrait être appliquée telle quelle à plusieurs pays latino-américains, qu'il considérait mûrs pour la révolution. A l'automne 1966, il emmena 15 hommes en Bolivie, pour entamer une campagne de guérilla de style cubain. L'insurrection, cependant, ne parvint jamais à démarrer. Bien que le terrain ait été favorable à la guérilla, Guevara échoua à se gagner un soutien populaire suffisant. Bien que l'efficacité des forces gouvernementales ait été très en dessous des normes occidentales, leur supériorité numérique fut suffisante pour encercler et écraser l'insurrection en un an.

D'un autre côté, même s'il peut paraître impossible à la plupart des gens de provoquer un changement politique radical par le terrorisme, celui-ci est un mode de lutte qui, au moins, n'est pas immédiatement suicidaire même quand les circonstances ne sont pas favorables aux insurgés, et peut durer un temps considérable. Il est vraisemblable que les insurgés d'Europe occidentale voudraient être capables d'adopter la guérilla en tant que stratégie principale. On peut dire que tous les groupes terroristes souhaitent se transformer en guérilleros quand ils s'agrandissent[7]. Ils sont incapables de le faire pour des raisons pratiques. La guérilla nécessite un terrain favorable à de petites bandes d'insurgés et défavorable aux forces gouvernementales mécanisées et aéroportées. En Europe occidentale, on ne trouve pas ce type de terrain – jungle épaisse ou vastes montagnes escarpées, inaccessibles par transports motorisés. Parfois les guérilleros peuvent se risquer sur un terrain qui est loin d'être parfait à condition qu'il réunisse d'autres conditions, en particulier des forces gouvernementales inefficaces et pauvrement équipées, d'une part, et, de l'autre, qu'ils aient un soutien populaire massif. Au XXe siècle, aucun des pays occidentaux ne rassemble ces conditions et le terrorisme est la seule option stratégique que peuvent prendre des insurgés déterminés à recourir à la violence pour faire avancer leur cause.

Il reste encore à expliquer pourquoi ceux qui *peuvent* mener une campagne de guérilla recourent en même temps au terrorisme. Encore une fois, la réponse se trouve dans la différence existant entre les classifications académiques et la vie réelle. En

---

7. Même Carlos Marighella, l'avocat le plus populaire et le plus moderne du terrorisme, considérait que le terrorisme (la « guérilla urbaine », selon sa terminologie) était une étape nécessaire pour permettre le développement de la guérilla rurale. « C'est une technique dont l'objectif est le développement de la guérilla urbaine et dont la fonction sera d'épuiser, de démoraliser et de distraire les forces ennemies afin de permettre l'émergence et la survie de la guérilla rurale, destinée, elle, à jouer le rôle décisif dans la guerre révolutionnaire. »

un sens, la distinction entre guérilla et terrorisme est artificielle. Certes, c'est une différenciation pertinente, mais uniquement en tant qu'observation faite de l'extérieur. Des universitaires peuvent, tout en restant dans leur fauteuil, classifier en catégories les différentes stratégies de l'insurrection. Le problème, c'est que les insurgés eux-mêmes le font rarement quand ils en viennent à décider de leurs actions. Bien que les rebelles eux-mêmes aient souvent décrit leurs concepts stratégiques, leurs arguments ont presque toujours été de nature pratique. Leur problème, c'est de déterminer ce qu'ils doivent faire pour promouvoir leur cause politique. Cela n'implique pas de tenter de faire coïncider les actions avec un cadre doctrinaire rigide. Ce qu'ils considèrent en premier, c'est la capacité et l'utilité. Parce que le terrorisme est la plus fondamentale et la moins exigeante de toutes les formes d'insurrection, il a toujours été utilisé simultanément avec d'autres stratégies. L'importance relative du terrorisme dans un conflit dépend des circonstances, mais il en fait toujours partie. Un exemple en est la lutte des Palestiniens. Abu Iyad, l'un des principaux dirigeants de l'OLP, note dans ses mémoires :

> « Je ne confonds pas la violence révolutionnaire, qui est un acte politique, avec le terrorisme, qui ne l'est pas. Je rejette l'acte individuel accompli en dehors du contexte d'une organisation ou sans une vision stratégique. Je rejette un acte dicté par des motivations subjectives qui prétend prendre la place de la lutte de masse. D'un autre côté, la violence révolutionnaire fait partie d'un large mouvement structuré. Elle sert comme force d'appoint et contribue, durant une période de regroupement ou de défaite, à donner au mouvement un nouvel élan. Elle devient superflue quand le mouvement populaire remporte des succès politiques sur les scènes locale ou internationale. »

En fait, le terrorisme a toujours été utilisé par les Palestiniens dans leur lutte dès le début des années 20. La citation d'Abu Iyad fait référence à la période 1971-1973 au cours de laquelle le Fatah, la principale organisation de l'OLP, mena une campagne intensive de terrorisme international sous le couvert de l'organisation Septembre noir. Abu Iyad lui-même était, dit-on, l'un des principaux chefs de l'appareil clandestin de terrorisme international qui a organisé une série d'attentats terroristes spectaculaires, dont la prise d'otages aux jeux Olympiques de Munich de 1972. La décision du Fatah de se lancer dans une campagne de terrorisme international spectaculaire faisait suite à l'expulsion de l'OLP de Jordanie par le roi Hussein en septembre 1970 (événement qui donna son nom à l'organisation Septembre noir). La vague de terrorisme international était destinée à remonter le moral des membres de l'OLP après la débâcle de Jordanie, qui leur fit perdre ce pays comme base de leurs opérations.

Le terrorisme international palestinien se développa de façon similaire à la veille de la guerre de 1982, au cours de laquelle l'OLP perdit la plupart de ses bases au Liban. A l'intérieur d'Israël et dans les territoires occupés, cependant, le terrorisme a toujours été considéré comme partie intégrante de la lutte par les insurgés palestiniens. Les changements dans le nombre d'attentats terroristes ont, par conséquent, été davantage le reflet de leur capacité que de leur motivation. La question ne s'est jamais posée de savoir si le terrorisme devait continuer, mais quels autres moyens on pouvait mettre en œuvre. Au cours des soixante-dix années de lutte violente, les Palestiniens ont, à certaines époques, été capables de mener conjointement guérilla et terrorisme, comme lors de la révolte arabe de 1936-1939, mais la plupart du temps le terrorisme resta le seul mode de violence à leur disposition. Des émeutes ont éclaté occasionnellement au cours de cette période et se sont parfois transformées en soulèvements populaires de grande envergure qui utilisaient simultanément plusieurs formes de violence.

L'*Intifada* (textuellement, l'« ébranlement ») est le plus récent de ces soulèvements, bien qu'il ne soit pas le plus intense. Comme en Algérie, en Afrique du Sud, en Azerbaïdjan, en Arménie soviétique et dans la lutte des Juifs pour l'indépendance dans les années 30 et 40, l'Intifada n'est pas une forme pure de violence insurrectionnelle. On y trouve des composantes violentes et d'autres non violentes. Parmi les éléments violents de l'Intifada, il y a les émeutes, l'usage de cocktails Molotov, les jets de pierres contre des véhicules civils et militaires et les classiques attentats terroristes comme l'utilisation de charges explosives et les assassinats. Les formes non violentes sont les grèves des travailleurs et des commerçants, le blocage de routes et les tentatives pour boycotter les produits israéliens et les services gouvernementaux. On aurait pu supposer que le fait de se lancer pendant l'Intifada dans la protestation de masse allait entraîner une réduction des attentats terroristes, forme de lutte moins élevée et moins efficace. C'est le contraire qui s'est produit : la fréquence des incidents terroristes et le nombre de victimes ont augmenté considérablement. Ainsi, l'Intifada n'a pas été une stratégie distincte mais un mélange de plusieurs modes de lutte, y compris le terrorisme.

Le fait qu'il n'y ait pas eu d'effusion de sang en 1989 lors des changements de régime qui se sont produits dans plusieurs pays d'Europe de l'Est semble réfuter l'assertion selon laquelle le terrorisme fait partie de tout soulèvement. Si on l'examine selon des critères stricts, cette réserve est certainement justifiée. Il faudrait cependant se souvenir que les régimes des satellites soviétiques de l'Europe de l'Est tiraient leur force d'une source extérieure, l'URSS. Dès que son étau s'est relâché, tout s'est effondré. En d'autres termes, les changements en Europe de l'Est ne sont pas le résultat d'un véritable soulèvement intérieur mais la conséquence d'une reddition du sommet. Si les gouvernements de Tchécoslovaquie, de Bulgarie et d'Allemagne de l'Est avaient été plus déterminés à résister à ce soulèvement pacifique, la lutte aurait probablement dégénéré en une longue campagne, où le terrorisme aurait été utilisé comme mode majeur d'insurrection. En fait, ce même processus s'est reproduit dans plusieurs républiques de l'Union soviétique.

Pour résumer, la forme que prend une insurrection – terrorisme, guérilla, protestation de masse, ou n'importe quelle combinaison de tout cela – est principalement déterminée par les conditions objectives plutôt que par les conceptions stratégiques des insurgés. Le facteur le plus important est la capacité. Habituellement, les insurgés utilisent tous les modes de lutte possibles qui peuvent faire avancer leur cause. Parce que le terrorisme est le niveau inférieur de la lutte violente, il est toujours utilisé dans les insurrections. Souvent, parce que les insurgés sont peu nombreux, que le terrain n'est pas favorable à la guérilla et que les forces gouvernementales sont efficaces, le terrorisme est le seul mode d'insurrection à leur portée. Parfois, les rebelles sont capables de mener une guérilla bien qu'ils continuent à utiliser en même temps le terrorisme. La forme que revêt la contestation se détermine dans un processus continu de frictions contre la dure réalité et le terrorisme en fait presque toujours partie.

Traduit de l'anglais par Juliette Minces

3

Le terrorisme
au nom de la religion

Magnus RANSTORP *

Le 25 février 1994, jour du deuxième jeûne musulman durant le mois sacré du Ramadan, un colon sioniste venant de la colonie orthodoxe de Qiryat Arba a pénétré dans la mosquée bondée d'Ibrahim (Abraham), située dans la ville biblique d'Hébron, en Cisjordanie. Il a vidé trois chargeurs de 30 cartouches à l'aide de son fusil d'assaut automatique Glilon sur l'assistance composée de quelque 800 Palestiniens en prière, tuant 29 personnes et en blessant 150 avant d'être battu à mort. Membre de longue date du groupe fondamentaliste radical juif, le mouvement Kach [1], Baruch Goldstein était motivé par un mélange compliqué, mêlant inextricablement, semble-t-il, des considérations de nature politique et religieuse, alimentées par le fanatisme ainsi que par un sentiment aigu de trahison en constatant que son Premier ministre était en train de « *conduire l'État juif*

---

* Chercheur au Centre d'études du terrorisme et de la violence politique de l'université de Saint Andrews (Grande-Bretagne).

1. Le mouvement Kach a été fondé en 1971 par le rabbin américain ultra-orthodoxe Meir Kahane lorsqu'il émigra en Israël. Le groupe prône l'établissement d'un État théocratique en Eretz (Grand) Israël ainsi que l'expulsion forcée des Arabes. Pour un aperçu utile de la question, cf. Raphael Cohen-Almagor, « Vigilant Jewish Fundamentalism : from the JDL to Kach (or " Shalom Jews, Shalom Dogs ") », *Terrorism and Political Violence*, 4, n° 1 (printemps 1992), pp. 44-66 ; ainsi que Ehud Sprintzak, *The Ascendance of Israel's Radical Right*, New York, Oxford University Press, 1991.

hors du patrimoine légué par Dieu et vers un danger mortel [2] ». Tant le lieu que le moment du massacre étaient grandement influencés par des symboles religieux. Hébron est l'endroit où 69 Juifs furent massacrés en 1929. De même, du fait que cela s'est déroulé durant la fête juive de Pourim, Goldstein revêt symboliquement les habits de Mordechaï dans l'histoire de Pourim, ruminant une vengeance contre les ennemis des Juifs [3]. Le Premier ministre israélien, Ytzhak Rabin, parlant au nom de la grande majorité des Israéliens, exprima son dégoût, sa révulsion ainsi que sa profonde tristesse à l'égard de l'acte commis par un « fanatique dérangé ». Néanmoins, une grande partie des colons orthodoxes militants ont qualifié Goldstein d'homme juste et lui ont conféré la dignité de martyr [4]. Durant ses funérailles, ces colons orthodoxes firent également entendre la voix de la ferveur religieuse en termes inflexibles et militants, dirigés non seulement contre les Arabes mais également à destination du gouvernement israélien, qu'ils accusaient d'avoir trahi le peuple juif ainsi que l'État juif.

Les dirigeants israéliens ainsi que la grande majorité de la communauté juive tentèrent de nier ou d'ignorer le danger de l'extrémisme religieux en considérant que Goldstein appartenait, au mieux, à « la frange la plus extrême [5] » de la société israélienne. Malheureusement, les quelques doutes au sujet des dangers mortels que représentait le fanatisme religieux disparurent avec l'assassinat du Premier ministre Ytzhak Rabin par un jeune

---

2. « The Impossible Decision », *The Economist*, 11-17 novembre 1995. Article paru dans le *Journal of International Affairs*, été 1996, 50, n° 1.

3. Pour une discussion sur la décision de Goldstein de réaliser cette attaque durant Pourim, cf. Sue Fiskhoff, « Gentle, Kind and Full of Religious Fervor », *Jerusalem Post*, 27 février 1994 ; ainsi que Chris Edges et Joel Greenberg, « West Bank Massacre : Before Killing, a Final Prayer and a Final Taunt », *New York Times*, 28 février 1994, p. A1.

4. Un des mentors rabbiniques de Goldstein, le rabbin Dov Li'or, le décrivit comme un homme « qui ne pouvait pas supporter plus longtemps l'humiliation et la disgrâce. Tout ce qu'il faisait, c'était en l'honneur d'Israël et pour la gloire de Dieu », *Yediot Aharonot*, 18 mars 1994. Cf. également Richard Z. Chesnoff, « It is a Struggle for Survival », *U.S. News and World Report*, 14 mars 1994.

5. Charles Krauthammer, « Deathly Double Standard », *Jerusalem Post*, 6 mars 1994.

étudiant juif, Yigal Amir, qui affirma avoir agi sur ordre de Dieu. Il avait été influencé par les rabbins militants et par leurs enseignements *halaliques*, qu'il interpréta comme signifiant que le « décret du poursuivant » devait être appliqué à l'encontre du dirigeant d'Israël[6]. La plupart des Israéliens devraient être choqués qu'un Juif assassine un autre Juif, mais Rabin fut la dernière victime en date, d'une force plus grande, devenue une des tendances les plus puissantes, les plus dangereuses et les plus permissives du monde de l'après-guerre froide : le terrorisme motivé par des impératifs religieux.

Très éloigné du Moyen-Orient dont la tradition de violence est connue et où la religion et le terrorisme partagent une histoire commune[7], le fanatisme religieux s'est manifesté sous la forme d'actes de terrorisme spectaculaires dans le monde entier. Cette vague de violence est sans précédent, non seulement par son ampleur et la sélection des cibles, mais également par son caractère meurtrier et aveugle. Les exemples sont légion : dans un effort visant à accélérer l'avènement du nouveau millénaire, la secte religieuse japonaise Aum Shinrikyo dispersa du gaz sarin dans le métro de Tokyo en mars 1995[8] ; les fidèles de l'orga-

---

6. Avant l'assassinat de Rabin, Yigal Amir avait déjà fait deux tentatives. Pour une biographie très utile de l'assassin, cf. John Kifner, « A Son of Israel : Rabin's Assassin », *New York Times*, 19 novembre 1995 ; du même auteur, « Israelis Investigate Far Right ; May Crack Down on Speech », *New York Times*, 8 novembre 1995. Un des arguments traditionnels permettant de tuer est la loi dite Din Rodef. Cette loi a d'abord été établie au XIIᵉ siècle par le grand Moïse Maïmonide, universitaire juif espagnol. Allant au-delà du principe d'autodéfense, il affirme que même le témoin d'une tentative de meurtre est autorisé à tuer l'assassin potentiel. Au sujet de l'utilisation par Yigal Amir de ce principe dans sa défense, cf. Raine Marcus, « Amir : I Wanted to Murder Rabin », *Jerusalem Post*, 16 mars 1996.

7. Comme l'a très bien observé David C. Rapoport, les mots « zélote », « assassin » et « voyou » proviennent tous de mouvements fanatiques au sein du judaïsme, de l'islam ou de l'hindouisme respectivement. Cf. Bruce Hoffman, *Holy Terror : The Implications of Terrorism Motivated by a Religious Imperative*, Santa Monica, Rand Corporation, 1993, pp. 1-2 ; et David C. Rapoport, « Fear and Trembling : Terrorism in Three Religious Traditions », *American Political Science Review*, 78, nº 3, septembre 1984, pp. 668-672.

8. L'attaque contre le métro de Tokyo fut le premier exemple d'un groupe terroriste perpétrant des meurtres à grande échelle à l'aide d'une arme de destruction massive. La secte religieuse Aum Shinrikyo, créée en 1987 par Shoko Asa-

nisation Jamaa Islamiya du cheikh Abdel Rahman provoquèrent enfer et destruction avec l'attentat perpétré contre le World Trade Center ; ils avaient également le projet de faire sauter des bâtiments importants dans New York [9] ; et deux partisans américains de la suprématie des Blancs furent à l'origine de l'attentat qui détruisit un bâtiment fédéral à Oklahoma City [10]. Ils sont unis par la même conviction que leurs actions sont sanctionnées par Dieu, voire ordonnées par celui-ci. En dépit de leurs origines, de doctrines, d'institutions ou de pratiques très diverses, ces extrémistes religieux se rejoignent dans une même justification de l'emploi de la violence sacrée, qu'il s'agisse de défendre, d'étendre ou de venger leur propre communauté, ou encore pour des motifs millénaristes ou messianiques [11].

TENDANCES GLOBALES DU TERRORISME RELIGIEUX

Entre le milieu des années 60 et celui des années 90, le nombre de mouvements fondamentalistes de toute appartenance religieuse a triplé dans le monde. Simultanément, comme l'a observé Bruce Hoffman, il y a eu une explosion virtuelle de tous les groupes terroristes religieux identifiables, qui sont passés de zéro en 1968 au niveau actuel, près du quart de tous les groupes

hara, un spécialiste d'acupuncture et maître de yoga presque aveugle, est constituée d'un mélange qui opère une synthèse entre les théologies bouddhiste et hindoue. Pour une bibliographie succincte d'Asahara, cf. James Walsh, « Shoko Asahara : the Making of a Messiah », *Time*, 3 avril 1995. L'attaque au gaz sarin contre le métro de Tokyo causa la mort de douze personnes et en blessa plus de 5 500. Cf. également Martin Wollacott, « The Whiff of Terror », *The Guardian*, 21 mars 1995.

9. Pour un aperçu utile de la Jamaa Islamiya et de ses activités en Égypte, cf. Barry Rubin, *Islamic Fundamentalism in Egyptian Politics*, Londres, Macmillan, 1990.

10. Stephen Robinson, « The American Fundamentalists », *Daily Telegraph*, 24 avril 1995.

11. Pour une discussion très fine de ce point, cf. Mark Juergensmeyer et al., « Violence and the Sacred in the Modern World », *Terrorism and Political Violence*, 3, n° 3, automne 1991.

terroristes actifs de par le monde étant motivés essentiellement par des considérations religieuses [12]. Au contraire de leurs homologues laïcs, les terroristes religieux sont, du fait de leur nature même, largement motivés par la religion, mais ils sont également guidés par des considérations politiques plus terre à terre suivant le contexte qui leur est spécifique. Cela rend difficile à un observateur général la tâche de séparer et de distinguer les sphères religieuses et politiques de ces groupes terroristes.

C'est particulièrement clair dans les groupes terroristes musulmans, religion et politique n'étant pas séparées dans l'islam. Par exemple, le Hezbollah ou le Hamas opèrent à l'aide d'un schéma teinté d'idéologie religieuse, qu'ils combinent à une action politique précise au Liban et en Palestine. Ainsi, ces groupes conjuguent des objectifs politiques à court terme, comme la libération des prisonniers politiques, et des objectifs à long terme, comme la poursuite de la résistance à l'occupation israélienne des territoires palestiniens et la libération de tous les « croyants ». Le soutien que certains États accordent au terrorisme complique encore la question : les groupes terroristes religieux deviennent souvent d'un bon rapport qualité/prix aux yeux d'États cherchant à faire appliquer leur programme en matière de politique étrangère. Ils peuvent également avoir des objectifs de nature nationaliste-séparatiste au sein desquels la composante religieuse fait partie d'une mixture complexe constituée de facteurs culturels, politiques et linguistiques. La prolifération de mouvements extrémistes religieux s'est également accompagnée d'une forte augmentation du nombre total d'actes terroristes depuis 1988, représentant plus de la moitié des 64 319 incidents recensés entre 1970 et juillet 1995 [13]. Cette escalade menée par

---

12. Bruce Hoffman, *op. cit.*, p. 2. L'année 1968 est largement considérée comme l'année de départ du terrorisme international moderne. Ce fut le début d'une explosion du nombre de détournements d'avions de Cuba vers les États-Unis, ainsi que des attaques contre les compagnies aériennes occidentales et israélienne par différents groupes palestiniens. Cf. également Barry James, « Religious Fanaticism Fuels Terrorism », *International Herald Tribune*, 31 octobre 1995, p. 3.

13. Cf. Yonah Alexander, « Algerian Terrorism : Some National, Regional and Global Perspectives », allocution devant le Comité de la Chambre des Représentants sur les relations internationales, sous-comité sur l'Afrique, *Federal News*

les terroristes religieux n'est pas surprenante car la plupart des groupes terroristes actifs aujourd'hui dans le monde entier sont apparus très récemment. Ils virent le jour dotés d'un appareil de commandement distinct et complet : mouvement sikh Dal Khalsa et organisation Dashmesh, formés respectivement entre 1978 et 1982 [14] ; fondation du mouvement chiite du Hezbollah au Liban en 1982 ; émergence des organisations militantes sunnites, le Hamas et le Djihad islamique, en liaison avec l'explosion de violence de l'Intifada en 1987 ; création de la secte Aum Shinrikyo la même année.

La croissance du terrorisme religieux montre aussi que le terrorisme contemporain s'est transformé en une méthode de guerre, et que l'évolution de la tactique et des techniques utilisées par divers groupes sont une réaction aux vastes changements intervenus lors des trois dernières décennies. Ces changements peuvent se manifester à l'occasion de plusieurs événements, comme l'avalanche de détournements d'avions par des terroristes palestiniens laïcs et les destructions causées par les terroristes d'extrême droite et d'extrême gauche dans plusieurs pays d'Europe, ou par l'ampleur et le niveau sans précédent dans le monde entier de l'extrémisme religieux.

L'évolution du terrorisme religieux aujourd'hui ne s'est pas produite dans un vide, de même qu'elle ne représente pas un phénomène particulièrement nouveau. Ce terrorisme a néanmoins été propulsé sur le devant de la scène après la guerre froide car il a été exacerbé par l'explosion de conflits ethniques-religieux et par l'approche du nouveau millénaire [15]. La disso-

---

Service, 11 octobre 1995. Ce chiffre doit être comparé aux 8 339 actes de terrorisme international recensés durant la période 1970-1994, avec 3 105 incidents en 1988. Cf. Rand-St-Andrews, *Chronology of International Terrorism*, St-Andrews : Centre d'étude du terrorisme et de la violence politique, université de St-Andrews, mars 1996.

14. L'organisation Dashmesh (qui signifie « La Dixième ») a reçu le nom du dernier gourou des sikhs, Gobind Singh, qui, au XVIIIᵉ siècle, transforma la communauté sikh en une classe de guerriers en justifiant l'usage de la force si nécessaire. Aussi bien le Dashmesh que le mouvement sikh Dal Khalsa prônent l'établissement d'un Khalistan indépendant.

15. L'émergence de conflits de nature ethnoreligieuse l'emportant sur les

lution accélérée des liens traditionnels qui donnaient une certaine cohésion sociale et culturelle au sein des sociétés ainsi qu'entre elles, de même que le processus actuel de mondialisation combiné à l'héritage historique et les conditions actuelles de la répression politique – des inégalités économiques et des bouleversements sociaux se produisant fréquemment parmi des mouvements extrémistes religieux très disparates – ont tous conduit à une perception accrue de la fragilité, de l'instabilité et du caractère aléatoire du présent et de l'avenir [16]. L'ampleur, à notre époque, du terrorisme religieux, qui fait preuve d'un militantisme et d'un activisme sans précédent, confirme notre conviction selon laquelle leur foi et leur communauté se trouvent à un moment critique de leur histoire : non seulement les terroristes sentent la nécessité de préserver leur identité religieuse, mais ils voient également cette époque comme une occasion de façonner de manière fondamentale leur avenir [17]. La coexistence d'un cer-

---

guerres conventionnelles entre États a été clairement mise en lumière par un rapport du Programme des Nations unies pour le développement (PNUD) datant de 1994 dans lequel seuls 3 des 82 conflits recensés dans le monde entier étaient des conflits interétatiques. Cf. Roger Williamson, « The Contemporary Face of Conflict – Class, Colour, Culture and Confession », *Jane's Intelligence Review Yearbook – The World in Conflict 94/95*, Londres, Jane's Information Group, 1995, pp. 8-10. Cf. également Julia Preston, B. Boutros-Ghali : « Ethnic Conflict Imperils Security », *Washington Post*, 9 novembre 1993, p. 13. Cf. également Hans Binnendijk et Patrick Clawson, eds., *Strategic Assessment 1995 : U.S. Security Challenges in Transition*, Washington : National Defense University Press, 1995 ; et Martin Kramer, « Islam and the West (including Manhattan) », *Commentary*, octobre 1993, pp. 33-37.

16. Au sujet du débat plus large de la résurgence religieuse, cf. Scott Thomas, « The Global Resurgence of Religion and the Study of World Politics », *Millenium*, 24, n° 2, été 1995, ainsi que Peter Beyer, *Religion and Globalization*, Londres, Sage, 1994.

17. Comme on l'a observé : « A une époque à laquelle personne ne sait précisément de quoi l'avenir sera fait, la force du fondamentalisme est dans sa capacité à promettre un changement radical sans avoir à en dessiner les contours, Dieu en étant considéré comme le garant » (Mahmoud Hussein, « Behind the Veil of Fundamentalism », *Unesco Courrier*, décembre 1994, p. 25). Pour sa part, l'idéologue d'un groupe extrémiste juif, Kahane Chai, a affirmé : « Nous n'avons à rendre des comptes qu'à notre Créateur, car c'est Lui qui nous choisit pour accomplir notre mission dans l'histoire », in Amir Taheri, « Commentary : The Ideology of Jewish Extremism », *Arab News*, 12 mars 1994.

tain nombre de facteurs a contribué à la renaissance du terrorisme religieux sous la forme mortelle et extrêmement dangereuse que l'on perçoit en cette fin de millénaire. En même temps, il est également possible de discerner un certain nombre de traits que l'on retrouve dans tous les groupes religieux, quelle que soit la religion ou la foi. Ces caractéristiques permettent non seulement de définir la cause ainsi que l'ennemi, mais également de dessiner les moyens, les méthodes et les échéances de la violence elle-même.

LES CAUSES ET LES ENNEMIS DU TERRORISME RELIGIEUX

Une enquête menée sur les principaux groupes terroristes religieux dans les années 90 révélerait que la quasi-totalité d'entre eux ont à faire face à une crise sérieuse de leur environnement, qui a conduit à un accroissement du nombre de groupes formés récemment et a provoqué une escalade de leurs activités. Cette crise de mentalité dans le milieu terroriste religieux a de multiples facettes, dans les sphères sociale, politique, économique, culturelle, psychologique et spirituelle. Au même moment, celle-ci a été particulièrement exacerbée par le désordre politique, économique et social, tout cela provoquant le sentiment d'une fragmentation spirituelle et une radicalisation de la société qui se produit dans le monde entier, dans le sillage de la fin de la guerre froide et du fait de la « peur des extrémistes d'aller à marche forcée vers " un seul monde " [18] ». Néanmoins, ce sentiment de crise, perçu comme une menace sur leur identité et leur survie, a été présent à des degrés divers tout au long de l'Histoire. Il a conduit à des phases récurrentes de résurgence de la plupart des croyances. Au cours de ces renaissances, les croyants utilisent la religion sous toutes sortes de formes : ils y trouvent un refuge, la religion leur fournissant des idéaux vieux de plusieurs siècles qui leur permettent de se fixer un but ; ils y trouvent un sanc-

---

18. Robin Wright, « Global Upheaval Seen as Engine for Radical Groups », *Los Angeles Times*, 6 novembre 1995.

tuaire physique ou psychologique contre la répression ; ils peuvent également l'utiliser comme un instrument majeur à des fins d'activisme ou d'action politique. De ce fait, les terroristes religieux perçoivent leurs actions comme une défense et une réaction et les justifient de cette manière [19]. Le djihad dans l'islam, par exemple, est essentiellement une doctrine défensive, approuvée par des théologiens éminents et menée contre les agresseurs, les tyrans et les « musulmans rebelles ». Dans sa forme la plus violente, elle est justifiée comme le dernier recours afin d'empêcher l'extinction de l'identité distinctive de la communauté islamique sous les coups des forces du sécularisme et du modernisme. Comme l'a écrit le cheikh Fadlallah, l'idéologue en chef du Hezbollah : « Quand l'islam mène une guerre, il combat de la même manière que n'importe quelle puissance dans le monde, se défendant pour préserver son existence et sa liberté, obligé de mener des opérations défensives lorsqu'il est en danger [20]. » Même son de cloche chez les extrémistes sikhs qui défendent l'idée que, lorsque tous les moyens pacifiques sont épuisés, « vous devez prendre l'épée [21] ». Le caractère défensif de la protection de sa foi au moyen de la violence religieuse est également évident dans la peur des sikhs de perdre leur identité distincte noyée dans la marée des hindous et des musulmans [22]. Aux États-Unis, le comportement paranoïaque des mouvements de la « suprématie blanche » est motivé par un mélange de

---

19. « Fundamentalism Unlimited », *The Economist*, 27 mars 1993, p. 67 ; ainsi que M. Hussein, *art. cité,* p. 25.

20. Muhammad Hussein Fadlallah, « To Avoid a World War of Terror », *Washington Post*, 4 juin 1986. Comme l'a redit le cheikh Fadlallah : « Nous ne prêchons pas la violence. Le djihad dans l'islam est un mouvement défensif contre ceux qui imposent la violence » (Laura Marlowe, « A Fiery Cleric's Defense of Djihad », *Time*, 15 janvier 1996). Pour plus de détails sur cet argument développé par le cheikh Fadlallah, cf. *al-Majallah*, 1er-7 octobre 1986.

21. Cela se perçoit souvent dans le slogan des sikhs : « *La religion Panth est en danger.* » Cf. Paul Wallace, « The Sikhs as a " Minority " in a Sikh Majority State in India », *Asian Survey*, 26, n° 3, mars 1986, p. 363.

22. Laurent Belsie, « At a Sikh Temple, Opinions Reflect Conflicting Religious Traditions », *The Christian Science Monitor*, 11 novembre 1984. Pour une discussion détaillée sur l'utilisation de la violence, cf. Sohan Singh Sahota, *The Destiny of the Sikhs*, Chandigarh, Modern Publishers, 1970.

racisme et d'antisémitisme, de même que par la méfiance vis-à-vis du gouvernement et de toute autorité centrale [23]. Ce sentiment de persécution se retrouve chez les chiites comme un thème historiquement dominant depuis treize siècles, et se manifeste lors des processions annuelles de l'Ashura organisées par le Hezbollah libanais, commémorant le martyre de l'imam Hussein. Cet événement ainsi que cette période de deuil ont été utilisés comme une justification des attentats-suicides [24] et comme une force motrice inspirée par son propre martyre.

A l'exception de quelques groupes strictement millénaristes ou messianiques (comme la secte Aum Shinrikyo ou quelques mouvements de la « suprématie blanche », d'obédience chrétienne), la quasi-totalité des groupes terroristes contemporains dotés d'un impératif religieux distinct sont soit des isolés, soit se situent en marge de mouvements plus larges. Ainsi, les décisions des extrémistes militants de se mettre en marge, d'en sortir ou au contraire d'y rester sont, dans une large mesure, conditionnées par le contexte politique au sein duquel ils opèrent. Leurs décisions sont façonnées par des différences doctrinales, par des questions tactiques ou locales et par le degré de la menace contre leur cause que représente à leurs yeux la sécularisation. Cette menace de la sécularisation peut venir soit de l'intérieur des mouvements eux-mêmes et de l'environnement avec lequel ils sont en contact, soit par le biais d'influences extérieures. Si la menace est extérieure, elle est susceptible d'amplifier leur sentiment de marginalité et d'aliénation aiguë vis-à-vis de la société. Elle peut également nourrir la nécessité de compenser des souffrances personnelles par la transformation radicale de l'ordre dominant [25]. La menace interne de la sécularisation se manifeste souvent sous la forme d'un rejet bruyant et violent des partis politiques corrompus, d'une remise en cause

---

23. Bruce Hoffman, « American Right-Wing Terrorism », *Jane's Intelligence Review,* 7, nº 7, juillet 1995, pp. 329-330.

24. Cf. John Kifner, « Shiite Radicals : Rising Wrath Jars the Mideast », *New York Times,* 22 mars 1987.

25. Ce thème est développé par David Rapoport, « Comparing Militant Fundamentalist Movements », *Fundamentalism and the State,* eds. Martin E. Marty et R. Scott Appleby, Chicago, The University of Chicago Press, 1993.

de la légitimité du régime ainsi que de celle du caractère terne et inhibé de l'appareil dirigeant religieux existant. Dans ce cas, le terrorisme religieux est le seul véritable canal de l'opposition politique [26]. Comme l'a expliqué le chef du Kach, Baruch Marzel : « Nous sommes convaincus que Dieu nous a donné, à l'occasion de la Guerre des Six-Jours, ce pays par miracle. Nous avons accepté ce cadeau de Dieu puis nous le rejetons. Le gouvernement détruit de la manière la plus brutale tout ce qui est sacré dans ce pays [27]. » De même, comme l'a exprimé un ancien chef du Djihad islamique aujourd'hui décédé, Fathi al-Shaqaqi, en faisant référence à l'accord Gaza-Jéricho passé entre l'OLP et Israël : « Arafat a vendu son âme pour le salut de son corps et il tente de vendre l'âme du peuple palestinien en échange de la survie politique de celui-ci [28]. » La perception par les groupes terroristes religieux d'une menace de laïcisation provenant du sein même de la société est également manifeste dans les symboles utilisés dans la sélection de leurs noms, indiquant qu'ils possèdent le monopole absolu de la vérité révélée par Dieu. Il n'est donc pas surprenant que certains des groupes terroristes religieux les plus violents de la dernière décennie aient également adopté des noms en conséquence : le Hezbollah (Parti de Dieu), Aum Shinrikyo (La Vérité suprême), ainsi que Jund al-Haqq (Les Soldats de la vérité). Ces noms leur offrent ainsi une légitimité religieuse, une authenticité historique et fournissent une justification de leur action aux yeux de leurs fidèles ainsi qu'à ceux de leurs nouvelles recrues potentielles. Ils rendent également plus pertinents leur unité d'objectifs, la direction suivie et le degré de militantisme, avec des noms tels que Jundallah (Les Soldats de Dieu), Hamas (Zèle), Eyal (Organisation

---

26. Cf. Maha Azzam, « Islamism, the Peace Process and Regional Security », *RUSI Journal*, octobre 1995, pp. 13-16.

27. *Kifner*, 19 novembre 1995.

28. *Al-Hayah*, 4 mai 1994. De la même manière, selon le manifeste du Hamas : « *La Palestine est une terre musulmane sacrée jusqu'à la fin des temps, si bien que personne n'a le droit de négocier ou de céder* (une quelconque partie de) *celle-ci* », dans Amos Oz, « Israel's Far Right Collaborates With Hamas in Thwarting Peace », *The Times*, 11 avril 1995.

combattante juive) et le Groupe islamique armé (GIA), qui promettent tous un combat incessant ainsi que le sacrifice.

La menace de la sécularisation provenant de l'étranger est également susceptible de jouer un rôle de catalyseur et de provoquer l'entrée en action des terroristes religieux. L'intrusion des valeurs laïques au sein de l'environnement des extrémistes et la présence visible d'une intervention étrangère de caractère laïc entraînent une réaction agressive d'autodéfense et d'hostilité. C'est particulièrement vrai lorsqu'il s'agit de lutter contre ce que l'on ressent comme du colonialisme ou du néo-colonialisme de la part des civilisations occidentales, ou encore contre d'autres convictions religieuses. Ces sentiments de nature défensive sont souvent combinés à l'émergence visible ou à la présence de dignitaires religieux militants. Ces dirigeants ont une idéologie plus activiste et militante que celle des mouvements traditionnels dont ils sont issus, soit comme des instruments clandestins, soit comme des groupes ayant fait sécession. Il arrive souvent que ces idéologues cléricaux et ces personnalités agissent comme une force centrifuge en s'attirant un soutien, en renforçant les mécanismes d'organisation et en redéfinissant les méthodes et les moyens à l'aide du terrorisme. Au même moment, ils fournissent une justification théorique qui permet à leurs fidèles d'obéir à la cause sacrée le plus efficacement et le plus rapidement. On peut trouver dans la quasi-totalité des groupes terroristes religieux les soi-disant guides spirituels, qui chapeautent en fin de compte la plupart des activités politiques et militaires tout en bénissant les actes de terrorisme : par exemple, le cheikh Fadlallah du Hezbollah, le cheikh Yassine du Hamas, le dirigeant militant sikh Sant Bhindranwale et le chef de la secte Aum Shinrikyo, Shoko Asahara.

La plupart des groupes terroristes actifs disposant d'un impératif religieux sont apparus en réaction à des événements importants. Ces événements ont soit joué le rôle de catalyseur ou de modèle pour l'organisation, soit contribué gravement à une escalade de la perception de la menace de sécularisation provenant de l'étranger, soit, dans le cas des groupes messianiques ou millénaristes, leur ont démontré de manière aiguë que le temps était compté. Cela est évident lorsqu'on examine la croissance et l'activisme accru des sectes apocalyptiques, dans l'attente d'une apocalypse imminente, que les visions prophétiques sur l'avenir poussent à hâter l'avènement du nouveau millénaire[29]. Cette anticipation messianique, par exemple, était particulièrement claire lors de l'attaque de la Grande Mosquée de La Mecque en 1979 (1400 d'après le calendrier islamique) par des musulmans armés appartenant à al-Ikhwan, qui attendaient le retour du Mahdi[30]. La formation du Hezbollah libanais peut être attribuée au contexte de guerre civile et à l'exemple de la révolution islamique de l'ayatollah Khomeiny en Iran. Néanmoins, c'est l'invasion israélienne du Liban en 1982 et l'intervention étrangère qui s'ensuivit, sous la forme des forces multinationales (FINUL) conduites par les Occidentaux, qui ont joué le rôle de catalyseur de la formation de l'organisation actuelle du Hezbollah et qui, jusqu'à ce jour, ont continué à nourrir son militantisme et son idéologie religieuse. De même, la fermeture en 1984 par l'armée indienne du Temple d'Or à Amritsar, lieu de pèlerinage le plus sacré des sikhs, a conduit non seulement à l'assassinat par vengeance du Premier ministre Indira Gandhi, mais également à un cycle de violences sans fin entre ces croyances rivales, qui a coûté la vie à plus de 20 000 personnes[31].

De nombreuses manières, les terroristes religieux ont une vision idéologique totale qui se représente comme un combat de tous les instants pour résister à la laïcisation de l'intérieur comme de l'extérieur. Ils se conforment à cette vision dans des termes refusant tout compromis, dans de véritables batailles entre le bien et le mal. Il y a bizarrement une grande similarité entre les attitudes du mouvement juif Kach et de l'organisation islamique

---

29. Pour une analyse utile et perspicace de la dynamique des sectes, cf. Richardo Delgado, « Limits to Proselytizing », *Society*, mars-avril 1980, pp. 25-33, ainsi que Margaret Thaler Singer, « Coming of the Cults », *Psychology Today*, janvier 1979, pp. 73-82.

30. Cf. Robin Wright, « US Struggles to Deal with Global Islamic Resurgence », *Los Angeles Times*, 26 janvier 1992.

31. Pour un aperçu utile, cf. Pranay Gupte, « The Punjab : Torn by Terror », *New York Times*, 9 août 1985, et Vijah Singh, « Les Sikhs, une secte traditionnelle saisie par le terrorisme », *Libération*, 1er novembre 1984.

Hamas : tous deux partagent la vision d'un État théocratique situé entre le Jourdain et la Méditerranée, un sentiment de xénophobie à l'encontre de tout étranger ou de tout laïc qui doivent être rejetés du pays tout entier, ainsi qu'un rejet véhément de la culture occidentale. La distinction entre les fidèles et ceux qui sont en dehors du groupe est renforcée par le discours quotidien des dignitaires religieux de ces groupes terroristes. Le langage de ces ecclésiastiques ainsi que leur phraséologie façonnent la réalité dans laquelle évolue le fidèle, renforçant la loyauté et l'obligation sociale des membres du groupe et leur rappelant les sacrifices déjà faits ainsi que la direction à suivre pour le combat [32]. Dans cette tâche, de nombreux groupes terroristes religieux font largement appel au symbolisme religieux et aux rituels afin de renforcer le sens de la collectivité. Les exemples de l'importance donnée à la collectivité incluent la réputation dont jouissaient, auprès de la population locale, des combattants de l'aide militaire clandestine du Hamas, célèbres pour ne jamais se rendre [33], la martyrologie toujours plus importante du Hamas, qui célèbre les martyrs par des chansons, des poèmes et des processions [34], ainsi que les fréquentes cérémonies symboliques au cours desquelles les drapeaux israélien et américain sont brûlés et piétinés par de nombreux groupes islamiques dans tout le Moyen-Orient. Ce sens de la collectivité est encore renforcé par le fait que toute déviation ou tout compromis sont assimilés

---

32. Par exemple, cette position qui n'accepte aucun compromis est particulièrement évidente dans l'article 11 de la charte du Hamas : « La terre de Palestine est une terre islamique *(waqf)* qui doit être conservée de génération en génération jusqu'au Jour du Jugement. Du fait de cette responsabilité, aucune négligence ne sera tolérée, de même qu'aucune reddition », Mithaq Harakat al-Muqawamah al-Islamiyah, Hamas, 1988.

33. Cf. Michael Kelly, « In Gaza, Peace Meets Pathology », *New York Times*, 29 novembre 1994, p. 56.

34. Cf. Michael Parks, « Ready to Kill, Ready to Die, Hamas Zealots Thwart Peace », *Los Angeles Times*, 25 octobre 1994, p. 10. Pour un aperçu intéressant de la mentalité de ceux qui commettent les attentats-suicides, cf. Joel Greenberg, « Palestinian " Martyrs ", All Too Willing », *New York Times*, 25 janvier 1995 ; ainsi que dans *Maariv*, 30 décembre 1994, p. 8. Pour un exemple de cette martyrologie, avec une liste complète des martyrs du groupe Azzedine al-Kassem depuis 1990, cf. *Filastin al-Muslimah*, novembre 1994, p. 14.

à une trahison et à une renonciation à la foi religieuse qui sont souvent punies de la peine de mort.

L'impression de totalité que représente la lutte aux yeux de ces combattants religieux est purement définie en termes dialectiques et cosmiques comme la lutte des croyants contre les incroyants, de l'ordre contre le chaos, et de la justice contre l'injustice, qui se reflète dans la totalité ainsi que dans la nature inflexible de leur cause, que cette cause impose l'établissement d'Eretz Israel, un État islamique basé sur la charia ou encore un Khalistan (« le Pays des Purs ») indépendant. De la sorte, les terroristes religieux perçoivent leur combat comme une guerre totale contre leurs ennemis. Cette perception, à son tour, est souvent utilisée pour justifier le niveau et l'intensité de la violence. Par exemple, le thème de la guerre est toujours présent dans les écrits et les discours des terroristes, comme le prouve la justification de l'assassinat de Rabin par Yigal Amir [35] ou dans l'article 8 du manifeste du Hamas justifiant le djihad comme son objectif et affirmant que « la mort au nom d'Allah est le plus sublime vœu ».

Cet aspect total du combat attire naturellement les communautés opprimées et grandement déshéritées par ses promesses de changement et le fait qu'il fournisse des alternatives constructives. Au contraire de leurs récents prédécesseurs, comme l'organisation marginale al-Jihad qui fut à l'origine de l'assassinat du président égyptien Anouar el Sadate en 1981 [36], beaucoup des groupes terroristes religieux existants se démarquent par le fait qu'ils peuvent souvent combiner leur violence avec des alternatives réalistes. Ceci est particulièrement vrai au niveau le plus

---

35. Dans une déclaration faite à la Cour israélienne, Amir a fourni cette justification : « Lorsque vous tuez quelqu'un à la guerre, c'est un acte qui est autorisé », in Russel Watson, « Blame Time », *Newsweek,* 20 novembre 1995. Comme l'a expliqué Amir : « Je n'ai pas commis cet acte afin de stopper le processus de paix, parce qu'il n'existe pas de concept de processus de paix, c'est un processus de guerre », *Mideast Mirror,* 6 novembre 1995.

36. Pour un aperçu utile de l'incident, cf. Jihad B. Khazen, *The Sadat Assassination : Background and Implications,* Washington, Georgetown University's Center for Contemporary Arab Studies, 1981 ; ainsi que Dilip Hiro, « Faces of Fundamentalism », *The Middle East,* mai 1988, pp. 11-12.

terre à terre, du fait du penchant à l'organisation inhérent à la religion et du soutien d'un vaste réseau de ressources et d'installations [37]. Cela signifie que certains groupes terroristes religieux ne recourent pas uniquement à la violence, mais ont également graduellement construit une base de soutien impressionnante au moyen d'une stratégie de « ré-islamisation ou re-judaïsation par le bas [38] ». C'est un processus qui a débuté au début des années 70 et qui a culminé dans les années 90 par un changement visible de stratégie au sein des groupes, passant du seul recours au terrorisme tout en ré-islamisant leur environnement à l'utilisation conjointe du terrorisme et du processus électoral afin de faire progresser leur cause sacrée.

Le terrorisme religieux offre également à ses fidèles de plus en plus impatients et aux souffrances de plus en plus grandes davantage d'espoir et une plus grande chance de se venger des causes de leurs griefs historiques. Ceci est illustré le mieux possible par la destruction en vol d'un avion de ligne d'Air India par les Sikhs en 1985, qui a causé la mort de 328 personnes, ainsi que par les deux attentats-suicides commis par le Hezbollah contre la caserne de Marines américains et le quartier général français de la FINUL à Beyrouth en 1983, tuant 214 personnes dans un cas et 56 soldats dans l'autre. Les actes violents confèrent à ces groupes une sensation de pouvoir disproportionnée. Cette sensation est accentuée par la stratégie d'anonymat adoptée par le groupe, qui contribue à désorienter l'ennemi. En d'autres termes, les groupes terroristes se dissimulent derrière des prête-noms suivant le lieu d'où ils proviennent et celui vers où ils se dirigent. Les terroristes de religion musulmane, particulièrement les groupes chiites, utilisent une grande variété de prête-noms (dans le cas des chiites, cette pratique est fermement ancrée dans leur histoire avec la notion de *taqiyyah,* ou dissimulation) afin d'essayer de protéger leur communauté de la répression ou des représailles

---

37. Cf. Robert Fisk, « Party of God Develops its own Political Style », *Irish Times,* 9 février 1995.

38. Pour une discussion très intéressante de ce phénomène, cf. Gilles Kepel, *La revanche de Dieu*, Paris, Seuil, 1991.

de l'ennemi à la suite d'actes terroristes [39]. Néanmoins, ces prête-noms sont révélateurs des courants ou des directions au sein des mouvements en relation avec leur combat [40]. En tant que tels, les groupes terroristes tendent souvent à « accomplir leurs actes non pas pour l'audience, mais pour eux-mêmes » [41]. Bien que l'acte de violence en lui-même et de lui-même soit accompli principalement pour la propre communauté des terroristes comme un moyen de montrer sa force, il inclut naturellement des éléments plus larges de peur dans leurs cibles ennemies réelles ou potentielles. Ceux qui perpètrent des actes terroristes exploitent avec habileté cette peur en invoquant les symboles religieux, comme par exemple en diffusant des cassettes vidéo sur la liste sans fin des candidats au suicide prêts à être envoyés sur de nouvelles cibles.

Tandis que les extrémistes religieux frappent de manière identique les symboles de la tyrannie, ils sont relativement libres de toute contrainte en ce qui concerne le caractère meurtrier et aveugle de la violence, celle-ci étant menée et justifiée par la défense de la foi et de la communauté.

Reflétant la nature dialectique du combat lui-même, de nombreux groupes terroristes se réfèrent également à leurs ennemis étrangers ou laïcs en des termes déshumanisants, qui permettent de lever les contraintes morales qui pèsent sur eux dans leur emploi de méthodes terroristes particulièrement destructrices [42]. Comme l'a expliqué un rabbin extrémiste à propos des funérailles de Baruch Goldstein : « Il existe une grande différence entre le châtiment infligé à une personne qui blesse un juif et celui infligé à une personne blessant un Gentil. [...] La vie d'un

---

39. Pour un exposé détaillé sur la tradition de dissimulation dans le chiisme, il faut se référer à l'intervention du professeur Etan Kohlberg, de l'Université hébraïque, faite à l'Université de Tel-Aviv le 23 mai 1993.

40. Cf. Maskit Burgin, A. Merari et A. Kurz, eds., « Foreign Hostages in Lebanon », *JCCS Memorandum*, n° 25, août 1988, Université de Tel-Aviv, 1988.

41. Bruce Hoffman, *Holy Terror, op. cit.* (1993), voir note 7, p. 115.

42. Cf. Bruce Hoffman, « Holy Terror : The Implications of Terrorism Motivated by a Religious Imperative », *The First International Workshop on Low Intensity Conflits,* eds. A. Woodcock et al., Stockholm, Royal Society of Naval Sciences, 1995, p. 43.

juif vaut beaucoup plus que les vies de nombreux Gentils. »
Cette autopurification morale souligne la croyance selon laquelle
ceux qui perpètrent un crime se considèrent eux-mêmes comme
« un peuple choisi » par Dieu, qui possède non seulement une
légitimité religieuse et une justification de leur tendance à utiliser
la violence, mais qui agissent en étant également convaincus que
la violence se produit à une période de l'histoire sanctionnée par
Dieu. Par exemple, le dirigeant de la secte japonaise Aum, Shoko
Asahara, ainsi que ses fidèles pensaient que le monde viendrait
à son terme en 1997 et ils propagèrent un agent toxique dans le
métro de Tokyo afin de hâter l'avènement du nouveau millénaire [43].

En fait, le manque de toute contrainte morale dans l'utilisation
de la violence ne peut pas seulement être attribué à l'aspect total
du combat lui-même, mais également à la prépondérance des
jeunes hommes éduqués et nouvellement urbanisés parmi les
recrues (souvent dotés de visions du monde très radicales, dog-
matiques et intolérantes) des organisations terroristes religieuses
contemporaines [44]. Ce militantisme accru chez les jeunes générations de terroristes peut s'expliquer par la fragmentation des
groupes en factions rivales, mais également par l'exécution ou
l'emprisonnement des principaux fondateurs et idéologues [45] de

---

43. Cf. Andrew Pollack, « Cult's Prophecy of Disaster Draws Precautions in
Tokyo », *New York Times,* 15 avril 1995 ; ainsi que Andrew Brown, « Waiting for
the End of the World », *The Independent,* 24 mars 1995.

44. Par exemple, une enquête menée auprès des membres emprisonnés du
groupe égyptien al-Takfir wal Hijra (Anathème et exil) a révélé que le membre
moyen était âgé d'une vingtaine ou d'une trentaine d'années, était étudiant ou
récemment diplômé, avait des notes bien meilleures que la moyenne, vouait une
passion intense à la cause mais faisait preuve d'intolérance vis-à-vis des opinions
contraires et avait la volonté d'employer la violence si nécessaire. Cf. Ray Vicker,
« Islam on the March », *Wall Street Journal,* 12 février 1980. Pour un profil similaire des terroristes sikhs, cf. Carl H. Yaeger, « Sikh Terrorism in the Struggle for
Khalistan », *Terrorism,* 14, 1991, p. 227. Cf. également Hala Mustafa, « The Islamist Movements Under Mubarak », *The Islamist Dilemma : The Political Role of
Islamic Movements in the Contemporary Arab World,* ed. Laura Guazzone, Rea-
ding, Ithaca Press, 1995, p. 173.

45. Par exemple, cf. Paul Wilkinson, « Hamas : An Assessment », *Jane's Intelligence Review,* juillet 1993, pp. 313-314, ainsi que Ziad Abou-Amr, *Islamic Fun-*

ces groupes. Entraînant la mise à l'écart de l'appareil dirigeant et de la vieille génération de terroristes, l'expérience de la persécution et de la prison a conduit à la radicalisation des recrues plus jeunes dans les organisations [46]. Il semble également exister une relation inverse entre la taille et le caractère militant [47]. Les groupes terroristes chiites sont davantage enclins au martyre que leurs homologues sunnites, du fait d'héritages historiques différents et du rôle plus important que jouent les membres du clergé chiites dans la médiation directe entre l'homme et le Dieu. Néanmoins, quelques groupes sunnites ont récemment rompu avec cette tradition, comme l'ont montré la série sans précédent de 13 attentats-suicides menés par le Hamas en Israël (qui provoqua la mort de 136 personnes entre le 6 avril 1994 et le 4 mars 1996) après le massacre d'Hébron et, dans une moindre mesure, le plan déjoué du GIA de faire exploser l'avion d'Air France qu'il venait de détourner sur la ville de Paris en décembre 1994. Cependant, comme l'a expliqué le sheikh Fadlallah, « il n'existe pas de différence entre mourir un pistolet à la main ou se faire exploser. Dans une situation de lutte ou de guerre sainte, on doit trouver le meilleur moyen pour atteindre son objectif [48]. »

Tandis que le recours au martyre par certains groupes peut s'expliquer par un sens aigu d'une menace à l'encontre du groupe ou de la cause, il peut également s'expliquer par l'augmentation du degré d'internationalisation entre les groupes aussi bien en termes de contacts, de similarité de causes que comme des exemples de stratégies. Ceci est particulièrement évident parmi les groupes terroristes musulmans. De nombreux terroristes musulmans extrémistes, algériens, égyptiens et palestiniens, ont participé au conflit afghan aux côtés des moudjahi-

---

damentalism in the West Bank and Gaza, Indianapolis, Indiana University Press, 1994.

46. Comme on l'a démontré dans le cas de l'Égypte, « le Djihad ainsi que d'autres mouvements sont nés dans les prisons des (anciens présidents) Nasser et Sadate. » Cf. Robin Wright, « "Hoy Wars" : The Ominous Side of Religion in Politics », *The Christian Science Monitor,* 12 novembre 1987, p. 21.

47. Richard Hrair Dekmejian, *Islam in Revolution : Fundamentalism in the Arab World,* Syracuse, Syracuse University Press, 1985, pp. 61-62.

48. George Nader, *Middle East Insight,* juin-juillet 1985.

dines. Ils se sont formés au contact de ces combattants afghans et les ont soutenus tant physiquement qu'idéologiquement dans une guerre « pour la création d'un nouvel ordre social révolutionnaire tout autant que pour la libération nationale [49] ». Exemple significatif d'une cause révolutionnaire dans un contexte sunnite s'opposant à l'exemple chiite plus restreint de la révolution iranienne, le conflit afghan a servi de terrain d'entraînement en vue de leurs propres luttes durant les années 80 : à la suite de la chute du communisme, ces combattants sont retournés dans leurs pays respectifs pour radicaliser la lutte islamique, recourant à une violence accrue dans le processus, soit au sein des mouvements existants, soit en créant des groupes dissidents.

Néanmoins, les mécanismes de déclenchement des actes de terrorisme religieux, en termes d'intensité, de méthodes et de calendrier, sont étroitement contrôlés par le sommet de la hiérarchie et la plupart du temps soumis à sa bénédiction. Ceci a été clairement démontré en 1984 par le complot ourdi par le Gush Emunim visant à faire sauter le Mont du Temple (ou Dôme du Rocher), le troisième site sacré de l'Islam, en partie pour des raisons messianiques (afin de causer un cataclysme sous la forme d'une guerre entre Juifs et musulmans pour hâter l'avènement du messie) et en partie afin de contrecarrer le retour aux Arabes de la terre sacrée des Juifs en échange de la paix consacrée par les accords de Camp David. Cet acte de terrorisme ne s'est jamais concrétisé du fait du manque de soutien de la part des rabbins [50]. De la même manière, les dirigeants spirituels au sein des organisations islamistes terroristes jouent également un rôle pivot, comme l'a démontré la place centrale du sheikh Omar

---

49. Cf. Anthony Davies, « Foreign Combattants in Afghanistan », *Jane's Intelligence Review,* juillet 1993, p. 327. Cf. également Raymond Whitaker, « Afghani Veterans Fan out to Spread the World – and Terror », *The Independent,* 16 avril 1995.

50. Pour une discussion détaillée de ce plan, cf. Ehud Sprinzak, « Three Models of Religious Violence : The Case of Jewish Fundamentalism in Israël », *Fundamentalism and the State, op. cit.,* pp. 475-476. Comme l'a écrit Sprinzak : « Il n'y a pas un seul acte commis par les terroristes juifs qui ait jamais reçu un soutien rabbinique », *Yediot Aharonot,* 18 mars 1994.

Abdel Rahman, de l'organisation égyptienne Jamaa Islamiya, dans la directive ou fatwa à l'origine de l'assassinat d'Anouar el-Sadate en 1981 ainsi que dans celle ayant ordonné l'attentat contre le World Trade Center en 1993 [51]. Ainsi, dans la plupart des cas, la nature strictement hiérarchique des groupes terroristes religieux disposant d'une structure hautement disciplinée et de cadres obéissants, ne signifie pas seulement que les principaux dirigeants ecclésiastiques ont le contrôle total des activités politiques et militaires de l'organisation mais également que les stratégies du terrorisme sont appliquées en fonction de directives politiques générales [52].

Néanmoins, l'utilisation et la sanction de la violence religieuse requièrent des ennemis clairement définis. Les groupes terroristes récemment formés n'apparaissent pas à la faveur d'un vide, de même que leurs membres ne sont pas nécessairement nés extrémistes. L'identité de l'ennemi ainsi que la décision d'utiliser la violence religieuse contre celui-ci dépendent et sont façonnées par le degré aigu de perception de la crise qui menace leur foi et leur communauté. Celle-ci, à son tour, est influencée par l'héritage historique de la répression politique, des inégalités économiques ou des bouleversements sociaux, et peut être exacerbée par des conflits ethniques. A l'intérieur, cette activité militante peut être dirigée contre la corruption ou l'injustice du système politique, ou contre d'autres communautés religieuses ; à l'extérieur, elle peut se concentrer sur les influences étrangères, qui représentent une menace culturelle, économique ou politique à l'encontre de leurs communautés religieuses respectives. L'Occident, particulièrement les États-Unis et Israël, a tendance à être la cible favorite de cette activité militante, surtout par les terroristes de religion musulmane [53].

---

51. Cf. Youssef M. Ibrahim, « Muslim Edicts Take on New Force », *New York Times,* 12 février 1995 ; ainsi que Philip Jacobson, « Muhammad's Ally », *The Times Magazine,* 4 décembre 1993.

52. Par exemple, cf. *Maariv*, 28 février 1996 ; cf. Zeev Chafets, « Israël's Quiet Anger », *New York Times,* 7 novembre 1995.

53. Comme l'a révélé le manifeste du Hezbollah en 1985 : « L'imam Khomeiny, le chef, a souligné à plusieurs reprises que l'Amérique est à l'origine de toutes les catastrophes qui nous frappent et à la source de tout mal. En les combat-

Les sentiments anti-occidentaux et l'hostilité intense vis-à-vis d'Israël sont le résultat de l'héritage historique de l'oppression politique et de la marginalisation socio-économique qui sévissent dans le monde arabe. Cette hostilité se combine au discrédit des idéologies laïques ainsi qu'au manque de légitimité des élites économiques et politiques actuelles, particulièrement depuis la défaite des Arabes en 1967 face à Israël [54]. Cette impression de crise a été exacerbée par le conflit israélo-arabe, qui a contribué à renforcer le complexe d'infériorité des musulmans du fait de l'incapacité de l'ensemble des régimes arabes ou des Palestiniens laïcs à vaincre Israël. Simultanément, l'Occident est perçu comme pratiquant le néo-colonialisme par le biais de son agent israélien et par son soutien aux régimes « non islamiques » et « illégitimes » existant dans le monde arabe. Ainsi, les mouvements islamistes et leurs bras armés « terroristes » se sont propulsés par étapes sur l'avant-scène de la politique et se sont présentés comme les vrais défenseurs des opprimés et des déshérités et comme l'unique fer de lance efficace contre l'existence d'Israël au cœur du territoire musulman et la présence de l'intervention des Occidentaux dans la région. En marge des dimensions religieuses de la perte de la Palestine au profit du sionisme, les militants musulmans recourent abondamment au symbolisme de l'héritage historique des croisades, opposant la chrétienté à l'islam, afin d'expliquer leur condition actuelle d'opprimés et de déshérités et de fournir des moyens de se défendre contre la menace de l'encerclement occidental et de la laïcisation [55]. Les terroristes musulmans réutilisent ces symboles religieux historiques afin que ceux-ci rendent compte des conditions actuelles

---

tant, nous exerçons seulement notre droit légitime de défendre l'islam ainsi que la dignité de notre nation. » Cf. le manifeste du Hezbollah reproduit dans Augustus Richard Norton, *Amal and the Shi'a : Struggle for the Soul of Lebanon,* Austin, University of Texas Press, 1987, pp. 167-187. Cf. également Martin Kramer, « The Jihad Against the Jews », *Commentary,* octobre 1994, pp. 38-42.

54. Par exemple, cf. David Wurmser, « The Rise and Fall of the Arab World », *Strategic Review,* été 1993, pp. 33-46.

55. Cf. Fred Halliday, *Islam and Myth of Confrontation,* Londres, I. B. Tauris, 1995.

et puissent inspirer l'action politique et la violence révolutionnaire.

Tandis que l'identité de l'ennemi est profondément ancrée aussi bien dans l'histoire ancienne que dans l'histoire récente, le recours au terrorisme et la direction prise par les mouvements musulmans militants contre les adversaires étrangers ont suivi des phases différentes en fonction des changements intervenus dans le contexte politique et idéologique dans la région. Ces phases sont directement influencées par la révolution iranienne de 1979, la résistance musulmane menée par les moudjahidines face aux Soviétiques en Afghanistan, la victoire électorale du Front islamique du salut (FIS) en Algérie en 1990 et 1991 et la signature de la Déclaration de principe israélo-palestinienne en septembre 1993. La révolution iranienne a fourni un modèle révolutionnaire à l'islam et a inspiré les mouvements islamiques en les enjoignant de défier les régimes existant chez eux. L'internationalisation de la violence terroriste musulmane contre l'Occident et Israël durant les années 80 a soutenu l'Iran dans ses efforts pour exporter la révolution à l'étranger et a été un instrument d'un bon rapport qualité-prix afin de tenter de changer les politiques étrangères des États occidentaux hostiles à la République islamique[56]. Le mouvement libanais du Hezbollah, en particulier, a été très utile au régime iranien pour mener à bien ces objectifs. Cela a également fourni à l'Iran l'occasion de participer indirectement au conflit israélo-arabe[57]. En outre, les combattants musulmans d'Afghanistan, au cours des années 80, ont créé d'importants réseaux entre différents groupes et individus, ce qui a accéléré l'activisme des groupes musulmans chez eux à la faveur du retour dans leurs pays de ces combattants. La victoire électorale du FIS en Algérie a démontré aux groupes terroristes musulmans qu'ils pouvaient utiliser l'urne plutôt que

---

56. Par exemple, cf. Alvin H. Bernstein, « Iran's Low-Intensity War against the United States », *Orbis,* 30, printemps 1986, pp. 149-167 ; ainsi que Sean K. Anderson, « Iran : Terrorism and Islamic Fundamentalism », *Low Intensity conflict : Old Threats in a New World,* eds. Edwin G. Corr et Stephen Sloan, Oxford, Westview Press, 1992, pp. 173-195.

57. Cf. Magnus Ranstorp, *Hizballah in Lebanon : The Politics of the Western Hostage-Crisis,* Londres, Macmillan, 1996.

de s'appuyer uniquement sur les armes dans leurs efforts pour prendre le pouvoir. L'annulation des élections par la junte militaire algérienne a conduit à la radicalisation des islamistes et les a obligés à se retourner vers le terrorisme contre l'État algérien lui-même, ainsi que contre le gouvernement français accusé de le soutenir.

La résolution graduelle du conflit israélo-palestinien menaçait l'objectif panislamique commun à tous les mouvements islamistes militants de libération de Jérusalem. Cette menace a conduit à une coordination accélérée entre les groupes terroristes islamistes dans leurs efforts pour saboter le processus de paix et dans leur militantisme accru contre l'Occident, Israël ainsi que des États arabes les soutenant. Les ailes politiques de ces groupes terroristes cherchent en même temps à poursuivre et à étendre le processus de réislamisation par le bas de la société. La jonction de ces facteurs lors des deux dernières décennies a accru le militantisme des terroristes musulmans, tout en démontrant clairement que ceux-ci se sont adaptés aux changements de l'environnement local, régional et international, ainsi que leur aptitude à reformuler leurs stratégies en matière d'action politique et militaire en fonction de leurs efforts pour protéger, étendre ou venger leurs communautés religieuses.

Les moyens, les méthodes et le calendrier des terroristes religieux

Par comparaison avec leurs homologues laïcs, les terroristes religieux n'ont pas été particulièrement inventifs lorsqu'il s'est agi d'utiliser de nouveaux types d'armement dans leurs arsenaux, s'appuyant plutôt sur les bombes traditionnelles et sur les armes légères [58]. Néanmoins, les terroristes religieux ont fait preuve de beaucoup d'ingéniosité en termes de tactique dans la sélection des moyens, des méthodes et du calendrier afin de causer le maximum d'effets. Ils ont utilisé la notion de martyre et de sacrifice de soi, par le biais des attentats-suicides, comme dernier recours face à leurs ennemis disposant d'une grande

---

58. Cf. Bruce Hoffman, *Holy Terror, op. cit.*

supériorité militaire. Cette tactique a été utilisée pour la première fois par le Hezbollah contre les contingents militaires américains, français puis, plus tard, israéliens présents au Liban en 1983. Il s'agissait de prendre modèle sur les actions des troupes de choc des Gardiens de la Révolution iranienne lors de leur guerre contre l'Irak. Tandis que les ecclésiastiques du Hezbollah ont progressivement rencontré des dilemmes théologiques en continuant à condamner cette méthode – le suicide étant généralement interdit par l'islam, sauf en cas de circonstances particulièrement inhabituelles –, le mouvement Hamas s'est senti obligé d'adopter les attentats-suicides en 1994 comme dernier recours afin de saboter le processus de paix israélo-palestinien [59]. La tactique de l'attentat-suicide fut également utilisée afin de se venger de l'« ennemi sioniste » après l'attaque d'Hébron. Tandis qu'un petit nombre de groupes terroristes adoptait une campagne d'attentats, les terroristes religieux utilisèrent habilement de façon conjointe les méthodes traditionnelles de l'assassinat, des enlèvements, des détournements d'avion et des attentats en liaison avec le contexte politique local, régional et international.

Les cibles sont presque toujours de nature symbolique et sont soigneusement sélectionnées afin de causer le maximum de traumatisme psychologique à l'ennemi et de faire valoir les lettres de noblesse religieuse du groupe terroriste aux yeux de ses propres fidèles. Ceci est particulièrement clair lorsque l'on voit que le choix des terroristes religieux se porte sur les ambassades occidentales, les compagnies aériennes, les diplomates et les touristes étrangers, comme s'ils frappaient symboliquement le cœur de leurs oppresseurs. Ceci est évident dans le choix effectué par les fidèles du cheikh Rhaman, des principaux points à frapper à New York, ou dans les attaques menées par le Hezbollah contre les installations diplomatiques et militaires américaines [60]. Dans de nombreux cas, ces groupes ont adopté des approches mul-

---

59. Cf. Martin Kramer, « The Moral Logic of Hizbollah », in *Origins of Terrorism : Psychologies, Ideologies, Theologies, States of Mind,* ed. Walter Reich, Cambridge, Cambridge University Press, 1990, pp. 131-157.

60. Cf. Robert Jenkins, « The Islamic Connection », *Security Management,* juillet 1993, pp. 25-30.

tiples dans leur utilisation du terrorisme. Par exemple, en Algérie le FIS a pris pour cible les touristes étrangers, les hommes d'affaires, les diplomates, les représentants de l'État algérien ainsi que d'autres Algériens qui sont impliqués dans des activités non islamiques (c'est-à-dire les femmes qui ne portent pas le voile ou encore toute forme de culture occidentale). Au même moment, il s'engage dans la réislamisation par le bas de la société et mène simultanément une guerre d'usure sur le sol français contre des cibles civiles et officielles symboliques. Dans d'autres cas, les terroristes religieux ont utilisé des symboles forts afin de provoquer des réactions délibérées de l'ennemi, comme les décapitations de vaches entreprises par Dal Khalsa à l'extérieur de deux temples hindous à Amritsar, ce qui conduisit à des désordres importants entre les sikhs et les hindous en avril 1982 [61]. Ce type de symbolisme se rencontre également dans l'incendie criminel en 1969 contre la mosquée Al-Aqsa à Jérusalem-Est, perpétré par un Juif extrémiste, ainsi que dans le plan de 1982 ourdi par des fanatiques juifs prévoyant de faire sauter le Mont du Temple afin de déclencher une guerre entre Juifs et musulmans [62].

En fin de compte, la date de la violence est soigneusement sélectionnée par les terroristes religieux afin de correspondre à leurs propres exigences théologiques ou afin de s'en prendre aux fêtes religieuses de leurs ennemis. Par exemple, l'attentat de 1995 contre le bâtiment fédéral Alfred P. Murrah à Oklahoma City par des militants de la « suprématie blanche » a, semble-t-il, été tiré des *Turner Diaries,* mais la date a également été choisie pour célébrer le deux cent vingtième anniversaire du début de la révolution américaine à Lexington et Concorde [63]. De la même manière, le symbolisme de la date

---

61. Cf. Guy Arnold et al., eds., *Revolutionary and Dissident Movement : An International Guide,* Harlow, Longman Group, 1991, p. 141.

62. Cf. Mir Zohair Hussein, *Global Islamic Politics,* New York, Harper and Collins, 1995, pp. 186-200.

63. Cf. Bruce Hoffman, « Intelligence and Terrorism : Emerging Threats and New Security Challenges in the Post-Cold War Era », *Intelligence and National Security,* 11, n° 3, avril 1996, p. 214. Pour une discussion plus large au sujet du

pour déclencher la violence religieuse est également évident dans la décision du GIA de détourner un avion d'Air France à Noël après le meurtre de deux prêtres catholiques, ou encore dans le cycle de violences déclenché par les attentats-suicides du Hamas contre Israël en février 1996, lors du deuxième anniversaire du massacre d'Hébron.

Conclusion

Cet article a cherché à démontrer que, contrairement à un sentiment répandu, la nature et l'ampleur du terrorisme religieux ne sont absolument pas désorganisées ou menées à l'aveuglette, mais plutôt guidées par une logique propre commune à différents groupes qui utilisent la violence politique afin de faire progresser leur cause sacrée. Le recours au terrorisme pour des impératifs religieux n'est pas non plus un nouveau phénomène mais est, au contraire, profondément ancré dans l'histoire et l'histoire des religions. Les religions ont, selon l'époque, défini les causes et les ennemis ainsi que les moyens, les méthodes et les buts de la violence. Ainsi, l'explosion du terrorisme religieux aujourd'hui fait partie d'un processus qui peut s'apparenter à une lutte de libération du joug néo-colonial. L'incertitude et l'imprévisibilité de l'environnement actuel, alors que le monde est à la recherche d'un nouvel ordre planétaire, au sein d'un environnement de plus en plus complexe où les conflits ethniques et nationalistes sont légion, offrent à de nombreux groupes terroristes religieux l'occasion et les moyens de façonner l'histoire en fonction de la cause et du mandat qu'ils se sont fixés, tout en indiquant aux autres que la fin du monde est proche. Il est impératif d'arrêter de traiter cette nouvelle force religieuse comme une entité monolithique, pour chercher à comprendre la logique propre de ces groupes particuliers et des mécanismes qui produisent le terrorisme, afin de les priver du terreau favorable à

---

terrorisme millénariste, cf. Michael Barkun, ed., *Millenialism and Violence*, Londres, Frank Cass, 1996.

leur croissance. A l'heure qu'il est, il est loin d'être sûr que les États-Unis ou les autres gouvernements occidentaux soient préparés à relever ce défi de manière appropriée.

Traduction revue par Anthony Berrett

4

Les terrorismes
et la réponse américaine

Bruce HOFFMAN *

Le terrorisme est en train de changer. De nouveaux adversaires, de nouvelles motivations et de nouveaux raisonnements ont émergé lors des dernières années et représentent un défi à la plupart des lieux communs concernant à la fois les terroristes et le terrorisme. Il est peut-être encore plus important de constater que beaucoup de nos conceptions – ainsi que les politiques gouvernementales – remontent à l'époque de l'apparition du terrorisme en tant que problème global de sécurité, il y a plus d'un quart de siècle. Elles trouvent leur origine et leur ancrage durant la guerre froide, lorsque les groupes terroristes radicaux d'extrême gauche, alors actifs dans le monde entier, étaient majoritairement considérés comme la menace la plus sérieuse pour la sécurité de l'Occident [1]. Les modifications ou les ajustements intervenus depuis lors ne sont pas tous dépassés, ayant été mis en œuvre pour la plupart il y a une décennie, en réponse à la série d'attentats-suicides à l'encontre de cibles diplomatiques et

---

* Le Dr Bruce Hoffman est directeur de la Rand Corporation à Washington D.C.

1. Certains observateurs ont fait valoir que ces groupes étaient en fait une partie d'un vaste complot communiste mondial orchestré depuis Moscou et mis en œuvre par les États qui faisaient allégeance. Cf. particulièrement Claire Sterling, *The Terror Network : The Secret War of International Terrorism*, New York, Holt, Rinehart and Winston, 1981.

militaires occidentales au Moyen-Orient, qui ont souligné la menace grandissante d'un terrorisme soutenu par des États.

La non-pertinence d'au moins une partie de cette pensée, en regard de nombreux aspects du problème terroriste tel qu'il existe aujourd'hui, est peut-être plus clairement mise en évidence par les changements intervenus dans notre perception du « stéréotype » de l'organisation terroriste. Dans le passé, les groupes terroristes s'apparentaient pour la plupart à un regroupement d'individus appartenant à une organisation disposant d'un appareil de commandement et de contrôle bien défini, auparavant formés (quoique de manière rudimentaire) aux techniques et aux tactiques terroristes, et impliqués dans une conspiration considérée comme un engagement à plein-temps, vivant clandestinement tout en planifiant constamment et secrètement des attaques terroristes, parfois sous le contrôle direct ou opérant sous l'injonction expresse d'un gouvernement étranger [2]. De plus, ces groupes disposaient d'une série d'objectifs définis de nature politique, sociale ou économique et rendaient publics des communiqués revendiquant et expliquant (souvent dans une prose obtuse et terriblement pompeuse) leurs actions. En conséquence, quelque condamnables et répugnants qu'aient pu être les terroristes et leur tactique, nous savions au moins qui ils étaient et ce qu'ils voulaient.

A l'heure actuelle, ces types « traditionnels » et familiers d'organisations ethniques nationalistes, séparatistes aussi bien qu'idéologiques [3], ont été rejoints par une variété d'« entités » aux motivations nationalistes ou idéologiques beaucoup moins

---

2. Citons ici l'exemple le plus évident et sans doute le plus connu : à la fin des années 80, le colonel Kadhafi a, semble-t-il, demandé à l'Armée rouge japonaise de lancer des attaques sur des cibles américaines et britanniques en représailles aux bombardements américains sur la Libye menés en 1986. L'Armée rouge japonaise utilisa le nom de Brigades internationales anti-impérialistes pour revendiquer ces opérations.

3. Il s'agit ici de la variété des organisations gauchistes radicales mentionnées ci-après (à savoir les mouvements marxistes-léninistes, maoïstes, staliniens), actives dans le passé, telles que la Fraction armée rouge en Allemagne et les Brigades rouges en Italie, ainsi que des groupes terroristes ethniques nationalistes et séparatistes du type de l'OLP, de l'IRA, de l'ETA basque, etc.

claires. Cette « nouvelle génération » de groupes terroristes, non seulement, épouse fréquemment des causes religieuses et millénaristes aux contours mal définis, mais a une moindre cohésion, une structure plus floue et ses membres sont beaucoup plus difficiles à cerner. Dans ce sens, l'émergence de mouvements millénaristes plus ou moins obscurs [4] ou de groupes faisant preuve de zèle nationaliste ou religieux représente une menace bien différente et potentiellement beaucoup plus dangereuse que ne l'étaient les adversaires terroristes plus « traditionnels » mentionnés ci-dessus.

LE CARACTÈRE DE PLUS EN PLUS FATAL DU TERRORISME

Bien que le nombre total des incidents terroristes dans le monde ait décliné dans les années 90, la proportion de personnes tuées dans des attentats terroristes a augmenté de manière significative. Par exemple, selon une chronologie réalisée conjointement par la Rand Corporation et par l'université de Saint Andrews sur le terrorisme international [5], le chiffre record de

---

4. Cela inclut les organisations militantes antigouvernementales paramilitaires d'extrême droite qui sont apparues aux États-Unis et ont été soupçonnées d'avoir un lien avec l'attentat d'avril 1995 qui a détruit un bâtiment fédéral à Oklahoma City, ou encore la secte religieuse japonaise Aum Shinrikyo, responsable de l'attaque au gaz toxique dans le métro de Tokyo en mars 1995.
5. Cette chronologie inclut une base de données informatisée recensant les incidents terroristes qui se sont produits dans le monde entier de 1968 à aujourd'hui. La chronologie a été constamment mise à jour depuis 1972 (date à laquelle elle fut créée par Brian Jenkins), d'abord par un célèbre *think tank* américain, la Rand Corporation, à Santa Monica, Californie, et depuis 1994 par le Centre d'études du terrorisme et de la violence politique de l'université de Saint Andrews, Écosse. La majorité des incidents recensés dans la chronologie se rapportent au *terrorisme international,* défini ici comme les incidents pour lesquels les terroristes se rendent à l'étranger afin de frapper leurs cibles, choisir leurs victimes ou leurs cibles en relation avec un État étranger (par exemple, des diplomates, des hommes d'affaires étrangers, des bureaux ou des entreprises étrangères), ou pour créer des incidents internationaux par l'attaque d'avions de ligne, de personnel ou d'équipement. Cette classification exclut la violence provoquée par les terroristes dans leur propre pays à l'encontre de leurs compatriotes, ainsi que le terrorisme perpétré par les gou-

484 incidents terroristes a été recensé en 1991, année de la guerre du Golfe, suivi de 343 en 1992, 360 en 1993, 353 en 1994, tombant à 278 en 1995 (dernière année pour laquelle des statistiques complètes sont disponibles)[6]. Néanmoins, tout en devenant moins actifs, les terroristes n'en devenaient pas moins beaucoup plus dangereux. Par exemple, au moins une personne trouvait la mort dans 29 % des attentats en 1995 : c'est le pourcentage le plus élevé de décès lors d'actes terroristes depuis 1968, et cela représente une augmentation de 2 % par rapport au chiffre record de l'année précédente[7]. Aux États-Unis, cette tendance s'est reflétée de manière très claire dans l'attentat commis en 1995 contre le bâtiment fédéral Alfred P. Murrah à Oklahoma City. Depuis le début du siècle, moins d'une douzaine d'actes terroristes commis dans le monde entier ont causé la mort de plus de 100 personnes. Le bilan de 168 personnes tuées dans l'attentat d'Oklahoma City est le sixième dans la liste des attentats les plus meurtriers de ce siècle, qu'ils soient de nature interne ou internationale[8].

---

vernements à l'encontre de leurs propres citoyens. On doit également souligner que les données contenues dans la chronologie cherchent seulement à illustrer les faits et ne prétendent pas être un recensement définitif de tous les incidents terroristes s'étant produits dans le monde depuis 1968. Sa valeur tient donc dans le fait qu'elle représente un moyen d'identifier des tendances en matière de terrorisme et de prévoir les configurations terroristes susceptibles de se produire dans l'avenir.

6. Afin de servir à la chronologie sur le terrorisme de la Rand et de Saint Andrews, le *terrorisme* est défini par la nature de l'acte et non par l'identité de ceux qui l'ont perpétré ou par la nature de la cause. Le terrorisme est donc compris ici comme violence ou menace de violence, calculée pour créer un climat de peur et de panique, et ce afin de parvenir à des objectifs politiques.

7. Les tendances terroristes pour 1994 fournissent une illustration particulièrement pertinente de ce développement. Par exemple, tandis que 1994 fut une année peu remarquable du point de vue du nombre total d'incidents terroristes, les 423 décès recensés cette année-là furent néanmoins le cinquième bilan le plus élevé observé dans la chronologie depuis 1968 : un nombre record de 800 décès a été relevé en 1987, suivi par 663 en 1988, 661 en 1983, et 467 en 1993 (source : Rand-Saint Andrews Chronology of International Terrorism).

8. Les autres attentats incluent : 1) l'incendie volontaire d'un cinéma à Abadan en 1979 qui provoqua la mort de plus de 400 personnes, 2) l'explosion en vol en 1985 d'un avion de ligne d'Air India qui tua les 328 passagers, 3) la destruction du vol 103 de la Pan Am en 1988 qui fit 278 morts, 4) l'attentat en 1983 contre la caserne de marines américains au Liban (241 victimes), 5) l'explosion d'un

Les raisons de l'accroissement du caractère mortel du terrorisme sont complexes et variées, mais on peut généralement les résumer par :
– l'augmentation du nombre de groupes terroristes motivés par des considérations religieuses ;
– la prolifération d'« amateurs » impliqués dans des actes terroristes ;
– la sophistication accrue ainsi que la meilleure compétence opérationnelle des terroristes « professionnels ».

Le terrorisme religieux

L'accroissement du terrorisme motivé par des impératifs religieux met clairement en lumière la jonction des nouveaux adversaires, des motivations et des raisonnements affectant les configurations terroristes actuelles. Bien sûr, le lien entre religion et terrorisme n'est pas nouveau [9]. Néanmoins, même si la religion et le terrorisme ont une longue histoire commune, dans les dernières décennies cette variante particulière a été largement supplantée par un terrorisme de nature ethnique-nationaliste-séparatiste ou religieuse. En effet, aucun des 11 groupes terroristes identifiables [10] actifs en 1968 (année considérée comme mar-

---

avion français de la compagnie UTA (171 morts), 6) l'attentat d'Oklahoma City, 7) un attentat en 1925 dans une cathédrale bondée à Sofia, Bulgarie, dans lequel 128 personnes furent tuées, 8) la destruction en vol en 1989 d'un avion colombien (107 morts), 9) l'attentat de la gare de Bologne en 1980 qui fit 84 morts et 10) la bombe qui explosa dans un centre de télécommunications à Téhéran en 1974 et qui tua 82 personnes. Comme l'expert en matière de terrorisme Brian Jenkins l'a noté en 1985 dans la liste dont la précédente est une version actualisée : « Abaisser le critère à 50 morts nous donnerait une douzaine de cas supplémentaires. Pour obtenir un échantillon significatif, il faudrait abaisser le seuil à 25. Cela suggère qu'il est très difficile de tuer un grand nombre de personnes ou que cela a été très rarement tenté. » Brian M. Jenkins, *The Likelihood of Nuclear Terrorism*, Santa Monica, Californie, Rand, P-7119, juillet 1985, p. 7.

9. Comme le souligne David C. Rapoport dans sa remarquable étude sur ce qu'il nomme la « terreur sacrée », jusqu'au XIXᵉ siècle « la religion a fourni les seules justifications acceptables de la terreur ». David C. Rapoport, « Fear and Trembling : Terrorism in Three Religious Traditions », *American Political Science Review,* vol. 78, nº 3, septembre 1984, p. 659.

10. Les chiffres concernant les groupes terroristes actifs *identifiables* de 1968 à aujourd'hui sont tirés de la chronologie déjà citée.

quant l'avènement du terrorisme international moderne) ne pourrait être qualifié de « religieux » [11]. Ce n'est, en fait, pas avant 1980 – résultat des répercussions de la révolution en Iran l'année précédente – que les premiers groupes terroristes « modernes » d'obédience religieuse sont apparus [12], mais ils ne représentent que deux des 64 groupes terroristes actifs cette année-là. Douze ans plus tard, cependant, le nombre de groupes terroristes religieux a été presque multiplié par six, représentant un quart (11 sur 48) des organisations terroristes ayant mené des attaques en 1992. De manière significative, non seulement cette tendance s'est poursuivie, mais elle s'est également accélérée. En 1994, un tiers (16) des 49 groupes terroristes identifiables pouvaient être classés comme ayant un caractère et/ou une motivation religieuse. L'année dernière, leur nombre s'est encore accru pour atteindre à présent presque la moitié (26, soit 46 %) des 56 groupes terroristes actifs connus en 1995.

La part du terrorisme motivé par des impératifs religieux à caractère meurtrier très élevé est mise en évidence par les méfaits violents des différents groupes terroristes islamistes chiites durant les années 80. Par exemple, bien que ces organisations n'aient commis que 8 % du total des actions terroristes recensées entre 1982 et 1989, elles n'en sont pas moins responsables de près de 30 % du nombre total de décès durant cette même période [13]. En effet, certains des actes terroristes les plus importants des dix-huit derniers mois, par exemple, ont revêtu

---

11. En conséquence, beaucoup de groupes terroristes contemporains – comme l'IRA, très majoritairement catholique, leurs homologues protestants regroupés dans divers groupes paramilitaires comme l'Ulster Freedom Fighters, l'Ulster Volunteer Force ainsi que les Red Hand Commandos, de même que l'OLP à majorité musulmane – ont une forte composante religieuse. Néanmoins, c'est l'aspect politique et non pas religieux qui est la caractéristique dominante de ces groupes, comme le prouve la prééminence des revendications nationalistes et/ou irrédentistes.

12. Le groupe chiite al-Dawa soutenu par l'Iran ainsi que le Comité de sauvegarde de la révolution islamique.

13. Selon la chronologie déjà citée, entre 1982 et 1989 les groupes terroristes chiites ont commis 247 attentats mais ont été responsables de la mort de 1 057 personnes.

un élément religieux [14]. Dans certains cas, les objectifs de ceux qui perpètrent ces attentats ne vont pas jusqu'à l'établissement d'une quelconque théocratie [15], mais épousent des impératifs mystiques, plus ou moins transcendantaux et inspirés par un dieu [16], ou encore une forme véhémente de « populisme » aux relents antigouvernementaux s'inspirant de la thèse du complot basée sur un mélange flou d'injonctions de nature séditieuse, raciale ou religieuse [17].

Le terrorisme religieux [18] a tendance à être davantage meurtrier que le terrorisme laïc du fait de systèmes de valeurs radicalement différents, de mécanismes de légitimation et de justification, de concepts moraux et de visions du monde manichéennes qui influencent directement les motivations des

---

14. Cela comprend : l'attaque au gaz sarin commise en mars 1995 dans le métro de Tokyo perpétrée par une secte japonaise, Aum Shinrikyo ; la destruction le mois suivant d'un bâtiment gouvernemental à Oklahoma City ; la série d'attentats aveugles qui ont affecté la France entre juillet et octobre 1995 et de nouveau en décembre 1996 ; l'assassinat en novembre 1995 du Premier ministre israélien Ytzhak Rabin (et sa signification comme le premier d'une série d'attentats cherchant à déstabiliser le processus de paix) ; l'attentat qui a détruit un centre d'entraînement militaire américano-saoudien à Riyad en novembre 1995 ainsi qu'une caserne de l'armée de l'air américaine à Dahran au mois de juin suivant ; ainsi que la série d'attentats-suicides du Hamas qui ont ensanglanté Israël en février et mars 1996.

15. Par exemple, la création de républiques islamiques sur le modèle de l'Iran dans des pays majoritairement musulmans comme l'Algérie, l'Égypte et l'Arabie saoudite.

16. L'attaque au gaz sarin dans le métro de Tokyo en mars 1995 menée par la secte Aum faisait partie d'un projet visant à renverser le gouvernement japonais et à établir un nouvel État japonais basé sur le culte du fondateur du groupe, Shoko Asahara.

17. Le projet à long terme prêté aux partisans américains de la « suprématie blanche » impliqués dans l'attentat d'Oklahoma City était de faciliter une « révolution blanche » aux États-Unis et de provoquer de ce fait une formidable « guerre des races » qui aurait permis l'établissement d'un « foyer national réservé aux Blancs » dans les États de la côte Pacifique du nord-ouest des États-Unis, et ce en application d'une directive théologique.

18. Pour une discussion plus complète et plus détaillée de cette catégorie particulière d'organisation terroriste, cf. Bruce Hoffman, « Holy Terror : the Implications of Terrorism Motivated by a Religious Imperative », *Studies in Conflict and Terrorism,* vol. 18, n° 4, hiver 1995, également publié dans *Rand Paper Series,* juillet 1993, P-7834.

« terroristes sacrés ». Aux yeux du terroriste religieux, la violence est, d'abord et avant tout, un acte sacré et un devoir divin : celui-ci est exécuté comme réponse à une exigence théologique et est justifié par les Saintes Écritures. La religion, de ce fait, fonctionne comme une force légitimatrice : elle sanctionne l'utilisation à grande échelle de la violence à l'encontre d'une catégorie d'opposants toujours plus nombreux (c'est-à-dire toutes les personnes qui ne pratiquent pas la même religion ou n'appartiennent pas à la même communauté que celle des terroristes religieux). Cela explique pourquoi la caution religieuse est si importante pour les terroristes religieux [19] et pourquoi les dignitaires religieux sont si souvent invoqués pour « bénir » (c'est-à-dire approuver) les opérations terroristes avant qu'elles ne soient exécutées.

Les terroristes « amateurs »

La prolifération d'« amateurs » impliqués dans des actes terroristes a également contribué à l'accroissement du caractère meurtrier du terrorisme. Dans le passé, le terrorisme n'était pas seulement une question de volonté et de motivation d'agir, mais de capacité à le faire – c'est-à-dire d'entraînement approprié, de possession d'armement et de connaissance opérationnelle. Il ne s'agissait pas de capacités disponibles immédiatement, il fallait généralement les acquérir au moyen d'un apprentissage adéquat dispensé dans des camps dirigés par d'autres organisations terroristes et/ou gérés de concert avec les États soutenant ces terroristes [20]. Aujourd'hui, néanmoins, les moyens et les méthodes

---

19. Par exemple, la fatwa (commandement religieux islamique) édictée par les membres du clergé chiite appelant au meurtre de Salman Rushdie ; la « bénédiction » donnée à l'attentat contre le World Trade Center de New York par le dignitaire sunnite égyptien cheikh Omar Abdel Rahman ; la caution apportée par les rabbins à la violence commise par des extrémistes de droite israéliens à l'encontre d'Arabes en Cisjordanie et à Gaza ; l'approbation donnée par les dignitaires religieux libanais aux opérations du Hezbollah ainsi qu'à celles de leurs homologues du Hamas dans la bande de Gaza ; et le rôle pivot joué par Shoko Asahara, chef religieux de la secte japonaise Aum, par rapport à ses disciples.

20. Par exemple, dans la douzaine de camps d'entraînement terroristes opérant depuis longtemps sous l'égide de la Syrie dans la vallée de la Bekaa, au Liban ;

du terrorisme peuvent s'acquérir aisément dans des magasins, par le biais du courrier électronique, sur des CD-rom ou même sur Internet. De ce fait, le terrorisme est devenu accessible à toute personne nourrissant une quelconque rancœur dotée d'un projet, cherchant à atteindre un but, ou encore une combinaison de ces éléments.

En s'appuyant sur des manuels et des guides facilement disponibles dans le commerce, qui expliquent comment fabriquer une bombe, le terroriste amateur peut être tout aussi meurtrier et destructeur [21] – et même beaucoup plus difficile à traquer et encore moins prévisible – que son homologue « professionnel » [22]. En ce sens, celui que l'on considère comme étant « Unabomber », Theodor Kaczynski, en est un exemple parfait. A partir d'une cabane reculée perdue au fin fond du Montana, Kaczynski est soupçonné d'avoir confectionné des bombes artisanales, certes simples mais néanmoins performantes, à partir de matériel ordinaire, et envoyées à ses victimes par la poste. En dépit d'une des chasses à l'homme les plus importantes jamais organisées par le FBI aux États-Unis, Unabomber a été capable d'échapper à la capture – et encore plus à l'identification – pendant dix-huit ans, et a pu tuer de ce fait 3 personnes et en blesser 23 autres. Le cas d'Unabomber est donc un exemple des difficultés que rencontrent ceux qui tentent de faire respecter la loi et les autorités gouvernementales dans leur tâche d'identification

---

ou dans les divers centres d'entraînement qui ont été localisés durant des années au Yémen, en Tunisie, au Soudan, en Iran et ailleurs, et bien sûr, durant la guerre froide, les installations de ce genre entretenues par les pays de l'Est.

21. Exemples récents : les attaques au gaz toxique perpétrées par des « terroristes » amateurs appartenant à la secte Aum qui ne disposaient que d'un entraînement de base, les deux militants de la « suprématie blanche » accusés d'avoir mélangé de l'engrais et du carburant diesel pour fabriquer la bombe ayant détruit le bâtiment fédéral d'Oklahoma City, les jeunes Algériens recrutés et employés lors de la campagne terroriste qui frappa Paris entre juillet et octobre 1995 et qui fut déclenchée par des professionnels appartenant au Groupe islamique armé, et enfin l'assassin du Premier ministre israélien Ytzhak Rabin.

22. En effet, dans tout ce qui précède, la situation qui prévalait en France durant toute cette période fournit peut-être les preuves les plus éclatantes de la part de plus en plus importante des amateurs recrutés et recevant leurs ordres de professionnels.

et d'arrestation du terroriste amateur, et indique les compétences minimales nécessaires pour mener une campagne antiterroriste efficace. Il met également en évidence les conséquences extrêmement disproportionnées que la violence commise, même par un individu isolé, peut avoir aussi bien sur la société (en termes de peur et de panique engendrées) que sur les tentatives pour faire appliquer la loi (du fait des vastes ressources dévolues à l'identification et à l'arrestation de cet individu).

Les terroristes amateurs sont également dangereux de bien d'autres manières. En fait, l'absence d'une quelconque autorité centrale de commandement pourrait bien avoir pour conséquence la réduction du nombre de contraintes pesant sur les opérations des terroristes et sur leurs cibles – particulièrement lorsque s'y ajoute la ferveur religieuse – ainsi que des inhibitions moins nombreuses dans leur désir d'infliger des pertes humaines de manière aveugle. Les autorités israéliennes, par exemple, ont remarqué ce phénomène chez les terroristes appartenant à l'organisation islamique radicale palestinienne du Hamas, contrairement à leurs prédécesseurs des groupes terroristes à caractère laïc de l'OLP, qui étaient pour la plupart très étroitement contrôlés et faisaient ostensiblement preuve de plus de professionnalisme. Comme l'a souligné un haut responsable israélien de la sécurité au sujet d'un groupe particulièrement violent de terroristes du Hamas : « [*c'est*] un ramassis surprenant de non-professionnels [...] ne disposant d'aucun entraînement préalable et agissant en l'absence d'instructions spécifiques ».

Aux États-Unis, pour citer un autre exemple du pouvoir potentiellement destructeur et meurtrier des terroristes amateurs, on soupçonne que l'intention des responsables de l'attentat de 1993 contre le World Trade Center était en fait de provoquer l'effondrement de l'une des deux tours jumelles [23]. A l'opposé, il n'existe aucune preuve selon laquelle les personnes que nous considérions auparavant comme les terroristes numéro un dans le monde – les Carlos, Abou Nidal et Abou Abbas – aient pu

---

23. Matthew L. Wald, « Figuring what it Would Take to Take Down a Tower », *New York Times,* 21 mars 1993.

un jour envisager et encore moins tenter de détruire un gratte-ciel rempli de monde.

En effet, plus que l'incapacité des poseurs de bombe du World Trade Center à échapper à l'arrestation, c'est leur manière de procéder qui souligne un aspect essentiel des futures activités terroristes partout dans le monde. Par exemple, comme on l'a précédemment noté, les groupes terroristes étaient auparavant reconnaissables, car ils formaient des entités distinctes. Les quatre personnes reconnues coupables de l'attentat contre le World Trade Center ont contribué à remettre en cause ce stéréotype. Au lieu de représenter un groupe cohérent, ils formaient un amalgame plus ou moins circonstanciel d'individus partageant les mêmes convictions et la même religion. Ils avaient fréquenté la même institution religieuse, avaient les mêmes amis, les mêmes frustrations et étaient également unis par des liens familiaux, gravitant les uns autour des autres dans la perspective d'une opération spécifique qui était peut-être destinée à n'être menée qu'une seule fois [24].

De plus, comme ce type de groupe, aux contours plus flous et peut-être même de caractère transitoire, peut ne pas disposer de la marque de fabrique ou du mode d'opération d'une organisation terroriste déjà existante, les représentants de la loi auront beaucoup plus de mal à se faire une idée précise ou de construire une image complète de ses intentions et de ses capacités. En effet, comme un officier de la police de New York l'a observé avec pertinence deux mois seulement avant l'attentat contre le

---

24. Dans le cas du World Trade Center, les quatre poseurs de bombe semblent s'être regroupés du fait de leur fréquentation commune d'un même lieu de culte, la mosquée de Jersey City dans le New Jersey. Dans un cas également, des liens familiaux : Ibrahim A. Elgabrowny qui, bien que non inculpé dans l'affaire de l'attentat du World Trade Center à proprement parler, n'y fut pas moins mêlé et fut reconnu coupable d'avoir participé au complot qui s'ensuivit visant à faire libérer les quatre poseurs de bombe, est le cousin de El Sayyid A. Nosair, également impliqué dans l'attentat, qui fait partie de la liste des 13 personnes reconnues coupables des mêmes faits, et qui purge déjà actuellement une peine de prison en relation avec l'assassinat, en novembre 1990, du rabbin Meir Kahane. Cf. Jim McGee et Rachel Stassen-Berger, « 5th Suspect Arrested in Bombing », *Washington Post,* 26 mars 1993 ; et Alison Mitchell, « Fingerprint Evidence Grows in World Trade Center Blast », *New York Times,* 20 mai 1993.

World Trade Center, ce n'étaient pas les groupes terroristes établis, dont on connaissait ou soupçonnait les membres et dont on pouvait établir une configuration opérationnelle, qui l'inquiétaient, mais les « groupes éclatés » jusque-là inconnus, composés de nouveaux membres, provenant d'un groupe plus ancien, qui surgissent soudainement de nulle part pour attaquer [25].

Pour l'essentiel, ces terroristes à temps partiel, ou ces groupes d'individus aux liens très lâches, pourraient être – comme semblent l'avoir été les poseurs de bombe du World Trade Center – indirectement influencés ou contrôlés dans l'ombre par un gouvernement étranger ou par une entité non gouvernementale. Les transferts de fonds suspects juste avant l'attentat en provenance de banques iraniennes et allemandes et à destination d'un compte commun détenu par les suspects dans le New Jersey, par exemple, peuvent illustrer ce lien plus ou moins direct avec l'étranger [26]. De plus, le fait que deux ressortissants irakiens – Ramzi Ahmed Youssef (arrêté en avril 1997 au Pakistan et extradé vers les États-Unis) et Abdoul Rahman Yasin, impliqué dans le complot du World Trade Center – aient fui les États-Unis [27], le premier juste avant l'attentat et l'autre tout juste après les premières arrestations, augmente les soupçons selon lesquels

---

25. Interview de l'équipe de recherche de la Rand Corporation à New York, novembre 1992.

26. Les autorités fédérales ont fait savoir qu'elles avaient repéré près de 100 000 dollars de fonds en relation avec certains des suspects de l'étranger, y compris des transferts effectués depuis l'Iran. 8 000 dollars supplémentaires avaient été transférés sur un compte en banque commun détenu par deux des poseurs de bombe en Allemagne. Cf. Ralph Blumenthal, « $100,000 from Abroad is Linked to Suspects in the Trade Center Explosion », *New York Times,* 15 février 1993. Selon l'un des autres poseurs de bombe reconnu coupable, Mahmoud Abouhalima, des fonds avaient également été convoyés par le biais du groupe islamique militant égyptien, Jamaa Islamiya, dont le leader spirituel est cheikh Omar Abdel Rahman, reconnu coupable d'implication dans le complot de juin 1993, ainsi que par le biais de l'organisation radicale transnationale Fraternité musulmane. Un financement supplémentaire fut, semble-t-il, fourni par des entreprises iraniennes et des institutions islamiques basées en Arabie saoudite et en Europe. Cf. Mary B.W. Tabor, « Lingering Questions on Bombing », *New York Times,* 14 septembre 1994.

27. Cf. Ralph Blumenthal, « Missing Bombing Case Figure Reported to Be Staying in Irak », *New York Times,* 10 juin 1993.

l'incident aurait pu être non seulement orchestré de l'étranger mais aurait pu en fait être un acte de terrorisme d'État. De ce fait, à l'opposé de la description faite dans la presse de l'attentat du World Trade Center présentant celui-ci comme un attentat terroriste perpétré par un groupe d'« amateurs » agissant soit entièrement de leur propre chef, soit manipulés par un « génie retors et maléfique [28] » comme l'un des avocats de la défense l'a affirmé à propos de son client (Youssef), l'origine de l'attentat du World Trade Center pourrait être bien plus complexe.

Cette utilisation de terroristes amateurs comme « pigeons » ou « fusibles » afin de cacher l'implication d'un quelconque commanditaire étranger ou d'un gouvernement, pourrait grandement bénéficier aux États qui soutiennent le terrorisme, ceux-ci pouvant ainsi échapper à des représailles militaires de la part du pays victime ainsi qu'à des sanctions diplomatiques ou économiques de la communauté internationale. En outre, le lien supposé avec des États soutenant le terrorisme pourrait être davantage obscurci par le fait qu'une grande partie de l'équipement des terroristes amateurs, des ressources et même du financement pourrait être intégralement autogénérée. Par exemple, l'engin explosif utilisé dans le cas du World Trade Center a été élaboré à partir de matériaux ordinaires que l'on peut se procurer dans

---

28. Cf. Richard Bernstein, « Lawyer in Trade Center Blast Contends that Client Was a Dupe », *New York Times,* 16 février 1994. Cf. également Tom Morgenthau, « A Terrorist Plot without a Story », *Newsweek,* 28 février 1994. De la même manière, en avril 1988, un terroriste de l'Armée rouge japonaise, Yu Kikimura, a été arrêté au péage du New Jersey alors qu'il était en route pour New York où il était censé commettre un attentat contre un centre de recrutement de la marine américaine à Manhattan le 15 avril, jour du second anniversaire du bombardement américain de 1986 contre la Libye. On le soupçonne d'avoir accepté de réaliser cette opération pour le compte du colonel Kadhafi. Entre son arrivée aux États-Unis le 14 mars et son arrestation le mois suivant, Kikimura a parcouru quelque 7 000 miles en voiture de New York à Chicago, en passant par le Kentucky, le Tennessee, la Virginie occidentale et la Pennsylvanie, collectant du matériel pour sa bombe. On a trouvé en sa possession de la poudre, des extincteurs évidés dans lesquels serait placé le combustible explosif ainsi que des clous à charpente jouant le rôle d'armes antipersonnel. Kikimura a été condamné à trente ans de prison. Cf. Robert Hanley, « Suspected Japanese Terrorist Convicted in Bomb Case in New Jersey », *New York Times,* 29 novembre 1988, ainsi que « Business Risks International », *Risk Assessment Weekly,* vol. 5, n° 29, 22 juillet 1988.

le commerce – y compris de l'engrais pour gazon et du carburant diesel – et a coûté moins de 400 dollars [29]. En effet, en dépit de leur incapacité quasi comique à échapper à l'arrestation, les poseurs de bombe furent capables d'ébranler le sentiment de sécurité d'une ville entière, sinon du pays lui-même. De plus, la simple bombe utilisée par ces amateurs s'est révélée aussi destructrice et mortelle – elle a tué 6 personnes et en a blessé plus de 1 000, a creusé un cratère de 60 mètres de diamètre et profond de six étages, a causé des dégâts aux tours jumelles ainsi qu'aux entreprises qui y étaient installées, estimés à 550 millions de dollars [30] – que les engins explosifs beaucoup plus perfectionnés construits à la manière militaire, dotés des systèmes à retardement actionnés par des micro-puces informatisées et mis à feu au moyen de mécanismes utilisés par leurs homologues « professionnels » [31].

Les terroristes « professionnels »

En fin de compte, tandis que d'un côté le terrorisme attire des amateurs, d'un autre côté la sophistication et la compétence opérationnelle des terroristes professionnels augmentent également.

---

29. La bombe du World Trade Center était constituée de 1 200 livres d'« *acide nitrique et sulfurique commun utilisé dans des dizaines de produits ménagers et d'engrais utilisé pour fertiliser le gazon* ». Le détonateur était un mélange plus complexe et extrêmement volatile de nitroglycérine augmenté de réservoirs d'hydrogène compressée destinés à accroître la puissance de l'explosion. Cf. Richard Bernstein, « Lingering Questions on Bombing : Powerful Device, Simple Design », *New York Times,* 14 septembre 1994. Cf. également Richard Bernstein, « Nitro-glycerine and Shœ at Center of Blast Trial Testimony », *New York Times,* 27 janvier 1994 ; Id., « Witness Sums Up Bombing Evidence », *New York Times,* 7 février 1994 ; Edward Barnes et al., « The $ 400 Bomb », *Time,* 22 mars 1993 ; et Tom Morgenthau, « A Terrorist Plot without a Story », *Newsweek,* 28 février 1994.

30. N. R. Kleinfeld, « Legacy of Tower Explosion : Security Improved, and Lost », *New York Times,* 20 février 1993 ; et Richard Bernstein, « Lingering Questions on Bombing : Powerful Device, Simple Design », *New York Times,* 14 septembre 1994.

31. C'est en fait remarquablement similaire à la configuration de l'activité terroriste et des opérations qui s'ensuivirent en France avec près de deux ans de retard.

Ces professionnels deviennent de plus en plus aptes à ce commerce de mort et de destruction ; de plus en plus impressionnants dans leur capacité d'adaptation et d'innovation dans leurs tactiques d'agression. Ils semblent être capables d'opérer pendant de longues périodes sans être repérés, évitant l'interception ou l'arrestation. Plus inquiétant encore, ces terroristes professionnels semblent également devenir de plus en plus brutaux. Un principe quasi darwinien de sélection naturelle semble affecter des générations successives de groupes terroristes, chaque nouvelle génération apprenant de ses prédécesseurs à devenir plus maligne et plus difficile à capturer ou à éliminer.

De ce fait, il n'est pas difficile de concevoir la manière dont le terroriste amateur pourrait devenir d'un grand intérêt aux yeux d'un groupe terroriste plus professionnel et/ou aux yeux de son État protecteur pour jouer le rôle du pion ou du « pigeon », ou simplement celui du subordonné que l'on peut sacrifier. De la sorte, le terroriste amateur pourrait être utilisé efficacement pour mieux dissimuler l'identité du gouvernement étranger ou du groupe terroriste qui est le véritable ordonnateur des attentats. La série d'attaques terroristes qui s'est produite en France se conforme à ce style d'activité : entre juillet et octobre 1995, une poignée de terroristes, utilisant des bombes fabriquées à l'aide de clous accrochés autour de bouteilles de gaz de camping, ont tué 8 personnes et en ont blessé plus de 180. Ce n'est qu'au mois d'octobre 1996 qu'un groupe a revendiqué la paternité de ces attentats, lorsque le groupe radical du GIA, une organisation islamique militante algérienne, s'est attribué la responsabilité de ces attaques. Néanmoins, les autorités françaises pensent que, alors que des terroristes professionnels ont été à l'origine des premiers attentats, des amateurs aux convictions semblables – recrutés par des agents du GIA dans la large communauté française d'origine algérienne – sont responsables d'au moins quelques-uns des attentats qui ont suivi. Ces amateurs ou ces nouvelles recrues ont facilité ainsi la propagation des « métastases » de la campagne au-delà de la petite cellule de professionnels qui l'a déclenchée, trouvant un écho favorable dans une partie de la jeunesse algérienne déshéritée de France, et accroissant de la sorte de manière exponentielle le climat de peur et certainement le pouvoir coercitif des terroristes.

LES FUTURES CONFIGURATIONS PROBABLES DU TERRORISME

Alors que l'on peut affirmer que la menace terroriste décline en termes de nombre total annuel d'incidents, dans un autre sens, peut-être davantage significatif – c'est-à-dire aussi bien le nombre de personnes tuées dans des attentats terroristes que la proportion d'attentats ayant provoqué mort d'homme par rapport au nombre total d'attentats –, la menace est en fait en train de grandir. Il est donc important de tenir compte des changements qualitatifs autant que des changements quantitatifs, ainsi que d'une menace générale et de capacités fondées sur des tendances générales autant que sur des groupes terroristes existants et identifiés.

Le risque de se focaliser sur des groupes terroristes connus et identifiables aux dépens d'autres adversaires potentiels, moins facilement identifiables et aux contours plus flous, a peut-être été le plus clairement mis en évidence au Japon par l'attention qui a été portée pendant longtemps à des groupes gauchistes familiers et bien établis tels que l'Armée rouge japonaise ou l'organisation du Noyau central, disposant d'un mode de fonctionnement connu et d'un appareil de commandement identifié, plutôt que sur un mouvement religieux obscur et relativement peu connu comme la secte Aum Shinrikyo. En effet, l'attaque au gaz sarin perpétrée par la secte Aum dans le métro de Tokyo [32] introduit de manière indiscutable une rupture historique importante dans la tactique terroriste ainsi que dans son arme-

---

32. Le but de la secte Aum, en planifiant l'attaque au gaz sarin, était entre autres de poser les fondations d'une révolte contre le gouvernement japonais qui entraînerait la création d'un nouveau régime destiné à servir le fondateur et dirigeant de la secte, Shoko Asahara. Pour un compte rendu plus complet des intentions de la secte Aum, de ses motivations et de ses capacités, cf. David E. Kaplan et Andrew Marshall, *The Cult at the End of the World : the Incredible Story of Aum,* Londres, Hutchinson, 1996.

ment [33]. Cet incident a clairement démontré qu'il est possible – même pour des terroristes ostensiblement amateurs – d'exécuter avec succès une attaque chimique, et pourrait avoir de ce fait augmenté vraisemblablement les enjeux pour les terroristes partout dans le monde. Ainsi, les groupes terroristes dans l'avenir pourraient bien être tentés de marcher dans les traces ou même de dépasser l'attentat de Tokyo, soit en termes de mort et de destruction, soit en employant une arme non conventionnelle de destruction massive afin de s'assurer la même couverture médiatique et l'attention du public que l'attaque au gaz toxique a générées.

L'attentat de Tokyo met également en lumière une autre tendance inquiétante du terrorisme : de manière significative, les groupes revendiquent aujourd'hui beaucoup moins fréquemment la responsabilité d'attentats que par le passé. Ils tendent de moins

---

33. Auparavant, la plupart des groupes terroristes avaient écarté l'idée d'utiliser des armes de destruction massive. Radicaux en politique, on peut affirmer que la grande majorité de ces terroristes étaient conservateurs dans leur manière d'agir. De ce fait, alors que le progrès technologique a produit des systèmes d'armement plus complexes, d'une plus grande efficacité en termes de mort et de destruction, déployés à partir d'une variété de plates-formes aériennes, terrestres et maritimes, le terrorisme contemporain a essentiellement fonctionné tel un vide technologique, en se tenant éloigné ou en refusant le progrès continuel et la sophistication grandissante de l'armement moderne. En effet, depuis plus d'un siècle, les terroristes ont continué à recourir presque exclusivement aux deux mêmes armes : le revolver et la bombe. Il est vrai que divers groupes terroristes – la Fraction armée rouge allemande, les Brigades rouges italiennes ainsi que quelques organisations palestiniennes – ont de temps en temps envisagé l'idée d'utiliser de nouvelles armes massivement létales, mais aucun n'a franchi le seuil psychologique critique (une exception notable fut la tentative menée en 1979 par des terroristes palestiniens d'empoisonner des oranges de Jaffa exportées vers l'Europe). Au lieu de cela, la plupart des terroristes se sont contentés du potentiel meurtrier limité de leurs revolvers ou de leurs fusils automatiques et du taux à peine plus élevé de pertes humaines que leur fournissaient les bombes : un tel mode de fonctionnement, tout au moins à leurs yeux, multipliait les chances de succès. L'innovation n'a été introduite que dans les méthodes utilisées pour dissimuler et faire exploser les bombes, et non dans le choix de la tactique ou de l'utilisation d'armes chimiques, biologiques ou même nucléaires par les terroristes. Comme la plupart des gens, les terroristes semblent avoir eu peur des agents contaminants puissants et des toxines, auxquels ils ne connaissaient pas grand-chose et dont ils n'étaient pas certains de la manière la plus sûre de les utiliser pour fabriquer une bombe et encore moins pour les disperser de manière efficace.

en moins à assumer leur responsabilité en diffusant des communiqués expliquant les raisons de leur action que ne le faisaient les groupes terroristes stéréotypés et « traditionnels » auparavant. Par exemple, au contraire des années 70 et du début des années 80, quelques-uns des incidents terroristes les plus sérieux de la dernière décennie, y compris l'attentat d'Oklahoma City de 1995, n'ont pas fait l'objet de revendications crédibles – beaucoup moins expliqués ou justifiés que ne l'étaient auparavant presque toujours les attaques terroristes – de la part du groupe responsable de l'attaque [34].

Les conséquences d'une telle tendance sont peut-être que pour certains groupes terroristes la violence devient moins un moyen (qui doit, de ce fait, être calibré et taillé sur mesure et ainsi expliqué et justifié auprès du public) qu'une fin en soi qui ne nécessite pas d'explication supplémentaire ou de justification au-delà de celle qui est donnée aux membres du groupe eux-mêmes et peut-être aux fidèles. Une telle caractéristique ne s'appliquerait pas seulement aux motivations des terroristes religieux, mais aussi aux terroristes qui cherchent à déstabiliser ou à saboter des négociations multilatérales ou le règlement pacifique de conflits ethniques ou d'autres confrontations violentes du même genre. Que les terroristes revendiquent de moins en moins souvent leurs actions pourrait suggérer un relâchement inévitable des contraintes – qu'elles soient auto-imposées ou non – pesant sur la violence qu'ils provoquent, ce qui conduirait à un plus haut degré de menace [35].

---

34. Cela inclut la destruction en vol d'un appareil d'Air India en 1985 dans laquelle 328 personnes ont péri ; une série d'attentats à la voiture piégée qui a secoué Bombay en 1993, tuant 317 personnes ; l'énorme bombe dissimulée dans un camion qui a détruit en 1994 un centre de la communauté juive de Buenos Aires, provoquant la mort de 96 personnes ; la bombe déjà mentionnée ayant détruit l'immeuble Alfred P. Murrah l'année dernière à Oklahoma City et qui tua 168 personnes ; et la suspecte destruction en vol survenue récemment du vol 800 de la TWA. Le cas du vol 103 de la Pan Am, dans lequel 278 personnes ont trouvé la mort, en est un exemple célèbre. Bien que l'on sache que deux agents gouvernementaux de nationalité libyenne appartenant à une compagnie aérienne aient été identifiés et accusés d'avoir placé la valise contenant la bombe dans la soute à bagages, aucune revendication crédible n'a jamais été exprimée.

35. Pour une analyse plus complète de la question de la non-revendication et

Un autre élément clé contribuant à l'augmentation de la menace terroriste est la facilité d'adaptation des terroristes aux mutations technologiques [36]. Par exemple, en bas du spectre terroriste, on peut voir les terroristes continuer à utiliser des bombes fabriquées à partir de l'engrais dont l'effet dévastateur a été démontré par l'IRA à St Mary Axe et à Bishop's Gate en 1991 et 1992, à Canary Wharf et à Manchester en 1996, par les poseurs de bombe du World Trade Center déjà mentionnés et par les personnes responsables de l'attentat d'Oklahoma City.

Les engrais chimiques sont vraisemblablement l'arme la plus efficace par rapport au coût qu'elle représente. Leur efficacité est démontrée : on estime que les dégâts causés par l'explosion de Bishop's Gate seraient de l'ordre de 1,5 milliard de dollars, et ceux du Baltic Exchange survenue à St Mary Axe, de 1,25 milliard de dollars. La bombe du World Trade Center, comme on l'a vu précédemment, n'a nécessité que 400 dollars pour sa fabrication mais a entraîné 550 millions de dollars de dégâts et de pertes pour les entreprises qui y étaient installées [37]. De plus, à l'inverse du plastic et d'autres matériaux militaires, les engrais et deux des composants nécessaires pour fabriquer une bombe – le carburant diesel et le sucre glace – sont disponibles dans le commerce. On peut s'en procurer et les stocker de manière parfaitement légale ; ils sont, de ce fait, des « composants d'armes » particulièrement prisés des terroristes.

Dans le domaine de l'armement de haute technologie, on ne doit pas seulement se préoccuper des efforts de groupes tels

---

du caractère de plus en plus meurtrier du terrorisme, cf. Bruce Hoffman, « Why Terrorists don't Claim Credit – An Editorial Comment », *Terrorism and Political Violence*, vol. 9, n° 1 (été 1997).

36. Pour une analyse plus approfondie de cette question, cf. Bruce Hoffman, « Responding to Terrorism Across the Technological Spectrum », *Terrorism and Political Violence*, vol. 6, n° 3, automne 1994, également publié dans les *Rand Paper Series*, P-7874, juin 1996.

37. Bien qu'après avoir été altéré, l'engrais est beaucoup moins puissant que le plastic (en effet, le Semtex explose à une vitesse de 7 kilomètres par seconde et a un taux d'explosif de 1,3 ; des explosifs improvisés explosent à une vitesse de 2,7 kilomètres par seconde et ont un taux compris entre 0,25 et 0,8). Il a tendance également à provoquer plus de dégâts que le plastic, car l'énergie libérée par l'explosion est constante et moins contrôlée.

qu'Aum pour développer leurs capacités en matière d'armes chimiques, biologiques et nucléaires, mais on doit aussi s'intéresser à la prolifération de matériaux fissiles en provenance de l'ex-Union soviétique ainsi qu'à l'émergence d'un marché illicite de matières nucléaires en Europe centrale et orientale [38]. Alors que la plupart du matériel disponible sur ce « marché noir » ne peut pas être considéré comme appartenant à la catégorie des matériels nucléaires stratégiques, employés dans la construction d'un engin explosif fissile, de tels agents à haute toxicité ou à haute radio-activité pourraient être facilement combinés avec des explosifs conventionnels et transformés en une bombe atomique non fissile de conception primitive (c'est-à-dire une bombe « sale »). Un tel engin ne détruirait pas seulement physiquement une cible mais contaminerait la zone alentour pour de nombreuses décennies [39].

Enfin, au milieu de l'échelle, on peut envisager un monde inondé d'explosifs plastic, de munitions guidées avec précision (c'est-à-dire des missiles sol-air utilisés contre des avions civils et/ou militaires), d'armes automatiques, etc., qui facilitent tous types d'opérations terroristes. Durant les années 80, la Tchécos-

---

38. Cf., par exemple, Graham T. Allison et al., *Avoiding Nuclear Anarchy : Containing the Threat of Loose Russian Nuclear Weapons and Fissile Material,* Cambridge, Massachusetts, MIT Press, 1996 ; Franck Barnaby, « Nuclear Accidents Waiting to Happen », *The World Today,* vol. 52, n° 4, avril 1996 ; Thomas B. Cochran, Robert S. Norris et Oleg A. Bukharin, *Making the Russian Bomb : from Stalin to Yeltsin,* Boulder, Colorado, Westview Press, 1995 ; William C. Potter, « Before the Deluge ? Assessing the Threat of Nuclear Leakage from the Post-Soviet States », *Arms Control Today,* octobre 1995 ; Phil Williams et Paul N. Woessner, « Nuclear Material Trafficking : an Interim Assessment », *Transnational Organized Crime,* vol. 1, n° 2, été 1995 ; et Paul Woessner, « Recent Developments : Chronology of Nuclear Smuggling Incidents, july 1991-may 1995 », *Transnational Organized Crime,* vol. 1, n° 2, été 1995.

39. Par exemple, un camion piégé contenant une bombe fabriquée à base d'engrais et des agents radioactifs aurait non seulement détruit le bloc de bureaux de Canary Wharf, mais aurait également provoqué une dépréciation considérable de la zone, rendue définitivement inutilisable par la contamination radio-active. Les préjudices causés au commerce, la publicité qui s'en serait suivie et le pouvoir coercitif accru des terroristes armés de telles bombes « sales » (qui sont sans aucun doute des menaces beaucoup plus crédibles que l'acquisition par les terroristes d'armes nucléaires fissiles) sont particulièrement inquiétants.

lovaquie, par exemple, a vendu 1 000 tonnes de Semtex-H (l'explosif dont il a suffi de 8 onces pour faire exploser le vol 103 de la Pan Am) à la Libye, ainsi que 40 000 tonnes supplémentaires à la Syrie, la Corée du Nord, l'Iran et l'Irak – des pays cités depuis longtemps par le Département d'État américain comme des soutiens à l'activité terroriste internationale. Les terroristes ont, de ce fait, un accès relativement facile aux technologies d'armement pouvant être rapidement adaptées à leurs besoins opérationnels.

CONCLUSION : OBSERVATIONS ET IMPLICATIONS POUR LA SÉCURITÉ AÉRIENNE

Le terrorisme aujourd'hui est, sans conteste, devenu plus complexe, plus flou et davantage transnational. La distinction entre terrorisme interne et international tend également à s'effacer, comme le prouvent les activités de la secte Aum en Russie, aux États-Unis, en Allemagne, en Australie aussi bien qu'au Japon, les liens avérés entre les poseurs de bombe d'Oklahoma City et les néo-nazis de Grande-Bretagne et d'Europe continentale, et le fait que le réseau d'extrémistes islamistes algériens opère tant en France, en Grande-Bretagne, en Suède, en Belgique qu'en Algérie. Comme ces menaces sont à la fois internes et externes, la réponse doit être à la fois nationale et multinationale. La cohésion nationale ainsi que l'organisation et la préparation resteront le fondement essentiel de tout espoir de construction d'une approche multinationale efficace adaptée à ces nouvelles menaces. En l'absence de cohésion (qu'elle soit interne ou nationale), de clarté, d'organisation et de planification, des efforts multinationaux similaires mais éclatés n'ont aucune chance de réussir. C'est ce qui est le plus important aujourd'hui, et le restera à l'avenir, du fait de la nature changeante de la menace terroriste, de l'identité de ceux qui perpètrent les attentats et des ressources dont ils disposent.

Traduit de l'anglais par Juliette Minces

5

La secte japonaise Aum Shinrikyo

James « Ken » Campbell *

L'utilisation la plus sérieuse qui ait été faite d'armes de destruction massive par un groupe non étatique s'est produite le 20 mars 1995, lorsque les membres d'Aum Shinrikyo ont propagé un agent toxique dans une rame bondée du métro de Tokyo. L'attaque d'Aum est la première tentative connue dans le monde entier d'utilisation par un groupe non étatique d'armes de destruction massive, dans l'intention spécifique de causer le maximum de pertes humaines et des désordres importants.

Cette étude débute par un compte rendu narratif des activités d'Aum et de ses membres les plus importants. L'information nécessaire a été obtenue à l'aide d'un examen des sources accessibles au public : les livres s'y rapportant, des articles de journaux, Internet, ainsi que les témoignages présentés au Congrès lors d'auditions en novembre 1995. Ces sources permettent de comprendre de manière précise les éléments importants de l'appareil de commandement spécifique de la secte Aum, de son organisation, de son idéologie, du comportement du groupe ainsi que des événements clés. Quant au compte rendu, il restitue avec concision la complexité, la profondeur et les capacités de l'organisation Aum. Il est important de souligner que cela donne une idée de ce qui pourrait bien devenir un événement familier,

---

* Analyste, spécialiste de la « violence non étatique », U.S. Navy.

l'utilisation par des groupes non étatiques d'armes de destruction massive.

APERÇU DE LA SECTE AUM

Aum a été créée à l'origine à partir d'un conglomérat d'aspirations de type hindouiste, bouddhiste et yogique qui prônent en général un style de vie ascétique et la dévotion au chef. Le dirigeant d'Aum, Chizuo Matsumoto, alias Shoko Asahara, affirme avoir existé dans une vie antérieure sous la forme d'« Imhotep, vizir du Pharaon Zoser », et serait de ce fait responsable de la construction de quelques-unes des pyramides d'Égypte. Asahara affirme avoir acquis la faculté de rester en lévitation et il a ouvertement fait l'éloge de Hitler en le qualifiant de prophète. Le groupe était convaincu que la fin du monde surviendrait en 1997, lorsque la société japonaise corrompue serait remplacée par la société idéale d'Aum, seul survivant de l'apocalypse. Il n'est pas surprenant de constater que le symbole de la secte était le dieu hindou Shiva, dieu de la destruction et de la reproduction. Avant l'attaque contre le métro de Tokyo, Aum revendiquait 10 000 fidèles au Japon et 30 000 membres en Russie. Aum s'étant également établie à New York, à Bonn et au Sri Lanka, ce groupe représentait une « menace transnationale ».

L'émergence d'Aum au Japon s'explique en partie comme le résultat de diverses tendances négatives sous-jacentes dans ce pays. Par exemple, considérons le stéréotype existant au sujet du Japon. En lieu et place de l'intérêt national, ce sont les intérêts corporatifs qui dominent ; au lieu d'une vision cohérente énoncée par les dirigeants japonais, il n'y a que peu ou pas de véritable direction ; en l'absence d'une politique étrangère forte, seule prime la négociation sur des questions financières, principalement vis-à-vis des États-Unis ; plutôt que de regarder vers l'avenir, le Japon continue à se battre avec son passé. En conséquence, un groupe constitué d'étudiants de grandes écoles, d'hommes d'affaires et d'universitaires, désirant obtenir davantage de l'existence qu'un compte en banque bien garni et une belle carrière, est tombé dans le piège tendu par Aum [1].

Du fait des doutes qui assaillent la société japonaise et du sentiment de recherche qui l'anime, Aum, par le biais de son recrutement et de l'endoctrinement, pouvait donner un sens à la vie et combler un vide spirituel. Ainsi, Aum a pu attirer de nombreuses personnes intelligentes et talentueuses qui « se sont trompées à un moment, se sont adonnées à leur nouvelle foi avec l'énergie formidable des désespérés [2] ».

L'ORGANISATION

Shoko Asahara est né sur l'île de Kyushu en 1955. Pratiquement aveugle de naissance, il a reçu une éducation primaire dans une école pour non-voyants. La vue limitée de Shoko lui a conféré du prestige et du pouvoir à l'école, car être capable de voir, même un petit peu, lui donnait un grand avantage sur les autres enfants. Un ancien instituteur témoigne :

> « Être capable de voir ne serait-ce qu'un petit peu était prestigieux, car les enfants aveugles voulaient sortir et prendre un café dans un salon de thé, mais ne pouvaient pas le faire par eux-mêmes. Ils demandaient alors à Chizuo : "Je te paierai ton repas. Pourquoi ne m'emmènes-tu pas dehors ?" [3] »

---

1. La situation est très proche de celle qui prévalait en Allemagne entre les années 60 et 80, à savoir un climat favorable à la naissance d'une phase de radicalisation qui conduisit au développement de la RAF. L'essai de Schecterman sur le terrorisme irrationnel suggère également que le terrorisme est une conséquence des changements accélérés se produisant au sein d'une société particulière. Il affirme que « la dynamique révolutionnaire en matière d'innovation technologique et de systèmes économiques a provoqué une forte dislocation et une grande anomie parmi la population en général, et particulièrement parmi les élites de telles sociétés. [...] Le terrorisme est devenu une réaction aux yeux de certaines personnes subissant une telle contrainte ». L'exemple de l'émergence d'Aum et de sa croissance aussi bien au Japon qu'en Russie semble refléter le postulat de Schecterman.

2. David Van Biema, « Prophet of Poison », *Time,* 3 avril 1995, p. 26.

3. James Walsh, « Shoko Asahara : The Making of a Messiah », *Time,* 3 avril 1995, p. 30.

En grandissant, Chizuo était considéré comme un individu difficile, enclin à de violents accès de colère et à des sautes d'humeur.

La première ambition de Shoko était de devenir riche et célèbre. Au moment de l'obtention du diplôme d'études secondaires, il avait amassé quelque 30 000 dollars, qu'il avait mis de côté grâce aux bourses accordées par le gouvernement aux handicapés ainsi qu'en « arnaquant ses camarades de classe [4] ». Son premier véritable échec fut le refus de sa candidature à la prestigieuse université de Tokyo. Cet événement le rendit furieux et amer. En 1978, il se maria avec Tomoko Ishii, qui devint finalement un haut dignitaire de la secte Aum. En 1982, Shoko fut arrêté pour vente de faux traitements médicaux dans une clinique d'acupuncture qu'il avait créée. Dans cette clinique, connue sous le nom de Clinique d'acupuncture Matsumoto, les clients étaient traités par l'acupuncture, le yoga ainsi que par des « traitements à base d'herbes d'une nature douteuse [5] ». En 1984, Shoko créa Aum Inc. ainsi que sa première entreprise baptisée l'Association Aum des Magiciens de la montagne. Comme l'a écrit Kaplan, « c'était un nom fantaisiste donné à ce qui était en fait une école de yoga basée à Tokyo dans un appartement d'une seule pièce, menant une activité secondaire lucrative en organisant des beuveries bruyantes sous prétexte de santé [6] ». Son ambitieux dessein prévoyant qu'il serait amené à jouer un rôle politique et religieux important, Shoko se rendit dans l'Himalaya à la recherche d'une révélation et revint en affirmant être doté de capacités et de pouvoirs mystiques. Comme l'a plus tard rapporté Kaplan, les écoles de yoga de Shoko eurent un certain succès et il étendit son activité en réinvestissant les profits dans l'ouverture de nouvelles écoles dans tout le Japon [7]. Le nombre de membres continua de s'accroître et les écoles de Shoko devinrent une sorte de sanctuaire pour les étudiants et les hommes d'affaires cher-

---

4. David E. Kaplan et Andrew Marshall, *The Cult at the End of the World*, New York, Crown Publishers Inc., 1996, p. 8.
5. *Ibid.*, p. 9.
6. *Ibid.*, p. 11.
7. *Ibid.*, p. 12.

chant une alternative à la vie stressante de la société japonaise contemporaine. Comme l'a rapporté Kaplan, c'est durant une séance de méditation sur une plage de la côte Pacifique du Japon que la rhétorique de Chizuo prit une tournure apocalyptique. On lui prête ces propos : « Un message de Dieu indique que j'ai été choisi pour conduire [son] armée [8]. » Un peu plus tard, la même année, on pense que Shoko a rencontré un historien qui suggérait que l'apocalypse surviendrait à la fin du siècle et qu'une race divine apparue au Japon survivrait. Cette révélation, s'ajoutant aux propres idées de grandeur de Chizuo, conduisit à la naissance de sa nouvelle identité sous le nom de Shoko Asahara, « gourou extraordinaire [9] ».

Dans une société cherchant à recouvrer sa spiritualité et son identité nationale, Shoko Asahara s'attaqua aux besoins psychologiques et religieux du peuple japonais. L'image de marque de son art de la vente, dissimulé sous un vernis de rhétorique religieuse et de mysticisme, convenait à des Japonais en manque de spiritualité. Le message d'Aum attira rapidement un grand nombre de fidèles issus de l'intelligentsia japonaise, de travailleurs en col bleu ainsi que de jeunes adultes. La stratégie de recrutement visait en priorité la constitution d'un cadre de brillants professionnels qualifiés dans les domaines de la physique, de la chimie et de la biologie. Avec le développement de l'organisation, les plans de Shoko s'étoffèrent, avec pour but de susciter l'apocalypse et de conquérir le Japon. On affirme que Shoko déclara dans un sermon en mars 1994 :

> « La loi en cas d'urgence est de tuer son adversaire d'un seul coup, par exemple à la façon dont a été conduite la recherche sur le soman [un gaz développé par les nazis] et le sarin durant la Seconde Guerre mondiale [10]. »

En outre, Asahara accusait l'armée américaine d'être responsable des problèmes économiques et sociaux du Japon ainsi

---

8. *Ibid.*, p. 12.
9. *Ibid.*
10. *Ibid.* Cf. également Nick Cassway, « The Wit and Wisdom of Gas Attack Guru Shoko Asahara », sur http ://www.webcom.com/-conspire/sayings.html.

que de sa propre santé déclinante. Il lui prédisait régulièrement le tremblement de terre de Kobé et la hausse du yen par rapport au dollar [11]. Un de ses anciens camarades de classe a dit de lui :

> « Je pense que Matsumoto cherche à créer une société fermée sur le modèle de l'école pour aveugles qu'il fréquentait. Il tente de créer une société séparée de la société ordinaire dans laquelle il pourrait devenir le roi [12]. »

Lorsqu'il fut arrêté par la police, Asahara était en train de méditer dans une pièce secrète située entre le deuxième et le troisième étage de sa communauté située sur le mont Fuji. Le docteur Jerrold Post suggère qu'Aum est l'exemple parfait du groupe terroriste créé grâce aux efforts d'un chef charismatique, narcissique, rempli d'illusions, sujet à la paranoïa, capable de développer et de nourrir un noyau dur possédant les mêmes caractéristiques [13].

Structure organisationnelle

Dans le cadre du plan de Shoko visant à créer Armageddon et à prendre la tête des survivants du cataclysme, il ordonna que l'organisation d'Aum soit calquée sur celle du gouvernement japonais. Cela permettrait d'assurer la mise en place d'une structure organisationnelle familière à la « population survivante » afin de gouverner le « nouveau monde d'Aum ». Le tableau n° 1 page suivante illustre la complexité de l'organisation d'Aum, représentant les fonctions de direction au sein de la secte. Ce tableau a été élaboré grâce à l'examen de nombreuses sources de références, parmi lesquelles le journal japonais *Sunday Mainichi*, *Newsweek* et Internet.

---

11. Teruaki Ueno, *Reuters,* 20 avril 1995.
12. *The Irish Times,* 1er avril 1995. Cf. également James Walsh, « The Making of a Messiah », *Time Magazine,* 3 avril 1995, p. 30.
13. Discussion avec le docteur Jerrold Post, George Washington University, 1er mai 1996.

Schéma organisationnel de la secte Aum Shinrikyo

Tableau 1 : Organisation de la secte Aum

Dirigeant d'Aum : Chizuo Matsumoto, alias Shoko Asahara.
Ministère des Nouveaux Croyants Est : Eriko Iido. **Ministère des Nouveaux Croyants Ouest :** Kazuko Tozawa.
Ministère de la Construction : Kiyohide Hayakawa : n° 2 d'Aum.
Ministère des Sciences et de la Technologie : Hideo Murai : diplômé de l'université d'Osaka. Titulaire d'un diplôme de physique spatiale ; est supposé être le n° 3 d'Aum.
Ministère de la Défense : Tetsuya Kibe, responsable de la sécurité, et Kiyode Nakada, ancien yakuza, qui s'occupe du maintien de l'ordre et qui commande l'Équipe d'action.
Ministère de la Santé : Seiichi Endo : a étudié l'ingénierie génétique à l'École des hautes études de l'université de Kyoto et s'est spécialisé dans les domaines de la génétique et de la médecine.
Ministère de l'Intelligence : Katsuhiro Inoue.
Ministère de la Guérison : Ikuo Hayashi : physicien chef à l'hôpital d'Aum, diplômé du département de médecine de l'université de Keio.
Ministère des Finances : Hisako Ishii.
Ministère des Affaires légales : Yoshinobu Aoyama : diplômé du département de droit de l'université de Kyoto.
Ministère des Postes et Télécommunications : Kazuko Matsumoto, femme de Shoko Asahara.
Ministère de l'Éducation : Shigeru Sugiura.
Ministère des Relations publiques : Hirofumi Joyu : diplômé de l'université de Waseda, spécialisé dans l'intelligence artificielle.
Unité des armes chimiques : Masami Tsuchiya : doctorant en chimie organique à l'université de Tsukuba.
Secrétariat à l'Intérieur : Reika Matsumoto, fille de Shoko Asahara.

Comme le suggère ce tableau, il existe une variété de ministères par le biais desquels Aum administrait et dirigeait les membres de la secte, ses entreprises et ses efforts pour constituer des stocks d'armes. Les ministères clés qui confèrent à Aum son pouvoir et sa capacité de faire appliquer ses décisions sont :

– Le ministère de la Santé et des Affaires sociales, dirigé par Seiichi Endo. Le ministère d'Endo est, semble-t-il, responsable de la recherche en matière d'armes biologiques. Endo est ingénieur en génétique et a mené des travaux académiques dans un institut de recherche sur les virus [14]. Les perquisitions dans les installations d'Aum appelées Satian-7, qui se trouvaient dans le complexe de Kamikuishiki, ont montré que la secte se destinait à la production des toxines botuliniques en plus de ses capacités importantes de production de gaz sarin. Le raid a permis de découvrir 160 barils de peptone utilisés pour la culture de bactéries, ainsi que de grosses quantités de glycérine et de cyanure de sodium.

– Le ministère des Sciences et de la Technologie, dirigé par Hideo Murai. Murai a été mortellement blessé d'un coup de couteau devant les locaux d'Aum à Tokyo. Il était astrophysicien de formation [15].

– Les activités clandestines, dirigées par le numéro deux de la secte, Kiyohide Hayakawa. La section des activités clandestines est supposée exercer son contrôle sur le service d'ordre de la secte, appelé Équipe d'action. Les activités clandestines ont également été impliquées dans le développement des moyens visant à fabriquer une grande variété d'armes, parmi lesquelles l'AK-47, ainsi que la fourniture de matériel militaire lourd qui devait comprendre un hélicoptère russe Mi-17 doté d'un système de dispersion de produits chimiques.

– L'Unité des armes chimiques, dirigée par Masami Tsuchiya, qui semble avoir travaillé sur une thèse de doctorat en chimie organique à l'université de Tsukuba. Il est intéressant de noter que Tsuchiya a écrit en 1991 : « Asahara sera emprisonné dans les années 90, mais son procès mettra en évidence l'existence d'un pouvoir surnaturel et la totalité des 100 millions de Japonais deviendront alors des fidèles d'Aum [16]. »

---

14. Nicholas D. Kristof, « Japan Police Arrest 2 Found Beneath Sect Headquarters », *New York Times,* 27 avril 1995.

15. MacNeil, *Lehrer News Report,* 4 mai 1995.

16. Kevin Rafferty, « Japan Looks to Transvestite Actor to Save it from Doomsday Terror Cult », *The Observer,* 23 avril 1995, p. 19.

– L'Équipe d'action, dirigée par Kiyohide Nakada. L'Équipe d'action est le bras armé d'Aum. C'est elle qui est soupçonnée être à l'origine des enlèvements et des mesures disciplinaires prises à l'encontre de membres de la secte. Nakada appartenait auparavant à la Yamaguchi Gumi, organisation clandestine affiliée aux yakuzas (la mafia japonaise) [17].

Le recrutement d'Aum et l'endoctrinement

Aum s'est concentrée sur une ressource traditionnelle, à savoir les étudiants brillants, quelque peu déséquilibrés, qui pouvaient apporter immédiatement leur contribution à la cause. Les étudiants cherchant à entrer dans la secte étaient encouragés à poursuivre des études dans les domaines de la physique, de la chimie et de la biologie [18]. Le recrutement était également centré sur les spécialistes en informatique, les avocats, les médecins, les membres des forces d'autodéfense japonaises et de la police nationale. On sait qu'Asahara a également beaucoup encouragé le recrutement en promettant une épée d'apparat à tout membre qui apporterait à la secte 30 nouveaux adhérents en trois mois. En outre, celui qui y parvenait était automatiquement promu [19]. L'effondrement de l'Union soviétique et le relâchement des contraintes sur les pratiques religieuses qui s'ensuivit dans les nouveaux États indépendants de la CEI, permirent aux missionnaires d'Aum de recruter de nouveaux membres. En effet, les Russes en mal de spiritualité semblent avoir rapidement grossi les rangs d'Aum. A peu près 30 000 membres ont été recensés à l'apogée de la courte popularité de la secte en Russie.

L'endoctrinement au sein de la secte commençait durant le

---

17. *The Dallas Morning News,* 14 avril 1995.
18. *Japanese Economic News Wire,* 4 avril 1995.
19. Yomiuri Shimbun, « Aum Recruiters Given Decorative Swords », *The Daily Yomiuri,* 17 avril 1995, p. 2. Les pratiques citées ici offrent un superbe exemple de la thèse de Crenshaw au sujet du contrôle par le leader d'un groupe terroriste grâce à des encouragements. Il est également évident que le programme de recrutement d'Aum était destiné à attirer des membres des forces d'autodéfense, de la police nationale et d'autres secteurs professionnels, afin de permettre à l'organisation de s'infiltrer dans la société et d'avoir accès à des informations secrètes.

processus de recrutement. Tout d'abord, les écrits et les enseignements d'Asahara étaient librement publiés. Ses livres prescrivaient la manière dont un nouveau membre d'Aum devait se servir d'un père traditionnel tout en expliquant l'engagement dans la secte [20]. On a également recours à eux afin d'expliquer que Shoko Asahara est un prophète et un messie. Une fois membre, la nouvelle recrue est encore davantage endoctrinée dans le style de vie d'Aum prônant le sacrifice de soi et l'ascétisme. Il est très important de souligner que le noyau dur d'Aum utilisait une grande variété de techniques de contrôle de l'esprit et de tactiques de terreur afin de faire pression sur les membres et de décourager les opinions dissidentes et les défections. Cela comprenait l'isolement, les techniques de privation sensorielle, l'utilisation de drogues agissant sur le cerveau et de stimulants, le vomissement provoqué, des lavements, des injections de produits inconnus, des stimulations du cerveau à l'aide d'électrodes posées sur le crâne, enfin la torture et le meurtre [21]. Lorsque les forces de police prirent d'assaut les locaux principaux d'Aum près du mont Fuji le 22 mars 1995, elles découvrirent 50 membres dans un état proche du coma. Ces individus avaient été soumis à des formes cruelles de choc électromagnétique et isolés dans de petites cellules sans fenêtre [22]. Les membres qui s'opposaient aux pratiques de la secte étaient sévèrement battus et parfois assassinés [23]. Enfin, les relations sexuelles étaient prohibées et les membres étaient incités à porter un casque équipé d'électrodes, sous prétexte de les mettre sur la même longueur d'ondes qu'Asahara [24]. Comme l'a écrit Kaplan, si Shoko Asahara a peut-être prôné une vie ascétique pour ses fidèles, lui et son cercle d'intimes vivaient dans le luxe, conduisant des Rolls Royces, faisant l'amour et la fête.

---

20. *The Mainichi Daily News,* 25 avril 1995.
21. *The Irish Times,* 1er avril 1995.
22. Robert Guest, « Cult's Commune of Torture : Harrowing Purification Rituels », *The Daily Telegraph,* 24 mars 1995, p. 16.
23. D.E. Kaplan et al., *op. cit.*, pp. 35-37.
24. D. Van Biema, *art. cité*, p. 26.

Les mécanismes de soutien

Le recrutement d'Aum attirait des membres fortunés et éduqués. Les actifs financiers représentaient quelque 1,4 milliard de dollars et incluaient des magasins bon marché, des cafés ainsi qu'une usine de fabrication d'ordinateurs. Les membres étaient incités à céder tous leurs « biens personnels » à Aum [25]. Dans certains cas, si un membre possédait une propriété importante, les cadres d'Aum utilisaient des techniques comme la contrefaçon pour acquérir puis vendre cette propriété [26]. L'organisation était présente au Japon, à Moscou et à New York sous la marque commerciale Maha Posya Inc. Chizuo Matsumoto était présenté comme le directeur de l'entreprise. Maha Posya Inc. était enregistrée aux États-Unis comme une compagnie commerciale qui importait des ordinateurs et exportait des produits agricoles. Aum fut également impliquée dans la production illégale de drogue ainsi que dans le trafic de stupéfiants, notamment de LSD et d'amphétamines [27]. C'était par l'intermédiaire de Maha Posya Inc. qu'Aum pouvait acquérir l'équipement nécessaire au développement et à la fabrication de son arsenal, qui comprenait des agents chimiques et biologiques.

Les matériels disponibles

A partir des sources citées plus haut, on suppose qu'Aum disposait d'un large potentiel de fabrication d'armes de destruction massive, constitué d'un stock considérable de produits chimiques. On y trouvait du fluor de sodium, du trichloride de phosphore, de l'alcool d'isopropyle et de l'acétonitrile. Il s'agit de composants de diverses formes de gaz toxique. Une fois combinés pour fabriquer un agent toxique, ces produits chimiques auraient potentiellement pu tuer environ 4,2 millions de personnes [28]. On ne sait pas combien d'autres cachettes existent encore. Les enquêtes qui ont suivi ont également mis au

---

25. D. Van Biema, *art. cité*, p. 31.
26. D.E. Kaplan et al., *op. cit.*, p. 64.
27. Auditions du Congrès sur Aum, 31 octobre 1995.
28. D. Van Biema, *art. cité*, p. 27.

jour des stocks importants d'ergotamine utilisée dans la production de LSD, de phénylacétonitrile utilisée dans la fabrication d'amphétamines, ainsi que d'autres produits chimiques en nombre important utilisés dans la fabrication d'explosifs [29].

Comme on l'a déjà mentionné, les scientifiques d'Aum étaient également engagés dans un processus de développement d'armes biologiques, ayant expérimenté la maladie du charbon (anthrax), la fièvre Q et la botuline. On sait qu'Aum a tenté de perfectionner un arsenal biologique et d'en disposer plusieurs années avant l'attaque contre le métro de Tokyo. Kaplan indique qu'en 1993 Shoko Asahara a ordonné à Seiichi Endo de développer une arme biologique susceptible d'être utilisée contre la famille royale japonaise le jour du mariage du prince Naruhito avec Masako Owada. Sous la direction d'Asahara, Endo a mis au point un agent composé d'anthrax ainsi qu'un système de dispersion. Fort heureusement, le système n'était pas prêt à l'emploi le jour du mariage. Néanmoins, lorsqu'il fut prêt, Shoko exigea qu'il soit essayé sur la population de Tokyo ; il participa même à l'assaut. La chance fut du côté du peuple japonais : Endo n'ayant pas réussi à perfectionner un virus viable, l'attaque ne fit que polluer l'air [30]. L'échec de la création d'armes biologiques efficaces obligea les scientifiques d'Aum à concentrer leurs recherches sur le développement d'une arme beaucoup moins sophistiquée, un agent toxique à base d'organophosphate.

Après l'attentat du métro de Tokyo, les raids de la police nationale japonaise contre les installations d'Aum conduisirent à la confiscation d'un hélicoptère de fabrication russe et d'une installation de détection de gaz toxiques. Un équipement de dissémination d'un agent chimique qui aurait pu être installé sur l'hélicoptère fut également confisqué. De plus, des documents découverts lors du raid révélèrent qu'Aum attachait un grand intérêt à l'acquisition de chars russes neufs ou d'occasion, d'avions de chasse ainsi que de technologie nucléaire. En novembre 1995, les auditions menées au Congrès américain dans le cadre du sous-comité d'enquête permanent indiquèrent

---

29. D.E. Kaplan et al., *op. cit.*, p. 98.
30. *Ibid.*, pp. 93-95.

qu'Aum était impliquée dans le processus de développement d'un énorme arsenal meurtrier. Les activités de développement d'armes d'Aum découvertes lors de l'enquête comprenaient :

– Une cache d'armes conventionnelles, ainsi que les installations industrielles nécessaires à la fabrication d'une variante de l'AK-47 de conception russe. Cet équipement, qui comprenait des tourelles contrôlées par ordinateur ainsi que du matériel permettant de fabriquer de l'acier, fut acquis lors de l'achat par Aum d'une entreprise de fabrication d'acier en faillite, Okamura Ironworks. Les manuels nécessaires à la fabrication de ces armes semblent avoir été introduits en fraude de Russie [31].

– Une tentative d'acquisition d'armes de destruction massive et de technologie de Russie, ainsi que le vol de documents techniques concernant des armes telles que les chars et l'artillerie dans les locaux de Mitsubishi Heavy Industries. La secte a également pénétré avec succès un certain nombre d'entreprises ayant des contrats avec la défense, notamment Mitsubishi Heavy Industries, afin d'avoir accès à la technologie industrielle permettant le développement d'un programme de fabrication d'armes de destruction massive.

– En plus de l'hélicoptère Mi-17 de fabrication russe et du kit de dispersion, Aum a cherché à expérimenter des véhicules pilotés à distance équipés de ces instruments. Ils auraient ainsi pu être utilisés pour répandre un agent toxique.

– Du matériel de fabrication moléculaire provenant de l'entreprise Cache Scientific, située à Beaverton dans l'Oregon, et du matériel et des ordinateurs d'une valeur de 400 000 dollars utilisés pour la recherche biogénétique et obtenus auprès d'une firme américaine basée sur la côte est.

– 400 masques à gaz acquis auprès d'une entreprise de San José en Californie (rayée des registres du commerce par l'entreprise-mère le 20 mars 1995 à la suite des rapports faits par les médias sur l'attentat de Tokyo).

– Une tentative faite par Aum d'acquérir un laser sophistiqué auprès d'une entreprise de Californie du Nord en mars 1995 et

---

31. *Ibid.*, p. 88. A noter que le manuel d'utilisation du sarin employé par Aum est d'origine russe.

un *interferometer* obtenu auprès d'une firme du Connecticut en 1993. Ces deux systèmes ont des applications en matière d'enrichissement de matériel nucléaire.

– Au moins vingt volumes de manuels du KGB.

– L'acquisition par la secte d'un lopin de terre (un ranch d'élevage de moutons connu sous le nom de Banjawarn Station) en Australie occidentale, ainsi que des installations minières d'uranium. Aum s'intéressait à l'uranium australien, qui devait être exporté vers ses installations au Japon. Là, il devait être enrichi pour atteindre le niveau d'une bombe par la technique d'enrichissement au laser. On a également découvert qu'Aum avait testé son agent toxique sarin sur les moutons du ranch australien.

– La secte aurait conclu un accord avec les Nord-Coréens selon lequel les membres de la secte auraient reçu des armes ainsi qu'une formation, en échange d'ordinateurs et de lasers. L'exportation de ces produits vers la Corée du Nord était limitée, mais Aum se procura facilement ces matériels par le biais de sa compagnie de commerce Maha Posya Inc.[32].

– L'établissement par Aum d'une base importante en Russie avec l'aide d'officiels russes haut placés. Ces relations ont permis aux scientifiques d'Aum de s'introduire dans diverses institutions académiques et techniques afin d'obtenir des informations utiles à la fabrication d'armes de destruction massive ainsi qu'à la production d'armes de petit calibre.

CHRONOLOGIE DES ÉVÉNEMENTS IMPORTANTS

La chronologie des activités d'Aum donne une idée de la véritable nature de celles-ci :

– Février 1984 : Asahara établit la secte à Tokyo après la révélation spirituelle qu'il a eue dans l'Himalaya.

– 1988 : Asahara prédit que le Japon va se réarmer et qu'une guerre nucléaire sera déclenchée en 1997.

– 1989 : Asahara ordonne l'exécution d'un fidèle, Shuji Tagu-

---

32. *Ibid.,* p. 68.

chi. Taguchi a eu l'insigne honneur d'être la première victime d'un meurtre perpétré par Aum. Il fut assassiné parce qu'il cherchait à quitter la secte. Plus tard, cette même année, un avocat spécialiste des droits de l'homme, Tsutsumi Sakamoto, ainsi que sa femme et son fils, furent également enlevés puis assassinés par les agents d'Aum. Sakamoto représentait dans un procès 23 parents qui voulaient que la secte libère leurs enfants.

– Février 1990 : Asahara et 24 membres de la secte échouent dans leur tentative de se faire élire. La même année, Aum commence à faire sa promotion en Russie.

– Avril 1990 : des membres de la secte dispersent de la botuline près de la Diète lors d'une tentative ratée d'attaque contre des membres du gouvernement japonais [33].

– Mars 1992 : Asahara rencontre les autorités russes, parmi lesquelles Alexandre Routskoï, alors vice-président, qui devait par la suite participer à l'insurrection armée contre Boris Eltsine. Il rencontre également Oleg Lobov, à l'époque secrétaire du Conseil de sécurité. Aum installe finalement un centre de radio ainsi qu'un centre d'éducation à Moscou. La filière russe était un événement dû avant tout au hasard, aussi bien pour Aum que pour les autorités russes. Shoko cherchait à s'introduire en Russie, susceptible de fournir un grand nombre d'adhérents, pour avoir accès à la technologie des armes de destruction massive. Les autorités russes étaient quant à elles soucieuses de satisfaire les désirs d'Asahara, qui se montrait généreux et se comportait comme une véritable « vache à lait ».

– Juin-juillet 1993 : à la fin du mois de juin, des membres de la secte dispersent dans la ville de Tokyo de la toxine botulinique, mais avec des résultats négatifs. Au début du mois de juillet, des personnes habitant à proximité des locaux d'Aum se plaignent d'émanations de fumée blanche s'échappant de ces derniers. Les autorités locales reçoivent plus de 200 plaintes mais aucune enquête n'est ouverte. Il s'agissait en fait d'une tentative de disperser de l'anthrax sur Tokyo.

– Juin 1994 : sous la direction de Masami Tsuchiya, chef de

---

33. *Ibid.*, p. 58.

l'unité des armes chimiques d'Aum, deux membres de la secte dispersent du gaz sarin près du palais de justice de Matsumoto. L'attentat semble avoir été ordonné par Asahara afin d'éviter un jugement défavorable à la secte dans un litige concernant un problème foncier. Sept personnes sont tuées et 150 blessées, y compris les trois juges impliqués dans l'affaire.

– Juillet 1994 : des villageois de Kamikuishiki se plaignent de fortes odeurs provenant des locaux d'Aum au pied du mont Fuji. La police a par la suite découvert la preuve de l'utilisation de gaz sarin par des prélèvements effectués à proximité des locaux.

– Décembre 1994 : un lieutenant d'Aum tente d'assassiner le gérant d'un parc de voitures âgé de 83 ans, Noburo Mizuno, en lui injectant du VX. Mizuno est hospitalisé mais en réchappe. Entre septembre et novembre 1994, Asahara a ordonné au moins l'assassinat par injection de deux membres de la secte qui avaient fait défection. Un membre des Forces d'autodéfense japonaises est inculpé. En outre, un journaliste de Yokonama qui avait écrit un article relatant les liens d'Aum avec la famille Sakamoto, est victime chez lui d'un attentat au gaz.

– Janvier 1995 : craignant qu'une enquête de police sur l'attaque au gaz de Matsumoto conduise à une enquête sur les installations d'Aum à Kamikuishiki, des membres de la secte détruisent des stocks de sarin et des équipements de camouflage utilisés pour produire ce gaz toxique [34].

– 15 mars 1995 : la police découvre des valises (modifiées à l'aide de tuyaux et de ventilateurs alimentés par des piles) dans une station de métro [35].

– 20 mars 1995 : 12 personnes trouvent la mort et 5 000 sont blessées lors d'une attaque au gaz sarin dans le métro de Tokyo. A cette date, 12 résidents de Kamikuishiki ont affirmé avoir été menacés par Aum en décembre 1992 [36].

---

34. *Ibid.*, pp. 215-217.
35. *The Economist,* 25 mars 1995, p. 37.
36. Alors que ces faits sont confirmés par plusieurs sources, cette histoire est basée sur un article de Chiaki Ishimura, « Events Surrounding Doomsday Sect

– 22 mars 1995 : environ 3 000 policiers prennent d'assaut les installations d'Aum situées dans vingt-cinq lieux différents à Tokyo, Shizuoka et Yamanashi. Dans le principal quartier général, ils découvrent 7,9 millions de dollars et 22 livres d'or. Des produits chimiques, en quantités suffisantes pour tuer environ 4,2 millions de personnes, sont confisqués. La police confisque également un hélicoptère de fabrication russe et un détecteur de gaz empoisonné [37].

– 30 mars 1995 : Takaji Kunimatsu, chef de la police japonaise dirigeant l'enquête, est abattu. L'assassin s'enfuit à vélo.

– 1er avril 1995 : des perquisitions menées dans les locaux d'Aum aboutissent à la découverte d'une bibliothèque contenant des livres de biochimie, des incubateurs ainsi qu'un microscope électronique. On pense qu'Aum se serait engagée dans un programme de recherche en matière d'armes biologiques.

– 8 avril 1995 : les perquisitions de la police dans les installations d'Aum aboutissent à la confiscation d'équipements et de machines utilisés dans la fabrication d'AK-47.

– 28 avril 1995 : deux membres de la Force d'autodéfense terrestre japonaise sont arrêtés après avoir été identifiés comme membres d'Aum et comme responsables de la transmission d'informations sur la préparation par la police de raids sur les installations d'Aum [38].

– 5 mai 1995 : des employés de gare découvrent et éteignent un sac enflammé contenant du cyanure de sodium dans les toilettes pour hommes de la station de Shinjuku. Juste à côté de ce sac enflammé se trouvait un sac d'acide sulfurique dilué mélangé avec du cyanure. Si les deux sacs avaient eu le temps de se mélanger, ce matériel de faible technologie aurait engendré un nuage de cyanure d'hydrogène capable de tuer un millier de personnes dans le métro de Tokyo.

Aum Supreme Truth », *Agence France Presse,* 22 mars 1995. Cf. également D. Van Biema, *art. cité.*

37. Nicholas D. Kristof, « Poison Gas Targets Secret Cult ; Japanese Raids turns up Chemicals », *The International Herald Tribune,* 23 mars 1995.

38. Kaplan signale que le nombre de membres des Forces d'autodéfense appartenant à Aum est d'environ 40 hommes d'active et 60 anciens membres (*op. cit.,* p. 188).

– 16 mai 1995 : Chizuo Matsumoto, alias Shoko Asahara, est arrêté par la police dans le bunker de Kamikuishiki.

ANALYSE D'AUM

Shoko a clairement désiré jouer un rôle important dans la politique japonaise. Cela a été évident dès 1990, lorsqu'une série des membres d'Aum ont tenté sans succès de remporter différents mandats lors des élections générales japonaises. A la suite de ces échecs, Shoko Asahara, cherchant toujours à être un « joueur d'importance », s'est tourné vers le terrorisme reposant sur les armes de destruction massive.

Du point de vue structurel, l'équipe d'Aum était constituée de personnes disposant des connaissances techniques minimales leur permettant de mettre au point un agent toxique ainsi qu'un système de dispersion rudimentaire. Que le groupe ait commis plusieurs erreurs flagrantes n'est pas ici notre propos, le nombre impressionnant de pertes humaines ainsi que les dégâts provoqués par leurs efforts « amateurs » dans le métro de Tokyo suffisant à démontrer sa capacité de nuisance. Aum possédait également une base financière suffisamment importante pour pouvoir financer le développement d'un engin nucléaire rudimentaire. En outre, la secte avait accès librement au matériel nécessaire ainsi qu'aux produits chimiques afin de poursuivre un programme en matière d'armes de destruction massive.

Aum poursuivait cet objectif afin de contrebalancer la supériorité militaire et politique de l'État japonais. Le cas Aum soulève une question importante à laquelle on ne peut pas répondre facilement, à savoir : quelles sont les caractéristiques fondamentales qui ont permis à ce groupe de franchir la ligne qui sépare la contrainte traditionnelle de l'utilisation d'armes de destruction massive ? Un examen plus approfondi de l'organisation par le biais d'une approche réductionniste pourrait fournir des réponses sur la capacité d'Aum à transcender ces « contraintes traditionnelles » et à utiliser ces armes. En séparant les diverses caractéristiques manifestées par le groupe, on peut mieux expliquer la raison pour laquelle il a choisi de développer et d'employer ces armes.

Le pouvoir de faire contrepoids à l'État

A mesure que les membres d'Aum, ses entreprises et ses prises de position financières s'accroissaient, le désir d'Asahara de jouer un rôle déterminant dans la société augmentait dans les mêmes proportions. En adoptant une stratégie qui conduisait à terme à une confrontation armée avec les autorités japonaises, Asahara ordonna qu'Aum contrebalance la supériorité militaire des Forces d'autodéfense ainsi que celle de la police nationale. Cela comprenait : (1) l'infiltration de membres de la secte dans les Forces d'autodéfense et dans la police nationale ; ainsi, Asahara pouvait être informé des efforts antiterroristes du gouvernement et les contrer plus efficacement ; (2) le développement d'une capacité de fabrication d'armes de petit calibre afin d'équiper les membres d'Aum ; (3) le développement du programme d'armes de destruction massive utilisées pour empêcher toute tentative d'intrusion du gouvernement japonais dans les affaires d'Aum.

Un dirigeant à la « *personnalité narcissique, autoritaire et sociopathe* »

J'ai eu la chance d'avoir accès à une somme importante d'informations concernant Shoko Asahara. J'ai pu aussi discuter de la « personnalité » de Shoko avec plusieurs psychiatres, parmi lesquels Jerrold Post.

Le Dr Post fournit une approche révélatrice en suggérant que Shoko Asahara est le parfait exemple d'une « personnalité narcissique ». Ajoutez à cela que les autres caractéristiques d'Asahara sont ses qualités charismatiques et sa paranoïa ; le recours à la religion pour légitimer son comportement et manipuler ses membres ; un désir de pouvoir évident à des fins d'oppression ; et la conviction selon laquelle les personnes extérieures à Aum sont l'ennemi qu'il faut détruire. C'est indubitablement le profil d'un leader qui, si l'occasion lui en est donnée, manipulera ses fidèles et les incitera à commettre des actes ultraviolents de terrorisme. Placez ce type de leader à la tête d'un groupe « avide de pouvoir », disposant de telles caractéristiques, et le résultat sera le suivant, selon le Dr Post :

> « Si cette personnalité paranoïaque aux illusions messianiques possède des capacités de commandement et peut se présenter comme telle aux yeux d'une population vulnérable, les ingrédients sont réunis pour qu'une secte religieuse charismatique de nature apocalyptique surgisse. Ses illusions ne revêtent pas seulement un sens pour lui mais également pour les individus traumatisés par un monde qui s'effondre. C'est un diagnosticien collectif. Seul à l'origine, le paranoïaque est maintenant rejoint par des fidèles aux illusions religieuses identiques. En outre, ses fidèles confirment la véracité de sa conviction religieuse. Pour les fidèles, un tel dirigeant inspiré leur fournit un diagnostic sur les maladies affectant le monde et leur affirme qu'ils ont un rôle spécial à jouer. Il donne du sens au chaos qui les entoure. Leur perception du danger extérieur est confirmée, mais ils ne sont plus seuls à faire face à l'ennemi. Au contraire, ils sont unis avec les véritables croyants sous la bannière d'un leader sacré. Dans cette secte repliée sur elle-même, le gourou et ses fidèles sont enfermés dans un système dans lequel chacun renforce la conviction de chacun [39]. »

Shoko Asahara présente donc sans aucun doute les caractéristiques d'une personnalité autoritaire et sociopathe.

L'idéologie

En dépit de la rhétorique pacifiste qui imprègne les enseignements d'Aum Shinrikyo, le cœur de l'idéologie du groupe est basé sur un impératif apocalyptique millénariste qui accrédite l'idée de l'emploi de la violence extrémiste. Shoko Asahara a créé ce système de croyances dans le but exprès de recruter et de manipuler les membres croyant sincèrement pouvoir faire partie du petit nombre de ceux qui seraient choisis pour survivre à l'apocalypse et participer ainsi au nouvel ordre mondial dirigé par Aum. Lorsque Shoko a créé cette « église », il s'est impliqué dans une variété de pratiques spécifiquement destinées à

---

39. Interview de Jerrold M. Post, 9 février 1996, San Francisco. Les citations sont extraites d'ébauches de notes non publiées pour un livre que le Dr Post est en train d'écrire sur les sectes.

accroître la stature d'Aum, son pouvoir et la perception de sa propre importance. Ces efforts étaient particulièrement visibles par les autorités japonaises ainsi que par le grand public. En se remémorant l'histoire de Shoko, on décèle à l'origine un esprit d'entreprise qui finit par adopter une posture pseudo-religieuse. Son message était littéralement diffusé via la publicité dans les médias au Japon ainsi que dans d'autres pays. Les références à la nature apocalyptique du groupe étaient également évidentes dans les livres que la secte publiait et dans lesquels Shoko se présentait lui-même comme le Messie. En outre, Shoko affirmait avoir eu un message de Dieu qui déclarait l'avoir choisi pour conduire l'armée qui purifierait la société japonaise de tous ses maux de nature sociale et politique.

En fin de compte, Shoko « vend » à son entourage dévoué de zélotes et de gourous potentiels une vision de l'avenir qui comprend non seulement la révélation spirituelle, mais une posi-tion de commandement garantie dans le nouvel ordre du monde, un ordre dont il prophétise l'avènement après Armageddon. Grâce à la documentation recueillie dans de nombreuses vidéos de relations publiques ainsi que de multiples écrits provenant de la secte, on sait que Shoko prédisait que le Japon et les États-Unis s'engageraient dans une guerre nucléaire entre 1997 et 1998, et que le Japon souffrirait d'énormes destructions occa-sionnées à son économie et à ses infrastructures. En outre, il affirmait fréquemment avoir été la victime de persécutions et d'attaques au gaz toxique de la part des gouvernements améri-cain et japonais [40]. Il utilise cette « fiction » afin de convaincre le noyau dur d'Aum que l'existence du groupe est menacée et que l'apocalypse est proche. Malheureusement, alors que l'heure du cataclysme approchait, la crédibilité de Shoko était menacée. Cela l'obligea à organiser des événements pouvant être inter-prétés comme annonciateurs de l'Armageddon, à savoir les attaques au gaz sur Matsumoto et sur Tokyo (les journalistes enquêtant sur cette affaire suggèrent que les attaques étaient éga-lement destinées à dissuader les autorités japonaises d'ouvrir une

---

40. Hajime Takano, « Aum Veiled in Nerve-Gas Attack Suspicion – Performing its Own Armageddon ? », *Insider*, 1er avril 1995.

enquête sur la secte). Il est clair qu'Aum utilisait une idéologie apocalyptique millénariste légitimant l'usage de la violence extrême.

Le manque de contraintes pesant sur la réalisation de l'extrême violence

L'histoire de la violence perpétrée par Aum débute par les assassinats de membres dissidents ou ayant fait défection, ainsi que de personnes extérieures au groupe perçues comme une menace. Aum franchit la ligne de non-retour lorsque Shoko ordonna le meurtre de Shuji Taguchi et de la famille Sakamoto en 1989. Malgré les graves soupçons qui pesaient sur la secte, les enquêtes menées pour élucider ces événements n'aboutirent pas. Probablement enhardis par leurs actes et par le manque de pugnacité des autorités japonaises, les membres d'Aum, sur les ordres de Shoko, s'engagèrent dans une multitude d'actes violents (torture, enlèvements, tentatives de meurtre, assassinats), atteignant un sommet avec les attentats de Matsumoto et du métro de Tokyo. En fait, entre 1991 et 1995, plus de 60 personnes parvinrent à s'échapper des bâtiments d'Aum à Yamanashi et informèrent les autorités des abus et de l'isolement que la secte imposait à ses membres.

Avant les attaques au gaz, les autorités japonaises avaient reçu de nombreuses plaintes émanant de familles dont des proches et des enfants étaient tombés sous la coupe d'Aum. La population vivant à proximité du bâtiment d'Aum à Kamikuishiki se plaignit régulièrement auprès des autorités d'intrusions et du comportement étrange des membres de la secte. Le penchant de la secte pour l'extrême violence était connu avant l'attaque au gaz. Shoko exaltait le meurtre comme moyen d'accéder à une révélation spirituelle encore plus grande.

> « J'affirmais que c'était un des principes divins que de mettre fin à sa propre vie en utilisant du sarin ou d'autres sortes de gaz mis au point durant la Seconde Guerre mondiale [41]. »

---

41. N. Cassway, « The Wit and Wisdom of Gas Attack Guru Shoko Asahara », *art. cité.*

De nombreuses sectes se caractérisent par une violence extrême. Parfois, cette violence est circonscrite aux membres de la secte, comme on l'a vu dans le cas de l'Ordre du Temple solaire. Le 5 octobre 1994, 53 membres de cette secte se donnèrent la mort dans un incendie rituel dans deux lieux distincts, l'un en France et l'autre au Canada [42]. Selon les médias, les suicides furent organisés de telle manière que les membres devaient quitter ce monde pour entrer dans une nouvelle dimension paradisiaque. Parmi les victimes se trouvaient plusieurs enfants, qui furent vraisemblablement abattus d'une balle dans la tête. A peu près un an plus tard, un deuxième suicide collectif se produisit, dans lequel 16 membres du Temple solaire trouvèrent la mort.

Davantage connu est l'exemple des 900 membres du Temple du peuple qui périrent dans un suicide collectif s'apparentant plutôt à un meurtre de masse orchestré et mené à bien par leur dirigeant, le révérend Jim Jones [43]. Cet événement catastrophique survint à Jonestown, au Guyana, le 18 novembre 1978. Certains membres furent tués par balles, mais la plupart périrent après avoir avalé du cyanure. Parmi les victimes se trouvait le représentant Leo Ryan, qui s'était rendu au Guyana pour enquêter sur des rumeurs de violations des droits de l'homme à l'encontre de certains membres (particulièrement des enfants et des adolescents), commises par des membres de la secte ou de l'équipe de sécurité. A la suite de cette affaire, le Comité des Affaires étrangères de la Chambre des Représentants proposa que le cas des sectes soit discuté, en s'intéressant particulièrement à leur mode de fonctionnement ainsi qu'au style et à la tactique de leurs dirigeants [44].

---

42. « Killer Cults Hit List », *Article* (http: // www.mayhem.net/Crime/cultsl.html).
43. Pour un compte rendu détaillé du massacre de Jonestown, cf. Kenneth Wooden, *The Children of Jonestown*, San Francisco, McGraw-Hill, 1981.
44. *Ibid.*, p. 206.

La fermeture du groupe et sa cohésion

Aum Shinrikyo est un « système cellulaire fermé » au sein duquel les actions sont accomplies pour le bénéfice du groupe, de son dirigeant et de Dieu (quoique à certains moments Asahara suggéra qu'il était lui-même un « Dieu »). Au-delà des attaques au gaz imputées à Aum, le plus inquiétant c'est le degré de brutalité et d'efficacité de la société créée par la secte. Aum affirmait que le seul espoir de survie était dans l'isolement, dans le groupe et dans la propre confiance en eux des membres. Ceux-ci ne cédaient pas seulement leur argent au groupe, mais également jusqu'à leur identité propre. En ce sens, ils faisaient preuve d'une extrême cohésion.

On inculquait aux croyants l'idée que les étrangers ne pouvaient pas comprendre leur religion mystique unique et que, pis, ceux-ci ne cherchaient qu'à la détruire. Le danger représenté par les étrangers et les idées de l'extérieur est un thème récurrent dans la propagande interne d'Aum. Une mentalité d'assiégé était façonnée et alimentée afin que les membres s'imprègnent du mythe selon lequel Aum se devait de défendre son existence même vis-à-vis d'un monde ne désirant que sa perte. Ainsi, l'appareil dirigeant d'Aum, mené par Shoko Asahara, développa des arguments rationnels (qui entraient néanmoins dans le cadre d'un système irrationnel et rempli d'illusions) selon lesquels la seule manière de se protéger était d'attaquer ceux qu'il considérait comme ses ennemis. La brutalité, les enlèvements, l'isolement, les violations flagrantes des droits de l'homme paraissaient alors naturels dans un tel contexte.

Le noyau dur dirigeant d'Aum était toujours loyal aux idéaux, à la vision et aux plans secrets de Maître Shoko. Pour preuve, le comportement qu'il adopta et les actions dans lesquelles il s'engagea pour mener à bien la stratégie destinée à créer Armageddon et à conduire ceux qui survivraient vers le nouvel ordre mondial conçu par Aum. Le repli sur soi, la cohésion et la loyauté du groupe sont particulièrement évidents dans cette étude de cas.

L'indifférence à l'égard des réactions du public et du gouvernement

Les dirigeants et les fidèles d'Aum, particulièrement ceux qui ont été impliqués dans les atrocités, ne se souciaient ni de l'opinion publique, ni de la réaction du gouvernement japonais, considérant le grand public ainsi que les gouvernements américain et japonais comme l'« ennemi ». Pour donner un exemple éclairant de la manière dont les cadres du noyau dur d'Aum, après avoir subi un sévère lavage de cerveau, tombèrent sous la tutelle de Shoko, il suffit de citer l'un des membres de la secte, Kensaku Nagano, qui déclara durant les audiences de la Cour :

> « Rencontrer le Révérend [*Asahara*] une nouvelle fois serait pour moi une grande joie [...] ; même si je dois renaître ou mourir, je veux servir le gourou à tout jamais. [...] Je pense que cela était juste [*l'attaque au gaz dans le métro de Tokyo*][45]. »

Dans un autre enregistrement, on entend Ikuo Ayashi, qui a reconnu avoir dispersé du gaz dans l'une des rames du métro de Tokyo, affirmer que l'objectif de l'attaque du métro était de rayer de la carte le quartier de Kasumigaseki, où sont concentrés de nombreux bureaux gouvernementaux[46]. Avant l'attaque, on savait que la secte s'en prenait avec violence aux autorités locales. Dans leur volonté d'être reconnus par les autorités japonaises comme un groupe religieux en 1989, les membres d'Aum harcelèrent les officiels municipaux, organisèrent des manifestations et déposèrent une plainte contre le gouverneur de Tokyo[47]. Partant du principe que la mort n'est autre que l'entrée dans une nouvelle existence, les membres de la secte n'avaient aucun scrupule à utiliser des armes de destruction massive, ce qui aurait permis soit de perpétuer l'existence du groupe, soit de hâter le passage de celui-ci dans un « autre » monde.

---

45. « Aum Member says Deadly Sarin Gas Attack was "Right" », *Kyodo News International*, 25 mars 1995.
46. Irene M. Kunii, « Engineer of Doom », *Time*, 12 juin 1995.
47. D.E. Kaplan et al., *op. cit.*, p. 24.

La volonté de prendre des risques

En fin de compte, Shoko Asahara était un professionnel accompli, cherchant à tout prix à prendre des risques afin d'en tirer un gain substantiel. Ce comportement commença à se faire jour en 1982 lorsqu'il fut arrêté pour avoir vendu de faux traitements médicaux. La nature de Shoko, portée à prendre des risques, mûrit et se développa dans les mêmes proportions que la puissance financière de la secte et se manifesta par l'adoption d'une tactique d'armement à outrance, par la contrefaçon et par le désir d'acquérir les biens personnels des membres de la secte. On peut noter plus particulièrement que le programme de développement des armes de destruction massive s'inscrit dans un cadre plus large. Comme on l'a déjà dit, les membres d'Aum cherchaient à acquérir en Russie et aux États-Unis des compétences et du matériel ayant trait aux armes de destruction massive. Ils achetèrent même un ranch en Australie où ils testèrent le sarin sur les moutons, après avoir introduit illégalement des produits chimiques et un équipement destiné à stimuler l'agent toxique sur place [48]. Les douanes australiennes arrêtèrent effectivement en avril 1993 des membres d'Aum tentant d'introduire en Australie de l'acide hydrochlorydrique ainsi que d'autres produits chimiques en provenance du Japon. Les membres de la secte furent par la suite condamnés à une amende de 1 800 dollars et interdits de séjour en Australie pendant une durée de six mois [49].

La démonstration d'un certain degré de sophistication de l'armement et de la tactique

Les dirigeants d'Aum ont certainement fait preuve d'un haut degré de sophistication dans leurs méthodes de recrutement et dans leurs tentatives pour développer des ressources financières importantes. Ils ouvrirent des négociations pour se procurer une variété de substances difficiles à acquérir, du matériel informa-

---

48. *Ibid.*, pp. 126-133.
49. *Ibid.*, p. 126.

tique sophistiqué ainsi que l'hélicoptère Mi-17, qui fut amené au Japon en passant par l'Autriche, la Slovaquie et les Pays-Bas [50]. Durant les efforts faits par Aum pour accroître sa présence en Russie en 1994, 15 membres de la secte suivirent un programme d'entraînement au maniement des armes d'une durée de dix jours, au cours duquel ils apprirent les techniques de survie et le tir de précision, y compris dans le domaine des lance-roquettes. Une enquête peu poussée a pu mettre au jour une somme d'informations suffisante pour suggérer que le groupe possédait une structure sophistiquée et s'intéressait aux armes nucléaires.

L'existence d'un personnel connaissant les techniques nécessaires à l'utilisation d'armes de destruction massive

Bien que cela ne fasse pas partie du plan originel, les pratiques de recrutement d'Aum se concentrèrent finalement sur les individus possédant un certain niveau d'éducation ainsi qu'une qualification professionnelle dans les domaines de la physique nucléaire, de la biogénétique, de la chimie, de la médecine et des mathématiques de haut niveau. Une étude superficielle des membres d'Aum avant l'attaque de Matsumoto aurait révélé l'existence d'une cellule d'experts extrêmement solide, constituée d'individus ayant un niveau bien plus élevé que le minimum requis pour la production d'agents chimiques toxiques à des fins guerrières.

Des ressources permettant de financer des armes de destruction massive

Cette caractéristique pourrait n'être à la vérité que de peu d'importance, les coûts de développement d'un agent de faible niveau toxique ainsi que ceux de fabrication d'un système de dispersion (de cyanure et d'acide sulfurique) étant minimes. Néanmoins, la puissance financière d'Aum était largement supérieure au coût de production d'une arme, y compris nucléaire.

---

50. *Ibid.*, p. 193.

La disponibilité en équipement et l'accès facile au matériel

Aum pouvait se procurer facilement des produits chimiques et divers agents pathogènes. Comme cela fut mis en évidence lors des auditions du Congrès, tout ce qui était nécessaire à un membre d'Aum en matière d'armes de destruction massive était disponible et accessible au Japon.

Conclusion de l'analyse

Si la secte Aum n'a eu aucun mal à se livrer à la fabrication d'armes de destruction massive, c'est parce que le Japon est une société ouverte et démocratique. Cette structure démocratique influence les pratiques judiciaires et législatives en matière d'investissement. On peut suggérer que c'est cette caractéristique ajoutée à l'attitude que la culture japonaise manifeste à l'égard des institutions religieuses, qui a permis à Aum d'avoir une grande marge de manœuvre pour développer son programme d'armes de destruction massive au nez et à la barbe de l'État japonais. Cette attitude vis-à-vis des institutions religieuses est une réaction aux restrictions et aux atrocités imposées à la population japonaise sous le régime fasciste de Tojo durant les années 30 et jusqu'en 1945. Depuis, les groupes religieux sont généralement considérés comme « intouchables » au Japon. Cela pourrait expliquer en partie pourquoi il n'y a pas eu d'enquête très poussée malgré les nombreuses plaintes contre Aum.

La capacité de la secte à pénétrer divers services gouvernementaux ou de police ainsi que les forces de défense a joué aussi un rôle important. Par ce biais, l'appareil dirigeant d'Aum a pu développer un réseau d'alerte préventive qui lui permettait d'avoir connaissance des plans des autorités relatifs à la secte. Ce réseau a permis à Shoko d'éviter l'arrestation pendant près de deux mois après l'attaque contre le métro de Tokyo.

CARACTÉRISTIQUES DE LA SECTE TERRORISTE AUM SHINRIKYO

Tableau 2. RÉSUMÉ DE L'ANALYSE D'AUM

Le groupe désire avoir un pouvoir suffisant afin de contrebalancer celui de l'État-nation.	Le groupe fait preuve d'une grande sophistication dans l'utilisation des armes ou dans sa tactique.
Le dirigeant du groupe est l'exemple d'une « personnalité autoritaire narcissique ».	Le groupe comprend des membres disposant de compétences en matière d'armes de destruction massive.
L'idéologie de la secte défend l'idée de l'utilisation de l'extrême violence.	Le groupe possède des ressources lui permettant de financer un programme d'armes de destruction massive.
Le groupe s'engage dans la violence extrême.	Le groupe a accès à la technologie et aux matériaux nécessaires à la fabrication d'armes de destruction massive.
Le groupe est une cellule fermée dotée d'une grande cohésion. Ses membres jurent loyauté à la cause.	
Le groupe est indifférent aux réactions externes.	
Le groupe est prêt à prendre de gros risques.	

RÉSUMÉ DU CAS AUM

Rappelons qu'il existe une série de contraintes traditionnelles qui empêchent généralement les groupes non étatiques d'aller jusqu'à employer des armes de destruction massive. Si ces contraintes n'existaient pas, le choix d'utiliser ces armes viendrait aussitôt à l'esprit des terroristes. *Jusqu'à ce jour, l'utilisation par un groupe non étatique d'armes de destruction massive est encore l'exception qui confirme la règle.* Ce cas spécifique permet d'expliquer les raisons qui ont poussé Aum à transcender les *barrières traditionnelles* et à commettre des actes ultraviolents au moyen d'armes de ce genre, barrières que de nombreux théoriciens du terrorisme considèrent comme dissuadant les groupes non étatiques de s'aventurer sur cette route dangereuse. La combinaison entre le désir de pouvoir, un dirigeant « autoritaire-sociopathe », une idéologie religieuse et la nature fermée de la cellule du groupe, a constitué la puissante impulsion permettant de surmonter ces barrières. Afin de déterminer les intentions et les motivations d'un groupe non étatique, il est très important de mettre l'accent sur certains des aspects psychosociaux de tels groupes. En tout état de cause, si l'appareil intellectuel du Japon avait été formé pour analyser Aum à l'aide du schéma décrit ici, il serait vite devenu évident que la secte était mûre pour développer et employer des armes de destruction massive. On aurait pu au moins reconnaître qu'Aum était un groupe prédisposé à l'extrémisme et à la violence.

En conclusion, Kaplan nous livre une excellente synthèse sur l'homme et sur la secte :

> « En 1986, Shoko Asahara était un artiste de génie parcourant les montagnes de l'Himalaya, et il refit surface sous la forme d'un messie autoproclamé. En 1995, il redescendit de nouveau des montagnes, cette fois-ci revêtu de l'image d'un des assassins de masse les plus célèbres de ce siècle – comme le prophète du terrorisme de haute technologie [51]. »

En réponse à la préoccupation grandissante concernant les menaces que constituent les sectes, la France, l'Allemagne et la Suisse ont institué des garde-fous pour surveiller les activités des sectes dans leurs pays respectifs. Dans une résolution non contraignante, le Parlement européen a scellé un accord par lequel la police et les organismes d'enquête tels qu'Interpol et Europol travailleront ensemble afin de repérer les activités illégales ou douteuses des sectes [52]. Le cas d'Aum est un signal d'alarme et représente ce qui pourrait bien être une nouvelle

---

51. *Ibid.*, p. 282.
52. « MPs Plead for EU Action against Dangerous Cults », *Reuters*, 29 février 1996.

tendance en train de se dessiner : celle de la prolifération non étatique d'armes de destruction massive.

En conclusion, on peut citer un récent rapport provenant du Japon qui suggère que la secte Aum ne sera pas mise hors la loi. Puisque de nombreux membres clés du groupe impliqués dans l'attaque au gaz du métro de Tokyo n'ont pas encore été arrêtés, cette décision pourrait bien être une erreur dramatique qui pourrait avoir pour conséquence un second attentat perpétré avec des armes de destruction massive.

Traduction revue par Anthony Berrett

6

Comment répondre à la menace terroriste

Paul WILKINSON *

En général, le terrorisme n'est pas synonyme de violence politique. C'est une forme particulière de violence dont le but est de créer un climat de peur, dans un groupe-cible plus large que les victimes directes, généralement à des fins politiques. On dispose d'un nombre impressionnant de preuves historiques qui montrent que le seul terrorisme est rarement parvenu à atteindre des objectifs politiques à long terme. Il s'est montré d'une grande efficacité dans des conflits politiques, employé comme arme d'appoint permettant d'atteindre des objectifs tactiques plus limités, ce qui permet d'expliquer sa constante popularité en tant que méthode de lutte pour une foule de causes.

Les objectifs caractéristiques des terroristes sont : obtenir une publicité massive et immédiate à la suite d'un attentat ou d'une série d'atrocités ; susciter des adeptes et des sympathisants qui se lanceront dans d'autres actes de terrorisme ou dans une insurrection ; provoquer de la part des autorités une réaction répressive disproportionnée qu'ils pourront alors exploiter à leur avantage politique. Le terrorisme est aussi utilisé comme un moyen de forcer les autorités à faire des concessions, telles que la libération de terroristes emprisonnés ou le paiement d'une rançon ; de provoquer des conflits intercommunautaires en semant la

---

* Directeur du Centre d'études du terrorisme et de la violence politique de l'université Saint Andrews (Écosse).

haine ; de détruire la confiance du public dans le gouvernement et les agences de sécurité ; et de contraindre les communautés et les activistes à obéir à la direction terroriste. Bref, le terrorisme a prouvé qu'il était une méthode de lutte au coût peu élevé, à faible risque, et au rendement potentiellement élevé, pour toutes sortes de groupes et de régimes. Rien n'indique que la fin de la guerre froide ait éradiqué les causes profondes de conflits, ethniques, politico-religieuses, idéologiques et stratégiques, qui engendrent le terrorisme.

D'un autre côté, l'histoire du xxᵉ siècle montre aussi que le terrorisme est une arme imparfaite qui rate souvent sa cible ; qu'un meurtre ou une destruction gratuits peuvent avoir pour effets d'unir et de durcir une communauté contre les terroristes, de provoquer un violent retour de bâton de la part de groupes rivaux ou de pousser les autorités à prendre des mesures de sécurité encore plus efficaces dans la période qui suit, profitant de la révulsion de l'opinion publique. Il est clair aussi que les démocraties libérales ont su remarquablement résister aux tentatives terroristes cherchant à les contraindre à des changements politiques majeurs ou à céder aux exigences des terroristes. A l'inverse des dictatures et des régimes colonialistes, les démocraties libérales ont l'énorme avantage de jouir d'une légitimité aux yeux de l'immense majorité de la population et peuvent compter sur elle dans leur lutte contre les terroristes.

Cette souplesse fondamentale des démocraties libérales ne doit cependant pas nous aveugler sur le fait qu'il est relativement facile pour des terroristes d'exploiter les libertés démocratiques afin d'organiser et de mener à bien des attentats et des campagnes de violence plus soutenus, qui peuvent aller jusqu'à des attentats massifs à la bombe avec pour objectif délibéré de provoquer des centaines de morts et de blessés dans la population civile. L'attentat terroriste à la bombe contre le vol 103 de la Pan Am au-dessus de Lockerbie en Écosse en décembre 1988, qui a provoqué la mort des 259 passagers et hommes d'équipages et de 11 personnes au sol, est responsable de plus de 40 % de toutes les morts causées par le terrorisme international pour cette seule année. 30 personnes ont été tuées et 252 blessées dans l'attentat à la bombe commis par le Hezbollah contre l'ambassade d'Israël à Buenos Aires en mars 1992. Six Américains ont été tués et plus de 1 000 autres personnes ont été blessées dans l'attentat contre le World Trade Center en février 1993, tandis que 96 personnes furent tuées et 200 blessées dans celui perpétré contre l'immeuble de la communauté juive à Buenos Aires en juillet 1994. Les attentats contre les communautés juives de Buenos Aires et de Londres en juillet 1994 montrent que les crimes terroristes mettent des vies en danger et ont souvent pour but d'intimider des minorités ethniques ou religieuses particulières ; en outre, ils font la démonstration de la façon dont des groupes terroristes et leurs États commanditaires usent du terrorisme comme d'une arme internationale, dans ce cas pour faire dérailler le processus de paix au Moyen-Orient ou, du moins, pour lui nuire sérieusement.

Il est alors clair que les réponses nationales et internationales au problème des menaces terroristes doivent aller de pair. Pour être efficace, une action contre les terroristes doit être synchronisée à ces deux niveaux. En tolérant que des terroristes soient capables de provoquer de nouveaux conflits, la communauté internationale joue avec le feu. Et nous avons vu que les terroristes, de l'intérieur, défient brutalement les démocraties libérales en mettant en danger la sécurité de leurs citoyens, la sécurité de l'État et l'autorité de la loi. Les gouvernements démocratiques et libéraux doivent décider de la façon dont il leur faut réagir à la violence terroriste pour entraîner une majorité de leurs concitoyens à soutenir leur politique.

La lutte antiterroriste n'est pas une responsabilité insignifiante et purement marginale qui peut, sans risque, être confiée aux seules agences de renseignement et de police. De par sa nature même, elle soulève des questions importantes concernant la responsabilité démocratique, les pouvoirs légaux et les libertés civiles. Des réponses maladroites et excessives peuvent mettre en danger les droits de l'homme, affaiblir la démocratie et l'autorité de la loi. Faire preuve de faiblesse ou avoir une réaction insuffisante peut inciter à encore plus de violence en laissant croire aux terroristes qu'ils peuvent commettre leurs crimes dans une relative impunité ; en outre, de telles réponses peuvent gravement détériorer la confiance de l'opinion publique dans les autorités, leurs capacités et leur volonté de soutenir la loi. Il serait ridicule de prétendre qu'il est facile pour des États libéraux et démocratiques de trouver un équilibre entre ces deux réponses. Il est également important de garder à l'esprit que dans ce monde de l'après-guerre froide, les politiques nationales des grands États démocratiques, particulièrement les États-Unis et les principaux États membres de l'Union européenne (UE), ont un rôle prédominant dans la forme que prendra l'ordre international. Si, par leur faute, les choses tournent mal, cela aura des répercussions majeures sur l'environnement stratégique global.

LA MENACE ACTUELLE EN EUROPE

Le Royaume-Uni a connu la campagne terroriste la plus longue et la plus mortelle d'Europe occidentale : la campagne d'attentats à la bombe menée depuis 1970 par l'Armée républicaine irlandaise. Cette campagne, essentiellement concentrée en Irlande du Nord, mais débordant souvent sur la Grande-Bretagne, et occasionnellement contre des cibles britanniques sur le continent européen, a été trois fois plus mortelle que la campagne terroriste menée contre l'Espagne par l'ETA-M (*Euskadi Ta Azkatasuna*, branche militaire), la branche armée du mouvement séparatiste basque, et a provoqué des centaines de morts et des milliers de blessés, ainsi que des dégâts pour des centaines de millions de livres. Elle a aussi provoqué en retour une campagne de terreur de la part de groupes loyalistes extrémistes [1].

Les autres menaces terroristes internes en Europe occidentale ont également pour motivation politique le nationalisme-séparatisme : ce sont l'ETA-M, qui est encore capable de commettre des attentats au Pays basque et contre des cibles espagnoles à Madrid, malgré les succès des services de sécurité espagnols qui, en étroite collaboration avec les Français, ont capturé et condamné des dirigeants et des militants du mouvement ; et le FLNC et autres groupes terroristes corses, qui mènent une violente campagne contre les autorités françaises. Cependant, bien

---

1. Depuis 1998, un cessez-le-feu a été proclamé en Ulster (N.d.T.).

que les activités de l'ETA aient occasionnellement débordé les frontières du côté français, et que les terroristes aussi bien basques que corses aient parfois utilisé des pays étrangers comme des sanctuaires et pour se procurer des armes, leur violence a été essentiellement concentrée sur leurs propres régions et ils n'ont pas choisi de lancer de campagnes internationales.

Les activités des groupes terroristes autochtones d'extrême gauche sont en déclin notable depuis les années 80. Action directe (AD) en France et les Cellules communistes combattantes (CCC) en Belgique ont été efficacement éradiquées par l'action de la police. Les Brigades rouges (BR) italiennes ont été défaites au début des années 80 par une combinaison de mesures policières et judiciaires efficaces, telles que la loi sur les repentis mais aussi par leur propre démoralisation et des scissions internes. La Fraction armée rouge (RAF) en Allemagne n'est plus que l'ombre du groupe qui exerça des ravages en République fédérale dans les années 70. Dans tous les pays de l'Union européenne hormis la Grèce, l'activité terroriste de gauche n'est plus aujourd'hui un problème majeur pour les autorités. Mais il pourrait refaire surface à la faveur de conflits sociaux. D'un autre côté, on assiste à une très préoccupante escalade de la violence politique et du terrorisme par des groupes d'extrême droite en Allemagne et ailleurs. En Europe, ces dernières années, la résurgence de la violence d'extrême droite est devenue une menace bien plus sérieuse que la violence à motivations idéologiques de l'extrême gauche. Par exemple en Allemagne, la désillusion largement répandue à l'égard des grands partis politiques, les contraintes économiques liées à la réunification, le fort taux de chômage et des centaines de milliers de nouveaux venus ont créé un climat où la violence de l'extrémisme de droite prospère. En 1992, il y a eu plus de 2 000 attentats commis par des groupes d'extrême droite, provoquant 17 morts et plus de 2 000 blessés. Le ministère de l'Intérieur allemand estime qu'il y a quelque 75 groupes d'extrême droite actifs en Allemagne et 65 000 activistes, dont environ 10 % sont fichés pour des actes de violence. Entre 1991 et 1993, les groupes d'extrême droite ont tué 30 personnes. En septembre 1993, le chancelier Kohl a condamné plutôt tardivement la montée de ces groupes et leurs actions violentes et a déclaré qu'ils constituaient une menace aussi grave pour une société démocratique que la terreur d'extrême gauche le fut dans les années 70 et au début des années 80. Les groupes néo-nazis ont facilement contourné l'article 9 de la Constitution allemande interdisant les organisations qui mettent en danger l'ordre constitutionnel. Cependant, un certain nombre de groupes extrémistes ont maintenant été interdits et les autorités font de plus grands efforts pour les empêcher d'organiser des attaques violentes. Pourtant, on ne peut exclure de nouveaux incendies volontaires entraînant des morts parmi des familles immigrées.

La violence d'extrême droite des skinheads et de voyous racistes s'est aussi développée ailleurs, en Europe centrale, orientale ou occidentale, depuis la Russie à l'est jusqu'à la Grande-Bretagne à l'ouest. En Russie, le Parti « libéral démocrate » d'extrême droite de Vladimir Jirinovsky et d'autres groupes similaires ont tout le potentiel pour provoquer la violence de rues. Alors qu'en Italie, en Autriche et dans plusieurs autres pays du continent, les partis néo-fascistes qui se donnent pour respectables ont, à la surprise générale, remarquablement réussi aux élections, ce serait une grave erreur de penser que le danger d'extrême droite se pose en termes purement électoraux. En Grande-Bretagne où, à l'inverse, les performances électorales de l'extrême droite ont été extrêmement faibles, la portée des attentats racistes s'est accrue de façon spectaculaire : le nombre d'incidents racistes répertoriés par la police au cours de ces cinq dernières années a doublé. Dans les prochaines années, les attaques violentes suscitées par une idéologie d'extrême droite pourraient fort bien augmenter dans de nombreux pays où les conditions sont favorables. Cependant, il est probable que le terrorisme de l'extrême droite restera essentiellement autochtone, bien que celle-ci utilise de plus en plus Internet pour propager ses idées et pour obtenir le soutien de groupes similaires à l'étranger. Des groupes extrémistes, constitués autour d'un objectif unique, sont une autre source croissante de violence terroriste. Les récentes escalades, aux États-Unis, des commandos anti-avortement qui attaquent des hôpitaux, des cliniques et leurs équipes médicales et, au Royaume-Uni, des militants des droits de l'animal qui s'en prennent à des chercheurs scientifiques, des laboratoires de recherche et des locaux commerciaux, montrent bien quelles sortes de motivations sont les leurs. Bien que les groupes extrémistes à objectif unique ne cherchent à changer que des politiques ou des pratiques spécifiques et non l'ensemble d'un système sociopolitique, leurs capacités à mettre en danger des vies et le bien-être social et économique ne devraient pas être sous-estimées. Par exemple, ils ont fait preuve d'une considérable sophistication dans leur tactique, comme le fait de contaminer des produits ou de saboter des ordinateurs. Un tel terrorisme a toutes les chances de se développer dans les démocraties pluralistes lourdement urbanisées, avec leurs systèmes complexes et vulnérables de communication, de transport et de transferts électroniques de fonds.

LE TERRORISME INTERNATIONAL

La zone de conflit où la violence terroriste a produit les débordements les plus brutaux et les plus importants depuis 1968 est bien sûr le Moyen-Orient. Si l'on inclut dans le Moyen-Orient l'Algérie et la Turquie, deux pays qui ont vu naître des conflits utilisant une violence terroriste considérable, avec des débordements internationaux, cette région reste la source la plus dangereuse de défis terroristes lancés à l'ensemble de la communauté internationale, puisqu'ils comptent pour plus de 21 % de tous les incidents liés au terrorisme international dans le monde en 1992, plus de 23 % en 1993 et 20 % en 1995.

Il y a quatre raisons fondamentales pour que le terrorisme lié au Moyen-Orient déborde les pays de la région : en premier lieu, des groupes palestiniens violemment opposés aux accords passés entre le président de l'OLP, Yasser Arafat, et le gouvernement israélien. Ces groupes voient en Arafat un traître à la cause de l'autodétermination palestinienne. Bien plus, la principale opposition à Israël et à Arafat, et la plus intransigeante, ne vient plus aujourd'hui des vieux groupes laïques marxistes révolutionnaires comme le Front populaire de libération de la Palestine (FPLP) de Georges Habache, mais de mouvements fondamentalistes islamistes, le Hamas et le Djihad islamique, dirigés par le fanatisme religieux, qui s'ajoutent à la virulente opposition à Israël des groupes révolutionnaires laïcs. Les groupes islamistes palestiniens se sont rapidement acquis le soutien des masses dans les territoires occupés, au détriment d'Arafat. Tout porte à croire qu'ils vont vraisemblablement intensifier l'utilisation du terrorisme contre des cibles israéliennes à l'intérieur même des frontières d'Israël, particulièrement dans le sillage des attentats-suicides du Hamas, qui ont eu une influence sur les résultats des élections générales israéliennes de 1997 et qui ont dû inciter les militants à penser que le terrorisme était capable de faire déraper l'ensemble du processus de paix.

Deuxièmement : dans pratiquement tous les pays musulmans, il y a des groupes d'un fondamentalisme islamique extrême, inspirés et activement encouragés par le succès des révolutionnaires islamistes qui renversèrent le chah d'Iran, prêts à lancer le djihad (guerre sainte) contre les régimes arabes pro-occidentaux afin de les remplacer par des républiques islamiques. Comme le montrent le Front islamique du salut (FIS) et le Groupe islamique armé (GIA) en Algérie, le Groupe islamique en Égypte, ces mouvements ne se cantonnent pas à des populations chiites. Les toutes premières cibles des campagnes menées par ces groupes sont les régimes en place et leurs cadres militaires, policiers et gouvernementaux, ainsi que les intellectuels qu'ils identifient au régime. Comme dans les conflits ethniques, le terrorisme n'est généralement qu'une des armes employées dans une lutte plus large : les autres armes étant la propagande, la bataille pour les élections (là où le régime le permet) et le développement du soutien des masses, qu'ils s'acquièrent à travers la création d'un large éventail d'institutions d'aide sociale, d'éducation et de culture, contrôlées par les mouvements fondamentalistes. Nous avons mentionné l'Algérie et l'Égypte, mais ces menaces islamistes ne se cantonnent pas à ces deux seuls pays. Elles concernent également l'Arabie saoudite et les autres États du Golfe, mais aussi le Pakistan, l'Indonésie et les Philippines.

En troisième lieu, le défi des fondamentalistes islamiques n'est pas lancé seulement aux régimes en place dans le monde musulman ; fréquemment, ils élargissent l'éventail de leurs cibles pour y inclure les Occidentaux vivant dans ces pays. Par exemple, depuis septembre 1993, le GIA a délibérément pris pour cible, en Algérie, des citoyens français sous le prétexte que le gouvernement français apporte soutien occulte et assistance au régime militaire algérien et est historiquement responsable de la situation du pays. Mais comme le montre le détournement de l'Airbus A 300 d'Air France par le GIA le 24 décembre 1994, les groupes terroristes islamiques sont également prêts à transporter leur guerre terroriste en France même. Il est quasi certain que les terroristes avaient l'intention de faire s'écraser l'avion au-dessus de Paris. Du coup, le très impressionnant sauvetage des otages par les autorités françaises à Marseille n'a pas seulement sauvé la vie des passagers et de l'équipage, mais très probablement celle d'au moins plusieurs centaines d'autres personnes qui auraient été tuées si les terroristes étaient parvenus à lancer leur « bombe volante » sur Paris.

Bien sûr, la France n'est pas la seule cible étrangère de ces groupes qui, tous, sont violemment anti-américains et hostiles à tous les pays occidentaux. En Algérie, les fondamentalistes musulmans ont menacé d'autres pays occidentaux. Dans le sillage de la piraterie aérienne d'Air France, ils ont envoyé à plusieurs gouvernements occidentaux une lettre écrite en allemand et postée en France exigeant qu'ils rompent tout contact avec l'Algérie et qu'ils y ferment leurs ambassades. Ils menaçaient : « Nous ne pouvons garantir la vie des ressortissants étrangers après l'expiration de cet ultimatum... Après cela, tous les incroyants seront tués de sang-froid. » Compte tenu du fait que plus d'une centaine d'étrangers ont été tués en Algérie depuis 1992, il faut prendre cette menace au sérieux.

Il y a un autre aspect extrêmement dangereux dans la menace des terroristes fondamentalistes contre des cibles occidentales. Aux États-Unis, le Bureau fédéral d'investigation (FBI) et le Bureau fédéral judiciaire ont découvert que le groupe responsable de l'explosion du World Trade Center à New York, en février 1993, soi-disant inspiré et encouragé par son chef spirituel cheikh Omar Abdel Rahman, opérait en *free lance*, en tant que groupe fondamentaliste musulman indépendant, et qu'il n'était pas directement contrôlé par un sponsor étatique ou par tout autre acteur connu et important du jeu terroriste. Ce type de groupes « amateurs » ou opérant en *free lance* posent un problème particulièrement difficile aux services de renseignement et à la police, car ils n'ont pas d'identité politique ni d'antécédents connus, pas d'infrastructure organisationnelle ni de communications identifiables. Bien plus, comme ils sont capables de recruter des militants fanatiques dans leur propre communauté expatriée, y compris des gens qui ont vécu et travaillé depuis un certain temps dans le pays d'accueil, on peut craindre de voir émerger spontanément de nombreux groupes de ce genre dans les pays occidentaux où résident d'importantes minorités musulmanes, tels que les États-Unis, le Canada, la France, la Grande-Bretagne, l'Allemagne et l'Australie.

Enfin, c'est surtout au Moyen-Orient (et en Afrique) que se trouvent les États qui financent et soutiennent le terrorisme : Iran, Irak, Syrie, Soudan et Libye. La fin de la guerre froide n'a pas entraîné la chute des régimes qui financent le terrorisme, mais elle a considérablement réduit le nombre des États engagés dans ce financement. Il faut aussi noter que le retrait du soutien de la superpuissance soviétique à un certain nombre d'États sponsors (par exemple la Syrie et l'Irak), en même temps que les efforts combinés, en matière de renseignement et de sécurité, de la coalition dirigée par les États-Unis contre Saddam Hussein lors des opérations Bouclier du désert et Tempête du désert en 1990-1991, ont montré les sérieuses limites du terrorisme soutenu par un État en tant qu'instrument d'une politique. La campagne de « terreur sainte » dont se vantait tellement Saddam s'est révélée un échec patent.

Bien plus, les sanctions économiques imposées par les États-Unis et leurs alliés contre les États sponsors sont considérablement plus efficaces quand il n'y a pas de superpuissance rivale pour venir à leur secours. La position des États-Unis comme unique superpuissance restante et le désir du président syrien Assad d'améliorer ses relations avec les États-Unis afin d'être en meilleure position sur le plan diplomatique dans le processus de paix au Moyen-Orient, ont sans aucun doute contribué pour le moment à mettre un frein aux efforts terroristes syriens. Mais Damas n'a pas renoncé à cette arme : elle continue à donner refuge à différents groupes dont elle pourrait se servir à nouveau dans un quelconque avenir.

Pendant ce temps, l'Iran demeure, de loin, l'État sponsor le plus important. Comme nous l'avons déjà dit, il est le principal financier et soutien des groupes islamistes palestiniens du refus, et leur fournit des armes, des fonds, un entraînement et du renseignement. Mais son activité de commanditaire ne se cantonne pas au Moyen-Orient ou à l'Europe occidentale. Il a été extrêmement actif au Pakistan et en Turquie par exemple, et a été lié à l'attentat à la voiture piégée contre l'ambassade d'Israël à Buenos Aires le 17 mars 1992. Outre le fait d'utiliser le terrorisme comme une arme pour soutenir le fondamentalisme islamique et le refus palestinien, l'Iran a commis sur une très longue période des attentats à l'étranger contre des dissidents iraniens. Les Iraniens ont fait assassiner des dissidents en France, en Allemagne et en Suisse.

Le régime iranien maintient la fatwa lancée par l'ayatollah Khomeiny en février 1989 condamnant à mort l'écrivain britannique Salman Rushdie pour son livre *Les Versets sataniques*, qui serait un blasphème contre l'islam. Une fondation, soutenue par le gouvernement iranien, a offert une récompense de 2,5 millions de dollars pour le meurtre de Rushdie. Pendant ce temps, des attentats contre les maisons d'édition, les traducteurs et les librairies qui font connaître les œuvres de Rushdie continuent, et ce serait de la folie d'imaginer qu'un pays quelconque est immunisé contre de telles menaces.

Le mouvement terroriste le plus important qui se trouve sous la férule de l'Iran est le Hezbollah du Sud-Liban, mouvement qu'il a aidé à créer et auquel il continue à fournir des armes et de l'argent, en plus de son soutien politique et diplomatique.

Les attentats du Hezbollah contre Israël et contre les forces de l'ASL et les attaques à la roquette contre Israël à partir de sa frontière nord pourraient servir de catalyseur au déclenchement d'une nouvelle guerre au Moyen-Orient. La plupart des autres principaux groupes islamiques radicaux qui défient régulièrement les régimes pro-occidentaux du Moyen-Orient, du Golfe, sans parler de l'Égypte, de la Tunisie et de l'Algérie, prennent leur inspiration en Iran et sont soutenus par cet État. Celui-ci encourage les tendances islamiques radicales en Turquie, dans les Balkans et même plus loin. Le régime iranien est aussi l'État qui s'oppose le plus fermement au processus de paix au Moyen-Orient, auquel il est totalement hostile, et joue un rôle clé dans le soutien à une coalition de groupes terroristes dont le but est de faire dérailler ce processus, parmi lesquels le Hamas, le Djihad islamique palestinien et le FPLP-CG. Le Hezbollah, le groupe le plus dépendant de l'Iran, est fortement suspecté d'être impliqué dans l'attentat à la bombe de juillet 1994 contre le bâtiment de l'Association mutualiste Argentine-Israël à Buenos Aires où près de 100 personnes ont été tuées : l'explication la plus vraisemblable de cet attentat et de ceux qui s'étaient déjà produits à Buenos Aires est sa violente opposition au processus de paix israélo-palestinien.

L'Iran a également utilisé l'arme du terrorisme contre des dissidents qui s'étaient réfugiés à l'étranger. Par exemple, on a révélé qu'en décembre 1994, l'Iran aurait été directement impliqué dans le complot où ont été assassinés à Paris l'ancien Premier ministre Bakhtiar et son assistant. Les auteurs iraniens de l'attentat furent déclarés coupables : le premier a été condamné à la prison à vie et l'autre à dix ans d'emprisonnement. En 1997, lors d'un autre procès qui s'est tenu en Allemagne, le régime iranien a été déclaré responsable de l'organisation du meurtre de dissidents kurdes au restaurant *Le Myconos* à Berlin. L'Iran a aussi assassiné au Moyen-Orient des opposants politiques, principalement en Irak où il a attaqué des membres du Moudjahedin-Khalq (MEK) et du Parti démocratique du Kurdistan d'Iran (PDKI).

Le régime iranien a également joué un rôle clé au Soudan en encourageant ses alliés du Front islamique national à transformer ce pays en une plate-forme utile pour entraîner, offrir un havre de sécurité et d'assistance à toute une série de factions extrémistes, comme le groupe islamique Hamas, le Hezbollah et d'autres encore. L'Égypte et l'Éthiopie ont accusé le Hamas et le Soudan de complicité dans la tentative avortée d'assassinat du président Hosni Moubarak à Addis-Abeba en juin 1995, perpétrée par des terroristes d'un groupe islamique.

Il est difficile de penser que l'Iran est en train d'abandonner l'arme terroriste si l'on en juge par ses actions récentes. L'élection en Iran, en 1997, d'un modéré, le président Khatami, pourrait entraîner un usage plus limité de cette arme, mais il est trop tôt pour en juger. Confrontés à ces faits inquiétants, les alliés occidentaux se sont montrés tristement divisés et faibles. L'Allemagne et les autres États de l'Union européenne se sont cramponnés à une politique de « dialogue critique » avec l'Iran, dans l'espoir de changer les dispositions d'esprit du régime et d'y préserver leurs marchés et leurs investissements. L'Amérique a cherché à prendre des mesures plus sévères, appelant ses alliés à soutenir sa politique de sanctions économiques. Il serait tout à fait souhaitable que l'Otan, l'UE et le G 7 adoptent une réponse plus concertée et plus efficace s'ils sont sincèrement opposés au terrorisme.

LES MENACES

Si l'on analyse les statistiques de ces dernières années portant sur le choix des cibles des groupes terroristes internationaux, il n'est pas difficile de prévoir quelles seront les plus probables dans les années à venir. Plus de la moitié des attentats contre des propriétés ou des bâtiments va vraisemblablement être dirigée contre des bureaux industriels ou d'affaires, environ 10 % le sera probablement contre des bâtiments diplomatiques et près de la moitié de ces 10 % concernera d'autres bâtiments gouvernementaux et militaires. Étant donné qu'un certain terrorisme est avant tout dirigé contre des biens plutôt que contre des personnes, et que la protection des bâtiments militaires, gouvernementaux et diplomatiques a été renforcée, la vulnérabilité des personnels de chacune de ces catégories ne coïncide pas avec la vulnérabilité des bâtiments. Les individus les plus vulnérables appartiennent généralement à la population civile, comme les consommateurs ou les touristes qui, eux, ne bénéficient d'aucune protection de quelque nature que ce soit. Les personnels militaires, gouvernementaux et diplomatiques courent les mêmes risques de devenir des cibles des terroristes, mais, au total, ils ne représentent chaque année qu'un tiers des victimes du terrorisme international.

Il est important de ne pas trop se fier aux statistiques concernant les incidents liés au terrorisme. Elles ne font pas ressortir les différences qualitatives quant aux effets des attentats terroristes spécifiques. Ainsi, pour 1988, dans les statistiques sur le terrorisme international, le seul attentat à la bombe contre le vol 103 de la Pan Am à Lockerbie compte pour 40 % de toutes les morts dues au terrorisme international.

Compte tenu du fait que les groupes terroristes ont démontré au cours de ces dernières années une nette tendance à vouloir provoquer davantage de morts, il serait sage de s'attendre à des attentats massifs par voitures piégées ou camions-suicides contre des zones urbaines fortement peuplées ainsi qu'à des attentats terroristes « spectaculaires », par exemple contre l'aviation civile, ou des cibles gouvernementales et diplomatiques, ou encore les commerces et les transports, cibles choisies pour capter au maximum l'attention des médias et afin que le choc et les dégâts soient aussi grands que possible, puisque le but est d'obtenir que certaines revendications des terroristes soient satisfaites.

Selon moi, la menace terroriste potentielle la plus grave est le terrorisme nucléaire. De nombreux analystes ont repris à leur compte l'affirmation plutôt optimiste d'un écrivain américain selon lequel « la menace d'une action nucléaire menée par des terroristes paraît bien exagérée ». Pour justifier cet optimisme, on a affirmé que les terroristes étaient moins intéressés par les assassinats de masse que par la publicité qu'ils en retirent. Je pense qu'il s'agit là d'une grossière simplification concernant la nature de la stratégie et de la tactique terroristes. Certes, publicité et propagande sont d'une façon générale des objectifs tactiques clés. Mais dans beaucoup de cas, l'objectif majeur des terroristes est de créer un climat de peur et d'effondrement psychologique, essentiellement en terrifiant et en démoralisant leurs cibles jusqu'à ce qu'elles capitulent. Et quelle arme plus puissante de pression psychologique peut-on concevoir à l'âge moderne que la menace de faire exploser un dispositif nucléaire ou de libérer

dans l'atmosphère de la radio-activité à un niveau létal, susceptible de rendre inhabitable une zone entière d'une ville ?

Imaginer que tous les groupes terroristes ont la même perception de la rationalité, de l'humanité et de la prudence qui façonne
les consciences de la majorité de l'humanité serait incroyable-
ment insensé. Comme nous l'avons déjà observé, dans l'étrange
logique du terroriste fanatique politique, la fin est censée justifier
les moyens. Si la vie de n'importe quel individu peut être sacri-
fiée à la cause de la « justice révolutionnaire » ou à la « libération », pourquoi ne « sacrifierait »-on pas de la même façon celle
de centaines, voire de milliers d'individus ? Il suffit de lire les
écrits de Johannes Most, de Pierre Vallières ou des Weathermen
pour savoir que le massacre de la « vermine bourgeoise » est
non seulement vivement recommandé, mais encore fièrement
préconisé, et ce avec grand enthousiasme. La justification des
assassinats de masse n'est pas le propre des fanatiques religieux
ou ethniques. Ainsi, les terroristes internationaux, qui peuvent
opérer au cœur du territoire de leur ennemi exécré, sont tout
aussi prêts à considérer la population civile « ennemie » comme
sacrifiable.

Il y a cependant des contraintes pratiques majeures qui permettent d'expliquer pourquoi l'« utilisation du nucléaire » par les
terroristes n'a pas eu lieu jusqu'à ce jour. D'abord parce que les
armes nucléaires, tant stratégiques que tactiques, sont bien
entendu sévèrement gardées par les gouvernements. Pour toutes
les puissances nucléaires, la responsabilité primordiale des forces
de sécurité et des services secrets est d'assurer leur sécurité. Bien
plus, de par sa nature même, l'usage opérationnel du nucléaire
est contrôlé par un code de procédure complexe et secret permettant de déverrouiller l'arme et de la rendre prête à entrer en
action. A moins d'avoir des complices au sein des forces militaires nucléaires de l'État concerné, les terroristes seraient totalement incapables de manipuler de telles armes. Le maximum
de ce qu'ils pourraient espérer faire serait de les endommager
gravement ou de les détruire en les sabotant. Il est également
clair qu'aucune puissance nucléaire, même celle qui aide indirectement le terrorisme, n'autoriserait de son plein gré qu'une
partie de son armement nucléaire tombe aux mains d'un mou-

vement terroriste. Le danger que ce mouvement déclenche inconsidérément un conflit nucléaire ou une guerre limitée, ou que l'État sponsor soit soumis à un chantage par ce mouvement qui le menacerait d'utiliser l'arme nucléaire, décourageraient tout aventurisme de ce genre.

Cependant, la diffusion dans de nombreux États des dispositifs et des technologies nucléaires civils fait courir des dangers extrêmement graves. Car ces processus impliquent l'utilisation de substances qui pourraient être employées pour fabriquer un engin explosif nucléaire. Le plutonium nécessaire au combustible du réacteur doit être transporté par bateau et dans certains cas par la route. Il est alors extrêmement vulnérable, du fait que des terroristes peuvent s'en emparer pendant son transport. Mais la pratique développée par l'industrie du nucléaire, qui consiste à transporter par la route le nitrate de plutonium sous une forme liquide, est encore plus dangereuse. C'est un procédé très risqué. Le plutonium transporté sous cette forme, même en petites quantités, est une cible particulièrement tentante pour des terroristes qui chercheront à s'en emparer ou à le détourner, compte tenu de sa valeur évidente dans la fabrication de l'arme nucléaire. Et à cause de son extrême toxicité, le plutonium pourrait également être utilisé par des terroristes comme une arme de chantage à la radiation radio-active. Des rapports d'experts scientifiques ont souligné ces deux dangers, mais il ne semble pas qu'ils aient influencé la politique des États membres de l'UE concernant le transport de combustibles nucléaires. Le plutonium est également présent dans les déchets du combustible du réacteur. Il doit alors être stocké, parce qu'il n'y a pas jusqu'à présent de système commercialement satisfaisant pour le retraiter. Et dans le cas précis d'un surgénérateur rapide à métal liquide, on produit davantage de plutonium qu'on n'en utilise, aussi le problème des déchets est-il particulièrement délicat.

Ainsi des terroristes pourraient-ils rechercher par divers procédés, y compris en s'infiltrant parmi les personnels de l'industrie nucléaire, à obtenir régulièrement de petites quantités de matériaux nucléaires. Les points les plus particulièrement vulnérables s'agissant du vol de matériaux nucléaires sont les bâtiments où est entreposé le combustible usé, les usines de retraitement du combustible, et les usines de fabrication et d'enrichissement de l'uranium. On peut certainement obtenir des quantités suffisantes d'uranium enrichi et de plutonium pour fabriquer un engin primitif. Il a été prouvé récemment que du matériel nucléaire provenant des installations russes a fait l'objet de contrebande, ce qui souligne la croissante gravité de la menace. La forte probabilité que des scientifiques au chômage et des ingénieurs ayant travaillé au programme d'armes nucléaires de l'ancienne Union soviétique aient été appâtés et travailleraient pour des États perturbateurs ou des groupes terroristes, rend la chose encore plus inquiétante. Il est tout à fait plausible qu'un groupe de scientifiques et d'ingénieurs compétents et qualifiés soient recrutés spécialement pour fabriquer l'arme atomique ou pour conseiller les terroristes sur les techniques de sabotage et de détournement nucléaires. Une équipe de cinq ou six personnes pourrait probablement le réaliser en cinq ou six semaines sans courir de risques sérieux pour leur santé ou leur sécurité. Les estimations concernant le coût financier d'une telle opération varient.

Une menace particulièrement difficile à contrer serait celle d'un groupe terroriste qui organiserait, sur une grande échelle, des vols, des sabotages, ou la fabrication d'un engin explosif avec le concours qualifié de nombreux collaborateurs au sein même de l'industrie nucléaire. De même, en infiltrant des activistes terroristes dans des installations nucléaires pour un travail relativement peu qualifié, l'organisation terroriste pourrait obtenir des informations et une assistance vitales pour organiser un raid sur le site nucléaire. Même un groupe relativement restreint ayant des connaissances générales sommaires sur ce qu'est une installation nucléaire civile et ses points de vulnérabilité, pourrait être tenté de s'emparer d'une telle installation et de menacer de la saboter pour extorquer des concessions. Cela pourrait séduire certains groupes du fait de la spectaculaire publicité qu'ils en retireraient. Et les autorités se trouveraient dans une situation extrêmement difficile et risquée. Étant donné que les terroristes peuvent provoquer un désastre majeur en démontant par exemple le noyau du réacteur et en mettant le feu à un surgénérateur commercial, présumer que les terroristes sont en train de bluffer pourrait être très dangereux. Des autorités avisées devraient organiser rapidement l'évacuation massive des populations des alentours.

Certains affirment que les risques que courraient les terroristes pour leur propre sécurité du fait de leur méconnaissance des précautions à prendre et de leur ignorance de la technologie nucléaire, suffiraient à les décourager de saboter des installations nucléaires. Nous avons déjà indiqué que certains groupes terroristes pourraient surmonter ces faiblesses grâce à leurs propres conseillers, « experts » en technologie nucléaire, ou encore grâce aux employés de cette installation utilisés comme agents et collaborateurs ; en outre, dans certains groupes fanatiques il y a des individus qui veulent devenir des martyrs de la cause.

Les gouvernements et les forces de sécurité seraient bien inspirés de se préparer au pire et d'en tirer les conséquences. Même s'ils essaient de se rassurer en se disant que des groupes aux tendances anarchistes ou des États terroristes « fous » ne constituent qu'une petite minorité, ils ne peuvent se permettre d'écarter l'éventualité qu'un petit nombre de fanatiques se lance dans le terrorisme nucléaire. Les autorités doivent faire tout ce qui est en leur pouvoir pour empêcher que de telles attaques se produisent ; c'est leur devoir. De nombreuses preuves confirment que des individus ou des groupes ont été tentés d'attaquer ou de menacer des installations nucléaires. On sait que la police japonaise a découvert des documents prouvant que la secte Aum s'intéressait beaucoup à la technologie nucléaire et on pense qu'elle cherchait activement à acheter une arme nucléaire et à s'approvisionner en uranium.

La plupart des spécialistes du terrorisme ont montré, au sujet de la possible utilisation par des terroristes de l'arme chimique ou biologique, le même scepticisme qu'à propos du terrorisme nucléaire. Richard Clutterbuck, dans son livre *Terrorism in an Unstable World* (1994), conclut :

> « Il est clair que nous ne devons pas être trop sûrs de nous à propos des armes nucléaires, chimiques et biologiques, à cause de la nécessité d'évaluer les fausses menaces téléphoniques mais aussi parce qu'un groupe à la fois désespéré et suicidaire pourrait fort bien les utiliser. Mais la menace est moindre et à beaucoup d'égards plus facile à contrôler, du fait de son manque de cré-

dibilité, que les actions terroristes auxquelles nous sommes habitués » (p. 54).

Il est vital de reconsidérer notre expérience conventionnelle après l'attentat tragique du métro de Tokyo au gaz sarin qui fit 12 morts. Il est probable qu'il n'y a qu'un tout petit nombre de groupes prêts à commettre de tels actes. C'est encore, pour le moment, une menace à faible probabilité. Mais le fait qu'il y ait eu une tentative et qu'elle aurait pu provoquer un très grand nombre de morts si le sarin avait été utilisé sous une forme plus pure, pourrait tenter un autre groupe désireux de rivaliser avec l'action de la secte Aum.

Cela fait des décennies que l'on sait fabriquer des gaz innervants et des agents biologiques pathogènes. La formule de fabrication du gaz sarin se trouve sur Internet. Les matériaux et les équipements nécessaires à la fabrication d'armes chimiques et biologiques sommaires sont bon marché et faciles à obtenir, et pour fabriquer les armes une formation scientifique de base suffit.

Dans ces conditions, il est essentiel que les gouvernements et les services de sécurité, dans l'élaboration de leurs futurs scénarios et des plans de probabilité concernant les menaces, tiennent compte du fait que des terroristes puissent utiliser des armes de destruction massive. (Dans l'attentat du métro de Tokyo, un seuil important a été franchi pour la première fois, par un groupe millénariste.) Le mode de penser de groupes extrémistes susceptibles d'utiliser de telles armes peut nous paraître très difficile à comprendre, mais nous devons admettre la possibilité que d'autres groupes dans d'autres pays – sans parler des adeptes de la secte Aum au Japon –, ayant leur propre calendrier et leur propre dialectique, soient capables d'utiliser des armes de destruction massives pour leurs attentats.

TACTIQUES TERRORISTES ET UTILISATION DES ARMES CONVENTIONNELLES

Un certain nombre d'experts ont à juste titre mis l'accent sur le fait que la tendance la plus probable concernant l'armement et la tactique des terroristes va vers davantage de raffinement, une adaptation et un déploiement de ce qui est déjà largement disponible et accessible financièrement. Pourquoi chercher la difficulté en voulant acquérir des armes plus coûteuses et plus risquées quand on peut provoquer tant de morts et de destructions avec des moyens traditionnels ? Il ne faut pas oublier que dans l'attentat terroriste le plus meurtrier que les États-Unis aient jamais connu, celui d'Oklahoma City, la bombe, qui a tué 169 personnes, a été fabriquée avec du nitrate d'ammonium et du mazout, l'une des armes conventionnelles les plus efficaces utilisées par l'IRA. L'IRA nous fournit également l'exemple remarquable d'un groupe terroriste expérimenté qui improvise et adapte un armement traditionnel, par exemple en utilisant des grenades-parachutes ou des mortiers que les membres fabriquent eux-mêmes ou encore des dispositifs piégés. Quand des groupes terroristes sont capables de « réussir » des attentats au moyen d'improvisations pareilles, ils sont certainement moins enclins à éprouver le besoin d'expérimenter des armes totalement nouvelles, qui risquent fort de blesser ou de tuer leurs propres opérateurs. On verra probablement se développer davantage encore ce genre d'improvisation dans la bataille constante pour maintenir une avance sur la technologie dont disposent les services contre-terroristes.

L'une des sources importantes d'innovations ou de changements de tactique et d'armement vient de l'introduction par les autorités de mesures plus efficaces pour lutter contre certains types d'attentats. Par exemple, du fait que le système de protection de l'aviation civile est devenu plus efficace pour empêcher l'introduction de bombes dans les avions de ligne, il est probable que les terroristes utiliseront davantage des moyens alternatifs comme les missiles sol-air pour attaquer des avions. Selon certains indices, cela s'est déjà produit dans les années 90. On dénombre au moins 25 attaques à l'aide de SAM portables depuis novembre 1990 et, dans 15 de ces attaques, un avion a été abattu, provoquant la mort de 300 personnes environ. Jusqu'à présent, la plupart de ces appareils étaient des avions militaires. Cependant, compte tenu des preuves avérées selon lesquelles des groupes terroristes, dans de nombreuses parties du monde, se sont débrouillés pour acquérir des fusées SAM, les autorités chargées de la sécurité dans les démocraties européennes devraient d'urgence combiner leurs efforts pour combattre cette menace croissante.

CONTRER LE TERRORISME INTERNATIONAL : LA RÉPONSE DÉMOCRATIQUE

En contrant le terrorisme international, l'État démocratique est confronté à un dilemme auquel il ne peut échapper. Il doit efficacement protéger les citoyens et les cibles potentielles (aviation civile, bâtiments diplomatiques et commerciaux) de la menace terroriste, tout en veillant à ne pas détruire les droits civils élémentaires, la démocratie et l'État de droit. D'un côté, le gouvernement démocratique et ses agences chargées d'appliquer la loi doivent éviter toute réaction excessive, ce que cherchent très délibérément à provoquer de nombreux groupes terroristes, car dans ce cas le gouvernement ne ferait que s'aliéner son opinion publique, ce qui risquerait de détruire la démocratie plus rapidement et plus complètement que ne pourrait jamais le faire un petit groupe terroriste. D'un autre côté, si le gouvernement, les autorités judiciaires et la police se montrent incapables de faire respecter la loi et de protéger les vies et les biens, toute leur crédibilité et leur autorité seront minées.

S'il veut maintenir cet équilibre, l'État libéral devra constamment chercher à combattre le terrorisme en utilisant tous les mécanismes permettant à l'appareil judiciaire de lutter contre le crime et de faire appliquer la loi. Cependant, on sait que certains groupes terroristes ont atteint une puissance de feu qui a dépassé les capacités des troupes d'élite de la police armée. Il a maintes fois été prouvé que dans des cas d'urgence extrême, comme le détournement d'avion d'Entebbe de 1976 ou le siège de l'ambassade d'Iran en 1980, il est essentiel d'être capable de déployer une force militaire particulièrement entraînée aux techniques de sauvetage pour délivrer les otages. Les forces militaires, navales ou aériennes peuvent être extrêmement précieuses pour empêcher une attaque terroriste d'importance, comme on l'a vu dans le cas d'Israël avec les mesures qu'il a prises contre des groupes terroristes qui attaquaient ses frontières par terre et par mer. Mais dans les conditions plus normales que connaissent les États démocratiques d'Europe occidentale, les occasions où un déploiement militaire est nécessaire pour s'attaquer à des terroristes internationaux seront très rares.

Il faut constamment garder à l'esprit que l'appel à l'armée en cas d'urgence terroriste intérieure majeure comporte de nombreux dangers. D'abord, une réponse militaire inutilement forte pourrait avoir pour effet d'accroître le niveau de violence en polarisant les éléments pro- et antigouvernementaux de la communauté. Deuxièmement, le risque est constant qu'une répression excessive ou qu'une erreur de jugement, même mineure, de l'armée déclenchent davantage de violence civile. Les opérations de sécurité intérieure imposent inévitablement des tensions considérables aux soldats, qui sont très conscients de l'hostilité de certains secteurs de la communauté à leur encontre. Troisièmement, les activités de sécurité intérieure et antiterroristes exigent des effectifs considérables et le détournement des techniciens militaires hautement entraînés de leurs fonctions originelles à l'Otan (Organisation du traité de l'Atlantique Nord) et à la défense extérieure. Quatrièmement, le risque existe que le pouvoir civil devienne trop dépendant de la présence de l'armée et que, de ce fait, il tarde à prendre les mesures permettant de préparer la police civile à assumer à nouveau progressivement la responsabilité de la sécurité intérieure. Finalement, devant l'éventualité d'une attaque terroriste internationale, une opération militaire destinée à punir un État sponsor ou à frapper ce que l'on pense être des bases terroristes pourrait déclencher un conflit international plus grave que l'action terroriste qu'on essaie de prévenir.

Des services de renseignement de grande qualité sont le cœur d'une stratégie contre-terroriste active. Cela a été utilisé avec de notables succès contre de nombreux groupes terroristes. En obtenant à l'avance des informations précises sur des opérations programmées par des terroristes, leur armement, leur personnel, leurs disponibilités financières et leurs recherches de fonds, leurs tactiques, leur système de communication, il devient possible de prévenir des attaques terroristes et ultérieurement de démanteler la structure de la cellule terroriste et de faire passer ses membres en jugement. Des exemples impressionnants de cette stratégie de contre-terrorisme actif qui a pu être utilisée grâce au renseignement, sont fréquemment ignorés ou oubliés du public, mais cela ne devrait pas nous leurrer au point de sous-estimer sa valeur. Au niveau international, l'exemple le plus impressionnant fut la brillante coopération en matière de renseignement entre les Alliés pour contrecarrer les fanfaronnades de la campagne de « terreur sacrée » de Saddam Hussein durant les opérations Bouclier du désert et Tempête du désert. Malheureusement, un tel niveau de coopération internationale contre le terrorisme est rare. De même que le manque d'échanges d'informations entre les responsables militaires et les responsables civils de la sécurité nuit souvent aux réponses antiterroristes nationales, de même la méfiance sur le plan international et les réticences à partager l'information empêche souvent une réponse internationale efficace. Si l'on veut intensifier efficacement la politique de lutte contre le terrorisme au niveau international, il faut développer, par tous les moyens disponibles, la collecte de l'information, l'échange d'informations, l'analyse de l'information et la détermination des menaces. C'est ma recommandation majeure et je souhaite que ma communication puisse stimuler un débat plus approfondi, afin que les États-Unis et leurs amis et alliés du G 7 et de l'Union européenne, ainsi que les États nouvellement démocratiques d'Europe orientale, puissent définir une meilleure stratégie d'action.

On peut aussi s'attendre à ce que les attentats terroristes contre des troupes et des civils engagés dans des opérations de maintien de la paix des Nations unies, augmentent en fréquence et en mortalité. Le personnel des Nations unies a connu une vague d'attentats de ce genre au nord de l'Irak par exemple, à la suite de l'opération Tempête du désert et de l'installation de zones de sécurité kurdes. En juillet 1997, les troupes et les installations de la Forpronu furent prises pour cibles dans une vague d'attentats qui suivirent une opération d'enlèvement par le SAS, au cours de laquelle un Serbe, Milan Kovacevic, soupçonné de crimes, fut arrêté, et un second, Simo Drljaca, fut tué, alors qu'il résistait au moment de son arrestation. Le 17 juillet 1997, un tract a été trouvé à Banja Luka annonçant la réapparition de l'organisation terroriste serbe La Main noire, fort connue pour la brutalité de ses attentats au début du XXᵉ siècle, et menaçant de se venger sur des membres de la Force de stabilisation ; il promettait en outre : « L'IRA sera comme un jeu d'enfant comparé à notre lutte. » On verra probablement augmenter le nombre d'attentats terroristes contre le personnel de maintien de la paix à mesure que le nombre de missions de maintien de la paix dans les insolubles conflits ethniques ou ethnico-religieux se développera autour du globe. Ce serait désastreux si ces terroristes réussissaient à intimider les pays participants, au point de les amener à retirer leurs contingents, dont on a tant besoin pour ces tâches si importantes.

Ce serait une grave erreur d'imaginer que les services de renseignement et les mesures de sécurité même les plus sophistiquées suffisent à empêcher ou même à éradiquer les formes les plus dangereuses du terrorisme international. Dans des situations où un conflit ethnique ou ethnico-religieux est profondément installé, comme c'est le cas entre les Palestiniens et les Israéliens, tout dépendra de la volonté et de l'habileté des dirigeants politiques concernés pour aborder les causes sous-jacentes du conflit avec des mesures inédites en matière politique et socio-économique et un généreux esprit de compromis. Si les efforts pour relancer le processus de paix au Moyen-Orient échouent, les conséquences en seront très probablement une nouvelle vague de terrorisme, y compris de terrorisme international, et le déclenchement de nouvelles guerres au Moyen-Orient. Ce serait faire preuve d'une dangereuse inconscience d'imaginer que l'évolution du processus de paix israélo-palestinien conduira inévitablement à une solution pacifique de ce conflit.

Traduit de l'anglais par Juliette Minces

A la recherche du chaînon manquant

Terrorisme nucléaire et contrebande nucléaire

François Géré *

Selon une opinion communément répandue, c'est à cause de la contrebande nucléaire engendrée par la désintégration de l'Union soviétique que le terrorisme nucléaire est devenu un danger clair et immédiat. Mais l'analyse des tendances de la contrebande aussi bien que des stratégies actuelles et prévisibles des organisations terroristes, suggère que les deux phénomènes n'ont que peu de chances d'être en connexion. Il est cependant nécessaire de comprendre pourquoi il y a tant d'intérêt pour une telle possibilité.

CONTREBANDE NUCLÉAIRE, OÙ EN SOMMES-NOUS ACTUELLEMENT ?

Questions relatives au marché

La prétendue existence d'un marché illégal a été établie en raison de la connexion de deux types de données. D'une part les fournisseurs désorganisés (l'ex-Union soviétique), d'autre part le côté de la demande rassemblant une bande d'États criminels et d'organisations terroristes (Irak). Comme cela semblait être une trop simple équation et afin de rendre cette opinion plus

* Directeur scientifique à la Fondation pour la recherche stratégique.

complexe ou plus crédible, il a été affirmé que des mafias joueraient un rôle spontané de courtiers malhonnêtes.

Tendances

Aujourd'hui, nous pouvons considérer deux phases.

Jusqu'en 1994, l'augmentation du nombre d'activités de trafic a soulevé un grand intérêt.

1991	41
1992	158
1994	267

Il ne s'agit pas de la conséquence de fuites plus importantes ni d'une disponibilité en augmentation, mais du résultat de deux phénomènes.

Les malfaiteurs sont devenus de plus en plus conscients que la chose devenait rentable, indépendamment de la nature des produits. Les journalistes essaient d'identifier des réseaux clandestins ; la police multiplie ses efforts (BKA allemand, FBS russe) pour donner le change aux contrebandiers potentiels.

Dans l'ex-Union soviétique, la nature du cas observé peut aisément être expliquée comme une conséquence du vieux système socialiste. Les travailleurs avaient l'habitude d'emporter leurs outils afin de travailler en dehors pour leur propre compte dans un système de travail au noir. D'autres ont, d'une manière plus agressive, essayé de voler des machines d'État pour les vendre en dehors.

La baisse de 50 % en 1995 et en 1996 s'explique par les contre-mesures et les difficultés d'aboutir à un marché réel.

Examinons brièvement les trois composantes du trafic.

– Les fournisseurs sérieux restent à identifier s'ils existent. Jusqu'ici, seuls quatre trafics significatifs ont pu être identifiés, tous en 1994.

– Les mafias demeurent indifférentes à une activité complexe, à haut risque et au profit relativement peu élevé. La drogue, la prostitution, les paris illégaux, le trafic d'armes conventionnelles et le blanchiment d'argent s'avèrent plus intéressants.

– Les clients sérieux le restent et ne s'impliquent pas dans des affaires ridicules avec des fournisseurs douteux de troisième ordre. Il reste à prouver qu'une contrebande très organisée à un haut niveau, notamment celui de l'État, existe bien.

Il semble que le problème repose sur les matériaux nucléaires seuls. En matière d'armement en effet, dès lors que l'on dispose du matériau, il ne reste qu'à le transformer en une arme efficace et correspondant aux besoins. Notons que la secte Aum n'a pas essayé d'acheter du sarin sur le « marché », ni même de le voler, mais a choisi de le produire.

Dans le cas du nucléaire, le procédé est mille fois plus complexe. La seule solution est d'utiliser un élément radio-actif comme une arme à dispersion. Dans ce cas, le résultat consistera en une abondance de produits chimiques. Mais les questions demeurent : dans quel but, selon quelles règles du jeu, et en vue de quel profit ?

Le terrorisme nucléaire comme stratégie, liaison des moyens aux fins

Il faut tout d'abord considérer que, globalement, le terrorisme international est dans une phase de diminution. En 1996, on a dénombré 296 actes terroristes contre 665 en 1987, le sommet en une génération. S'agit-il dès lors d'un instrument facile et peut-on le considérer comme fécond ?

Une question doit être abordée. L'idée de terrorisme nucléaire est aussi âgée que l'arme nucléaire elle-même. Peut-on alors expliquer pourquoi elle n'a jamais été utilisée durant la guerre froide ?

A plusieurs reprises, l'Union soviétique a été accusée de soutenir des activités terroristes, mais, dans les cas où l'identification de telles connexions a été possible, le soutien consistait en la formation et en la fourniture d'explosifs, de systèmes électroniques et d'armes conventionnelles ; donc, des instruments très classiques, parfois sophistiqués, soit, mais les Soviétiques n'ont jamais décidé de franchir la limite en utilisant des substances bio- ou radio-actives. Ce n'était certes pas pour des raisons humanitaires, mais le risque était simplement trop grand : méfiance vis-à-vis des organisations terroristes, peur que la liaison soit dévoilée, excès d'ampleur de l'effet, impossibilité de tirer un profit.

Entités terroristes et objectifs politiques

Le terrorisme n'est pas une fin en soi, il est un moyen en vue d'une fin. Les terroristes ont des objectifs. S'ils peuvent être prêts à offrir leur vie, ils ne veulent pas que la cause meure.

Les activités terroristes prennent souvent place dans un environnement très complexe et enchevêtré. On ne peut se permettre de tuer son propre peuple, ou alors seulement à la marge. Même une bombe sur un marché israélo-palestinien passe pour maladroite. Imaginons alors l'effet d'un missile équipé d'une tête nucléaire lancé sur le sud de la France, dont certaines zones sont massivement peuplées d'Arabes musulmans...

Le terrorisme n'est pas aveugle mais habile à choisir ses cibles. Une cause soutenue par une action terroriste a des sympathisants qui sont prêts à tolérer un degré de violence, une certaine injustice, et à excuser la mort de victimes en raison de la valeur suprême de la cause. C'est pourquoi plus la cible est précise, plus le soutien est grand. Il ne fait pas de doute qu'une destruction massive – l'assassinat de milliers de personnes, s'agirait-il de soldats dans une base – provoquerait un rejet massif et une condamnation des terroristes nucléaires.

Les terroristes recherchent un impact psychologique grâce à des activités et des instruments relativement limités. L'important est de s'assurer une bonne couverture médiatique. Le but n'est pas de tuer tout le monde, mais de tuer certains afin de terroriser le reste et/ou d'influencer les dirigeants par le biais de leurs opinions publiques.

Considérons à présent le risque de chantage par une organisation guidée par l'appât du gain et qui exigerait des milliards de dollars. Ici, l'objectif est d'obtenir de l'argent. Peut-on imaginer que de telles personnes puissent obtenir un moment de tranquillité quelque part dans le monde ? Le succès ne doit pas être estimé en termes d'opération en elle-même, mais dans la perspective de ses conséquences. Aussi, l'ampleur de la menace doit être précautionneusement déterminée afin de laisser de la place pour les bénéfices réels. Si la prise de risques fait partie du métier, il n'est pas logique de rechercher un risque qui, en lui-même, constitue un défi pour le profit escompté.

Le problème des bénéfices tirés reste la clé

Comment atteindre un objectif par le terrorisme nucléaire sans devenir la cible d'implacables représailles de la part d'une communauté internationale furieuse ? Peut-on imaginer un Pearl Harbor caché ? Une transaction cachée en bourse offre une bonne comparaison. La question est : un État puissant et complexe peut-il atteindre son objectif à travers une organisation si distante qu'il devient impossible de la désigner comme un agresseur réel ? Beaucoup soutiennent que l'opacité du système chinois offre de telles possibilités. Mais la transparence d'une démocratie hypermédiatisée engendre une telle complexité que ce point de vue n'est pas si évident. En outre, pourquoi devrions-nous, en principe, créditer les structures politiques chinoises d'une capacité plus complexe et efficace que celles de l'ex-Union soviétique ? Il semble que le cas présenté ci-dessus s'applique également au cas chinois.

Jusqu'ici, nous n'avons considéré que les terroristes rationnels, mais qu'en est-il des irrationnels ?

Déséquilibrés et millénaristes

Le cas des déséquilibrés a été soulevé par l'ancien secrétaire à la Défense Aspin dès 1991, lorsqu'il était président de la Commission des services armés de la Maison-Blanche (*House Armed Services Committee*). Mais, après cinq années d'un intense débat, il semble que cet argument opposé par un grand nombre de chercheurs de plusieurs pays ait été abandonné par l'Administration américaine (sous le secrétariat de Walt Slocombe, Commission des services armés du Sénat [*Senate Armed Services Committee*], février 1997).

Que dire alors de l'Armageddon du second millénaire ?

Les membres des sectes sont beaucoup plus exposés aux risques que le monde du dehors. Ils ont créé leur propre monde. Aussi agissent-ils à l'intérieur de cette paranoïa en fonction de leurs propres critères. Celle-ci n'a que peu à voir avec le monde réel. De grands massacres ont été et sont encore auto-infligés : en Amérique centrale, en France, et même à Waco.

Considérons cependant un groupe destiné à détruire le monde du dehors. Purifier, mais dans le but de satisfaire qui ? Comment pourrait-il acquérir une telle capacité ? Il essaiera, malgré tout, avec ce qu'il pourra se procurer. Avec une arme nucléaire grossière ? Faite par qui ? Livrée dans quelles conditions ?

Le terrorisme nucléaire est-il un problème américain ?

Il vaut la peine de se poser la question suivante : le terrorisme nucléaire est-il une peur, une phobie, un mythe de l'Amérique ? Plus de 90 % de la littérature consacrée à ce sujet vient des États-Unis ou est inspirée par des considérations américaines. Intensément et efficacement présentes sur Internet, les universités américaines véhiculent d'une manière répétitive et obsessionnelle, caractéristique de la propagande de base, le même type d'arguments centrés sur les problèmes techniques et ne prêtant pas attention à l'articulation des moyens et des fins.

S'agit-il d'un problème américain ? En termes de planification de la défense, il est vrai que les États-Unis seront dans l'avenir *la* cible pour tous. Le secrétaire à la Défense Cohen a publiquement déclaré que « la suprématie militaire américaine [...] peut encourager des adversaires à utiliser des moyens indirects, qu'ils nomment asymétriques, afin d'attaquer nos forces et intérêts à l'étranger et même notre population chez nous ».

Cependant la vision américaine centrée sur elle-même pourrait devenir facilement aveuglante.

Le monde n'a pas les États-Unis pour point de mire. La plupart des actions terroristes dans le monde sont internes plutôt qu'internationales. Des hommes d'affaires et des officiels américains sont visés dans le monde entier, principalement en Amérique du Sud et centrale. La plupart du temps, l'objectif est d'obtenir de l'argent grâce aux enlèvements. Le terrorisme est pragmatique et très trivial.

Quand Tupac Amaru recherchait la libération de camarades, c'est l'ambassade du Japon qui était visée et non celle des États-Unis.

Après des années d'enquêtes et d'études, nous pouvons avoir la certitude que les terroristes ont des objectifs très sérieux. Leur pensée ne s'élève pas à de hauts niveaux stratégiques ; ils n'ont pas été éduqués et formés par des études machiavéliennes.

Les États recourant au terrorisme comme moyen peuvent agir d'une manière beaucoup plus complexe, mais, comme il a été mentionné ci-dessus, ils ont à se conformer à certaines règles.

LE TERRORISME NUCLÉAIRE : DEUX FAÇONS D'ENVISAGER LE PROBLÈME

Nous devons considérer le problème de l'intérêt permanent et actuellement croissant suscité par le terrorisme nucléaire.

Le terrorisme nucléaire comme outil d'influence (une arme psychologique)

– Afin d'accroître le rejet des armes nucléaires. Comme le but est d'obtenir plus de soutien en faveur de l'abolition des armes nucléaires, il est possible de surestimer le risque de terrorisme nucléaire.

Une activité liée consiste à insister sur la capacité d'une organisation terroriste à dérober du plutonium dans les réserves. L'objectif est de stimuler la seule peur de cette substance pour diverses raisons.

– Une « approche à la Tom Clancy » : elle vise à créer un environnement politique en faveur d'une défense plus robuste contre le terrorisme nucléaire et plus généralement contre les vols de matériaux nucléaires par des acteurs scélérats. La notion de scélérat, de paria et finalement d'État terroriste crée d'ailleurs une assimilation efficace.

Plusieurs États sont terroristes par essence ou dans leur comportement. Les États terroristes recherchent des armes nucléaires. Aussi les armes nucléaires sont-elles des outils terroristes. Le terrorisme nucléaire a prouvé qu'il était un argument efficace durant les périodes de restriction du budget de la défense.

– Afin de promouvoir une politique plus agressive et plus efficace d'éradication des armes de l'ex-Union soviétique, c'est-à-dire des États successeurs et de la Russie.

– Afin de jeter la suspicion sur un gouvernement et le déstabiliser (désinformation par les opposants au régime, Moudjahidines du peuple dans le cas de l'Iran).

– Enfin, des menaces peuvent être utilisées par des politiciens déséquilibrés afin de capter l'attention de la presse. S'agit-il de terrorisme ?

Shamyl Basayev, le dirigeant tchétchène, semble avoir effrayé Moscou en faisant allusion à l'utilisation d'une arme radiologique. Cela nous ramène au type d'usages propres aux cas de désespoir politique et militaire.

Le terrorisme nucléaire comme problème sérieux pour la planification de la défense

Ainsi que K. H. Kamp l'a dit, « le terrorisme nucléaire tombe dans une catégorie à haut risque de faible probabilité ». Étant donné que les conséquences pourraient être désastreuses, nous ne pouvons pas totalement ne pas en tenir compte ou juste le négliger.

Que se passerait-il dans le cas contraire ? Quel type de réaction ? Comment empêcher que des acteurs, des États ou des acteurs cachés ne fassent des bénéfices ?

Il est important d'avoir une politique et une planification prudente de la défense

Si nous sommes confrontés ici à un vrai problème, il ne s'agit cependant pas du tout du danger actuel d'une menace nucléaire par des organisations terroristes. Le problème doit être abordé de deux façons.

La contrebande nucléaire et le terrorisme nucléaire sont deux activités différentes dont la répression doit être considérée différemment.

– Premièrement, contre la contrebande nucléaire il faut un processus continu de coopération et de partage de renseignements. Les résultats sont déjà excellents grâce à Europol. La coopération entre l'Union européenne et les États-Unis doit continuer et être approfondie.

– Deuxièmement, contre le terrorisme nucléaire on considère la protection des installations et du transport. Il faut être préparé à réagir contre le chantage ou toute sorte de menace grâce à des unités d'intervention spécialisées (NEST créé sous la présidence Carter aux États-Unis) ou à des programmes du type plan Damoclès en France, pour parer des attaques contre le matériel nucléaire et par-dessus tout contre le matériel nucléaire militaire. Des simulations ont donné des résultats satisfaisants. Certaines surprises ont conduit à un accroissement des mesures destinées à protéger adéquatement et pleinement le matériel hautement explosif.

Quant aux attaques contre des installations nucléaires, les questions se posent : par qui et en vue de quoi ? En Tchétchénie, s'agissait-il de terrorisme ou d'actes de guerre ?

Nous atteignons ici les domaines très difficiles de la contre-prolifération, du risque d'une attaque nucléaire contre des cibles militaires. Ce n'est pas clairement une affaire de terrorisme. Bien qu'il soit possible de s'interroger dans ce cas sur l'initiative d'une explosion nucléaire prise par tel État ou telle organisation, ce questionnement répond plutôt à un problème qui intéresse la planification militaire.

Le terrorisme nucléaire pourrait exister et être pratiqué en raison de motivations sévères et limitées. C'est pourquoi il faut l'appréhender avec précaution et efficacité grâce aux institutions et administrations appropriées qui travaillent en coopération rapprochée dans le monde entier. En dernière analyse, une planification prudente de la défense doit considérer et préparer des réponses adéquates visant à dissuader les mouvements dans cette direction d'organisations financées par des États. Il doit être clairement affirmé qu'il n'y aura ni récompense ni dividendes pour le terrorisme nucléaire, qu'il engendrera une menace de représailles massives et qu'il n'y aura ni compromis ni pitié pour ceux qui oseraient s'engager dans une telle voie.

Il n'est pas dans l'intérêt de la communauté scientifique internationale d'aborder le problème en des termes qui soient purement américains. Il ne l'est pas plus de soutenir indirectement les efforts visant à contrer une menace qui, actuellement, et dans le futur prévisible, n'existe pas au niveau prétendu par ceux qui l'agitent.

Conclusion

Terrorisme et médias *

Gérard CHALIAND

Le terrorisme transnational dont il est question ici n'a militairement guère d'importance. Aucun État n'a été déstabilisé. Mais la capacité de nuisance du terrorisme (et les formes futures qu'il peut emprunter) ne devraient pas être sous-estimées. Les opinions publiques y sont d'autant plus sensibles que les médias tendent à privilégier les actions à caractère terroriste surtout lorsqu'elles sont spectaculaires ou à suspense. Le sentiment d'insécurité que le terrorisme peut créer dans l'opinion publique est sans commune mesure avec son importance physique.

Le média télévisuel se présente comme un vide (en matière d'informations), destiné à être comblé. A cet égard, les intérêts objectifs de la télévision et du terrorisme sont singulièrement identiques. Ils forment un couple ayant une relation perverse. D'une part, les médias sont accusés d'exagérer l'importance du terrorisme par souci de sensationnalisme, tandis que, d'autre part, les terroristes ayant créé l'événement cherchent la théâtralisation. Terroristes et médias de masse sont intéressés à prolonger l'action lorsque celle-ci s'y prête grâce au suspense. Du côté terroriste, on cherche le maximum de publicité. Du côté des médias, on s'efforce de tirer tous les effets dramatiques de l'événement. Il ne s'agit pas seulement de capter l'attention, mais de

---

* Étude réalisée à la demande de l'IHESI.

229

maintenir l'intérêt du public en haleine. Certes, l'assassinat d'un chef d'État ou d'une personnalité (Sadate, Mountbatten) ou la tentative d'assassinat du pape sont des événements importants, et il est naturel qu'ils reçoivent un écho considérable dans les médias. Mais la quête de durée où les médias s'efforcent d'avoir une audience captive provoque inévitablement une fixation sur l'aspect humain de la crise, l'angoisse des familles, auxquels le public est très sensible. On peut à cet égard évoquer les 55 jours de l'enlèvement d'Aldo Moro avant son assassinat (1979), les 444 jours, quotidiennement rappelés par les télévisions américaines, des otages de l'ambassade américaine à Téhéran ou bien les 17 jours du détournement d'un avion de la TWA en juin 1985.

Il est évidemment facile de souligner l'insignifiance militaire du terrorisme transnational dont il est ici question. Même Israël, pays le plus visé du monde, à l'époque de la vague terroriste la plus intense, entre 1968 et 1978, ne déplorait que 272 morts, victimes d'actes à caractère terroriste. A la même période, plus de 900 personnes, en Israël, étaient victimes d'assassinats n'ayant aucun caractère politique. Aux États-Unis, pour prendre un autre exemple, entre 1970 et 1978, on enregistra 80 morts victimes du terrorisme tandis qu'on décomptait près de 20 000 assassinats *annuels* durant la même période. On ne peut manquer de remarquer la modestie du nombre des victimes. Cependant, il importe peu que le nombre des homicides dépasse plus que largement celui des victimes du terrorisme transnational. Ce sont précisément celles-là seules qui reçoivent tous les feux des médias, car ce sont celles-là qui sont dramatiques et sensationnelles. La fonction de la télévision n'est pas de se référer aux causes de l'événement ni d'en expliquer le contexte, mais de montrer ce qui se passe de la façon la plus attrayante possible. Ce parti pris pose aussi problème aux terroristes eux-mêmes. Si leur publicité est largement faite lors de l'action, leur propagande – si elle ne se limite pas au simple fait d'être mentionnée – n'est nullement assurée par les médias. L'unique message véhiculé par les médias de masse – télévision en tête – est celui de la violence. Dans les faits, au cours des trois dernières décennies, le public a très peu appris sur les causes ou le *modus operandi* des terroristes – et peu de choses sur leurs revendications, à l'exception de quelques slogans. Si les médias n'accordent guère d'importance aux causes du terrorisme et n'aident nullement à la promotion des groupes terroristes (auxquels le public reste hostile), ils contribuent par contre à susciter une atmosphère d'angoisse dans la mesure où ils exagèrent l'importance sinon l'omniprésence du terrorisme.

La question essentielle, une fois qu'on a épuisé le débat sur les médias et leurs rapports avec le terrorisme, est la suivante : quelle est l'importance de l'effet produit par les médias auprès du public et, par voie de conséquence, éventuellement sur les décisions gouvernementales ?

La télévision étant pour les deux tiers de l'opinion publique le principal moyen d'information tant aux États-Unis qu'en Europe, on constate qu'une écrasante majorité de l'opinion publique (90 % aux États-Unis) considère le terrorisme comme un danger très sérieux. En France, un sondage (1987) avait désigné le terrorisme comme l'un des trois dangers majeurs (avec le nucléaire et le chômage). En Grande-Bretagne, 75 % de la population considère le terrorisme comme une menace importante. Faut-il rappeler que la délégation américaine au festival de Cannes (1986) avait, après une série d'attentats à Paris, renoncé à venir en France ? Cette délégation devait être dirigée par Silvester Stallone : Rambo déclarait forfait.

Mais on mesure mieux l'impact que peut avoir le terrorisme à partir des exemples américain, britannique et israélien.

AUX ÉTATS-UNIS

Le 14 juin 1985, trois militants du Hezbollah détournaient un avion de la compagnie TWA venant de Rome et se dirigeant vers Le Caire. Leur condition : obtenir la libération de 776 militants chiites incarcérés en Israël. Par la suite, ce nombre fut réduit à 756. L'avion fut détourné vers Beyrouth, puis vers Alger, puis à nouveau vers Beyrouth. A chaque escale, les otages non Américains étaient libérés jusqu'à ce qu'il ne reste plus que

39 citoyens américains. Ces otages furent alors dispersés dans Beyrouth pour décourager toute action violente visant à les libérer. La crise dura dix-sept jours.

Chaque jour, à raison de plus de 25 fois par jour en moyenne, l'état des pourparlers ou de la situation (remarquablement manipulé par les terroristes) était retransmis sur les trois principales chaînes américaines : ABC, NBC, CBS. Les deux tiers des nouvelles quotidiennes étaient consacrés à la crise des otages. Étaient dépêchés à Beyrouth 85 journalistes des trois chaînes concurrentes (ce qui représente un coût considérable pour les chaînes et qui doit être amorti) ; durant les nombreux temps morts, le public américain voyait des interviews des familles des otages.

Contrainte par une pression constante de l'opinion publique, l'Administration Reagan fut amenée à demander à Israël de libérer les 756 otages chiites réclamés par le Hezbollah. En conséquence, les 39 otages américains furent relâchés. La chaîne CBS déclarait en matière de conclusion : « Nous avons forcé l'Administration à mettre la vie des otages au-dessus des calculs politiques. »

En la circonstance, l'impact des médias auprès du public avait déterminé la politique de l'Administration américaine. Henry Kissinger et Zbigniew Brzezinski s'élevèrent – en vain – contre le rôle excessif que s'arrogeaient les médias et le fait qu'ils contrariaient les efforts du gouvernement en vue de résoudre la crise. A ce degré de représentation dramatique, le terrorisme tient du « show business ».

En Europe, un processus similaire avait déjà eu lieu en 1979 avec la répercussion médiatique provoquée par l'enlèvement de l'ancien Premier ministre Aldo Moro. Durant les cinquante-cinq jours que durèrent la crise avant son assassinat, seulement deux articles ne traitant pas de l'affaire Moro parurent en première page des quotidiens italiens.

Quant à l'impact du terrorisme auprès du public, il est hors de proportion avec son importance réelle. La Rand Corporation a calculé qu'en 1988-1989 les Américains victimes du terrorisme à l'échelle mondiale se chiffraient à 203 pour 1988 (dont 93 dans l'attentat de l'avion de la Pan Am qui s'écrasa près de

Lockerbie) et 23 en 1989. Or un tiers des personnes interrogées ont déclaré qu'elles ne voulaient pas voyager hors des États-Unis par crainte d'un attentat (1989).

C'est un fait que les télévisions américaines au cours des années 80 ont davantage évoqué le terrorisme que le crime, le chômage ou la pauvreté. En 1985, 6,5 millions d'Américains ont voyagé hors des États-Unis, 6 000 sont morts pour diverses raisons : maladie, accidents, etc. Au total, 17 seulement sont morts pour cause de terrorisme. Le risque de mourir à cause d'un attentat se limitait à 1 sur 380 000. Or, malgré cette probabilité infinitésimale, 1,8 million d'Américains avaient annulé un voyage à l'étranger après le détournement de l'avion de la TWA.

En 1986, après un attentat qui avait détruit un avion de la TWA en route à partir de Rome, 80 % des Américains ayant retenu un vol vers l'étranger annulèrent tout voyage hors des États-Unis (soit 850 000 personnes). Ce syndrome d'angoisse n'est pas qu'américain. Un phénomène semblable se manifesta en novembre 1997, au lendemain de l'attentat de Louxor qui coûta la vie à plusieurs dizaines de touristes, surtout européens. Accentué depuis la création de CNN, l'impact de la télévision est considérable et tend à n'être plus seulement un faiseur d'opinion mais un instrument d'influence politique (qui est loin de n'être manipulé que par les pouvoirs publics).

EN GRANDE-BRETAGNE

En Grande-Bretagne, les médias ont presque toujours fait preuve d'un civisme plus grand que sur le continent ou aux États-Unis, où le marché et la concurrence l'ont toujours emporté jusqu'à présent.

Il est vrai également que les attentats (en Grande-Bretagne et plus particulièrement en Angleterre) de l'IRA ont amené à pratiquer une déontologie dont on voit peu de traces ailleurs. Durant les années 70 et 80, le MI-6 avait mis en place une cellule de communication permanente où les journalistes qui avaient affaire à une prolifération des groupes terroristes (iraniens, arabes, etc.) avant de relater une information – généralement fournie par un communiqué du commando terroriste – pouvaient obtenir des renseignements sur l'organisation à l'origine de l'attentat, de façon à n'être pas eux-mêmes manipulés.

Des débats ont eu lieu sur le rôle et la portée politiques des médias dans le cadre du terrorisme. Voici les réponses à la question « Êtes-vous pour ou contre une censure (ou une autocensure) dans les médias en cas d'acte terroriste ? » :

POUR

– Les groupes terroristes utilisent les médias comme plate-forme politique.

– Puisque la publicité est ce que les terroristes recherchent, la censure rendrait la stratégie médiatique des terroristes moins payante.

– La publicité faite au terrorisme suscite d'autres actes à caractère terroriste.

– Les informations détaillées diffusées par les médias durant certains incidents terroristes – telles les prises d'otages – peuvent aider les terroristes et mettre en danger les otages ou ceux chargés de les libérer.

CONTRE

– Si les médias cessent de répercuter les actes des terroristes, les rumeurs qui ne manquent pas de circuler peuvent avoir un effet pire que la publicité faite par leur intermédiaire.

– Le sentiment de n'être plus pleinement informé peut engendrer la méfiance généralisée du public à l'égard de l'État.

Cependant, l'exemple britannique ne paraît guère transposable en France. Nous n'avons ni la continuité dans les services publics (les mêmes personnes aux postes créant des relations suivies avec les médias par exemple), ni le civisme des médias (conforté par la transparence des informations qu'ils reçoivent des autorités compétentes).

EN ISRAËL

La censure qui existait au cours des années 70 à l'égard des attentats à caractère terroriste a été progressivement levée et depuis plusieurs années déjà les télévisions nationales et étrangères rapportent évidemment, sur le vif, les actes à caractère terroriste et leurs conséquences.

Cette politique a eu des conséquences considérables sur la vie publique de l'État d'Israël. En effet, après l'assassinat du Premier ministre israélien Ytzhak Rabin, les intentions de vote en faveur du Parti travailliste dirigé par Shimon Pérès dépassaient celles des votes en faveur du principal parti adverse, le Likoud.

Or, en février-mars 1997, quatre attentats-suicides dont trois exécutés par le mouvement Hamas et un par le Djihad islamique à Jérusalem et à Tel-Aviv, provoquant près de 50 morts, allaient contribuer à changer de façon nette le destin politique du pays.

Les conséquences physiques de ces attentats furent filmées sur le vif (cadavres ensanglantés, débris humains, etc.) et montrées sur toutes les chaînes nationales – sans parler des chaînes étrangères pour ceux des Israéliens disposant de canaux satellites (soit 25 % de la population environ) – à raison de dix à douze fois par jour, accompagnées des témoignages d'affliction et de révolte des familles des victimes.

Tandis que les porte-parole du Mapam déploraient ces attentats sans remettre en cause le processus de paix entamé à Oslo, le Likoud, par la voix de Benyamin Netanyahou, employait un langage très ferme essentiellement axé sur la sécurité et la nécessité de mesures énergiques.

Le résultat des élections, comme on sait, devait porter au pouvoir – par une faible majorité – Benyamin Netanyahou, changeant ainsi de façon très sensible les perspectives du règlement politique initié à Oslo.

Ces exemples montrent que s'il est absurde de surestimer le phénomène terroriste dont les conséquences militaires sont négligeables (le succès majeur du terrorisme étant le retrait du Liban des forces occidentales au lendemain des attentats-suicides qui firent 241 victimes parmi les marines et 53 morts parmi les parachutistes français en 1983), il est également erroné de sous-estimer l'impact psychologique du terrorisme lorsqu'il est relayé par les médias des sociétés démocratiques.

Pour revenir à la relation entre médias et terrorisme, il faut insister sur quelques aspects essentiels :

– la violence terroriste est moins dirigée contre les victimes de l'acte terroriste que vers une audience à laquelle on accède grâce à la médiatisation ;

– l'art suprême d'une organisation à caractère terroriste consiste à manipuler les médias pour atteindre un objectif politique ;

– les médias étant une industrie fondée sur le profit et la compétition, il est inévitable qu'ils deviennent partie intégrante de l'équation terroriste.

Si les médias permettent aux terroristes de ravir la une, ils ne font rien pour légitimer les actes de ces derniers, et l'exploitation des médias par le terrorisme se retourne contre le terrorisme, à son tour exploité par les médias. Dans cette manipulation réciproque, il ne faut pas perdre de vue que les médias tendent à fonctionner selon la demande et que le public est friand de sensationnel, même s'il le réprouve. Le terrorisme fascine.

Il faut aussi noter que tous les actes à caractère terroriste ne reçoivent pas, loin de là, le même écho. Les attentats à la bombe sont à peine mentionnés ou même passés sous silence, à moins qu'ils ne soient spectaculaires ou que la nationalité des victimes intéresse les médias (Américains, Européens de l'Ouest). Entre 1968 et 1974, plus de 40 % des attentats à la bombe survenus dans le monde n'ont pas été relatés par le *New York Times* ou le *Times* (Londres). Les attentats les mieux couverts sont ceux liés à des prises d'otages ou à des enlèvements. Les réactions du public sont déterminées par la fréquence et la dramatisation prêtées à l'événement par les médias. Ceux-ci non seulement sont à l'affût de l'événement spectaculaire, mais cherchent, quand c'est possible, à le susciter. Par exemple, le 5 mars 1986, NBC interviewait Abdul Abbas, dirigeant du Front populaire de libération de la Palestine, recherché internationalement pour avoir arraisonné le navire *Achille Lauro* en Méditerranée (1985). Une somme de 250 000 dollars avait été offerte par le gouvernement des États-Unis pour sa capture. NBC avait réussi là où l'État américain avait échoué et faisait sa publicité tout en démontrant le rapport pervers entre terrorisme et médias. A l'inverse, en 1975, lors de l'enlèvement des ministres de l'Opec à Vienne, Carlos avait attendu l'arrivée de la télévision avant d'emmener les otages.

Partenaires essentiels du terrorisme, les médias ne satisfont à peu près personne, hors la majorité du public. Le gouvernement se plaint des médias qui tendent à grossir l'événement, mettant sur la sellette, en période de crise, le gouvernement qui est sommé d'agir afin de résoudre la crise. Les terroristes trouvent que leur cause n'est pas évoquée ou qu'elle est évoquée avec distorsion.

Face à cette situation, les États-Unis ont adopté une politique du laisser-faire. Les Britanniques ont préféré, compte tenu du civisme des médias, pratiquer une politique de concertation. En France, d'une façon générale, les médias ont été plus préoccupés de sensationnalisme que de déontologie. Aucune chaîne de télévision ne dispose d'un spécialiste du terrorisme. Le spectacle l'emporte sur l'information responsable. Pourtant, la France, qui entre le début des années 70 et 1986 a été le théâtre du terrorisme international, est devenue dès lors une cible, ce dont les médias ne semblent pas avoir tiré toutes les conséquences.

Quant aux Israéliens, ils ont récemment (juin 1997) décidé de prendre une série de mesures importantes.

Le directeur du Bureau du contre-terrorisme du cabinet du Premier ministre annonça la prochaine création d'un poste de responsable auprès duquel les représentants des médias pourraient se référer pour obtenir des renseignements *en temps réel* concernant les attentats terroristes. Cette innovation voudrait contribuer à neutraliser l'influence psychologique des attentats.

En même temps, la mise sur pied d'un comité *ad hoc* représentant tous les médias écrits et audiovisuels afin de formuler des règles communes de déontologie librement acceptées par tous, a été entreprise. Par exemple : ne pas montrer les cadavres et le sang en gros plan, mais seulement à distance afin de ne pas choquer les spectateurs.

Les participants à la conférence Shefayim (tenue en juin 1997) sur les dommages psychologiques dus au terrorisme déclaraient :

— les actes terroristes visent à affaiblir le moral de la population israélienne en insufflant une peur diffuse ;

– le principal dommage causé par le terrorisme est la détérioration du moral de la population ;

– comme il est probable que ce phénomène va perdurer, il faut améliorer les moyens de contrer l'impact psychologique du terrorisme ;

– à cet égard, il faut préparer dès l'école la population en expliquant ce qu'est le terrorisme de manière adaptée à chaque niveau, afin de renforcer la sécurité nationale.

Aussi faut-il encourager la jeunesse à participer aux activités de sécurité, afin qu'elle se sente partie intégrante de la sécurité de la communauté nationale et qu'elle ait le sentiment de contrôler les événements en période de crise. On prépare ainsi la population à faire face tant aux crises individuelles que collectives (y compris par des exercices de simulation), afin de lutter contre le sentiment d'impuissance en période de crise. Il faut :

– expliquer la stratégie des groupes terroristes et leurs méthodes de propagande ;

– insister sur le rapport entre la menace terroriste et les dommages effectifs qu'elle peut causer ;

– instituer un programme destiné à détecter la manipulation dont font usage les organisations terroristes et montrer l'importance que revêt le fait de contrer cette manipulation comme une partie intégrante de la lutte contre le terrorisme ;

– organiser des séminaires sur le terrorisme pour les journalistes.

Ce document essentiel sur la lutte contre les aspects psychologiques du terrorisme est arrivé à deux conclusions.

Premièrement, tous les médiateurs qui contribuent à forger l'opinion publique en Israël (politiciens, personnalités, médias, professeurs et autres éducateurs) doivent contribuer dans la mesure de leurs moyens à minimiser les effets psychologiques créés par le terrorisme. Deuxièmement, il importe de trouver en commun une déontologie qui permette aux médias d'informer librement, tout en s'efforçant de restreindre ce qui peut nuire au moral du public et à son sentiment de sécurité. A cet effet, il faut établir des contacts réguliers et réciproques entre la défense et les agences chargées d'étudier les problèmes de terrorisme, afin de créer un organisme dont le représentant fournirait aux médias toutes les informations utiles en temps voulu.

Les participants à la conférence (26 personnalités représentant officiellement tous les secteurs professionnels intéressés par le phénomène terroriste) recommandent aux journalistes :

1) Au moment de l'attentat :
– pas de photos en gros plan de morts ou de blessés ;
– pas de photos ou de retransmission de manifestations de panique ou d'angoisse extrêmes ;
– pas de retransmissions répétées des mêmes images ou sons dramatiques ;
– faire silence sur le déploiement des forces de sécurité ou de leurs techniques opérationnelles durant l'action.

2) Après l'attentat :
– pas de dramatisation excessive lors des cérémonies de funérailles ou lors des interviews des parents des victimes ;
– pas de retransmission des cassettes fournies éventuellement par les organisations terroristes (y compris concernant des personnes kidnappées).

3) Mieux préparer à la fois les politiques et les médiateurs ainsi que le public aux problèmes psychologiques posés par le terrorisme.

Les recommandations qui pourraient être faites pour la France sont :
– les rapports entre les médiateurs (journalistes de la presse écrite, de la radio et de la télévision) et l'État doivent être améliorés sur la base d'une confiance mutuelle ;
– les services compétents (comme par exemple la DST ou la DGSE) devraient, particulièrement pour la DST, avoir un porte-parole auquel les journalistes pourraient s'adresser sans nécessairement se heurter à la langue de bois ;
– les politiques ne devraient pas confisquer l'ensemble du champ médiatique après un attentat, sur lequel ils tendent à répéter les mêmes déclarations.

Une meilleure articulation fondée sur la confiance et la durée entre les médias, l'État et les services chargés de la sécurité est souhaitable.

Annexe

Le prix de l'hégémonie occidentale

Écrit plus d'un an avant les événements du 11 septembre 2001, ce texte reprend le discours de clôture de la conférence consacrée au 5e anniversaire de l'attentat contre le bâtiment fédéral d'Oklahoma City perpétré par Timothy McVeigh. Les cérémonies du mémorial ont eu lieu en présence du président des États-Unis.

Le terrorisme contemporain débute comme un substitut à la guérilla en 1968 d'une part avec les Palestiniens, de l'autre avec les Tupamarros d'Uruguay et Carlos Marighella au Brésil. Depuis, les spécialistes du terrorisme, beaucoup plus nombreux que ceux de la guérilla, se sont arrogés l'ensemble du champ de la violence organisée. Pourtant bien des organisations désignées comme terroristes ne peuvent être définies comme telles. Les Tigres tamouls du Sri Lanka utilisent certes les techniques du terrorisme de la façon la plus meurtrière mais sont avant tout un mouvement national pratiquant la guérilla et parfois même avec succès la guerre classique. Le PKK a été capable, de 1984 jusqu'à 1999, d'opérer dans plus de dix provinces à majorité kurde de Turquie et quadrillées par 200 000 hommes d'une excellente armée pratiquant à la fois la contre-insurrection et le terrorisme d'État. Le Hezbollah étiqueté comme mouvement terroriste par le Premier ministre français est techniquement un mouvement de guérilla qui, au cours des années récentes, s'est essentiellement attaqué aux forces d'occupation israéliennes au Sud-Liban.

Nous avons assisté en ce XXe siècle, en dehors des totalitarismes, à la mort graduelle des empires territoriaux ottomans et austro-hongrois à la fin de la Première Guerre mondiale, des empires coloniaux japonais et européens à la fin de la Seconde Guerre mondiale et, il y a dix ans, à l'effondrement pacifique de l'Union soviétique.

Le fait que des spécialistes qui ont travaillé durant des décennies sur l'Union soviétique n'ont pas été en mesure de prévoir sa fin devrait constituer une leçon de modestie quand on cherche à prédire l'avenir. Il est tentant de jeter un regard sur les prévisions ou les pseudo-théories produites pendant la guerre froide. Je me souviens de la théorie des dominos durant la guerre du Vietnam qui ne s'est jamais réalisée sauf au Cambodge où elle fut le résultat de l'intervention américaine de 1970 qui, indirectement, contribua à la dictature des Khmers rouges. On a entendu la même rengaine après la révolution iranienne qui devait déstabiliser le monde musulman. Vingt ans plus tard, les ayatollahs ont réalisé que l'idéologie est insuffisante pour produire de la croissance économique laquelle, de façon ultime, est la justification d'un régime.

La chute des empires a été suivie par la multiplication des États-nations. Mais il faut ajouter que le droit à l'autodétermination a été essentiellement le droit de se rendre indépendant du colonialisme européen, non d'aucune autre domination sauf exceptionnellement au Bangladesh et en Érythrée. Le premier grâce à Indira Gandhi, le second grâce à l'effondrement du régime marxiste-léniniste du colonel Menguistu.

Dans la plupart des pays non démocratiques, le pouvoir a été confisqué par un groupe ethnique ou religieux discriminant ou opprimant les autres groupes ethniques ou religieux. La liste des États de cette sorte serait trop longue. Aussi, bien des mouvements combattants aujourd'hui appartiennent à des minorités (ou parfois à des majorités) opprimées dans le cadre de guerres civiles. Ceci était déjà le cas durant la guerre froide après la décolonisation mais n'était pas considéré comme un phénomène important parce qu'il était perçu avant tout dans la perspective du conflit Est-Ouest.

La plupart des conflits qui se déroulent depuis de longues années ont été redécouverts après la chute de l'Union soviétique car, au lieu d'être ignorés comme naguère, ils font aujourd'hui la une. Et l'impression générale est qu'il y a davantage de conflits aujourd'hui que durant la guerre froide, que les civils en sont les principales victimes et que les enfants participent activement aux conflits.

Pour l'observateur qui prend en compte la perspective historique, à part la Colombie, il ne reste quasiment rien en Amérique latine, sur un continent où dans les années soixante on comptait une dizaine de guérillas. En dehors des Philippines et de la Birmanie, il ne reste plus rien d'actif dans une aire où les mouvements armés étaient nombreux dans les décennies soixante et soixante-dix.

Par parenthèse, c'est en 1998 qu'on s'est intéressé à Timor-Est où les exactions et les massacres avaient commencé au milieu des années soixante-dix. Notre usage des droits de l'homme, il faut le souligner, est hautement sélectif selon qu'il s'agit d'un allié ou non. Les conflits aujourd'hui se déroulent géographiquement le long de l'axe de crise qui va du Maghreb au sous-continent indien, au sud du Sahara et bien sûr dans l'ex-URSS.

Les victimes, depuis la Seconde Guerre mondiale, ont été essentiellement des civils et toutes les guerres de libération nationales ont été des guerres où les civils ont été des cibles de la propagande, de la terreur et de la répression. Quant aux enfants, j'ai toujours, depuis les années·soixante où j'ai commencé à être un témoin de la guérilla en Asie, en Afrique et en Amérique latine, observé que des jeunes garçons de 13-15 ans et parfois moins, participaient activement aux conflits irréguliers.

Quant aux conséquences de la chute des empires, il est clair que des groupes ethniques ou religieux qui cohabitaient bon gré mal gré depuis des siècles – sans pourtant pratiquer d'intermariages – ne veulent plus, après l'effondrement du vieil ordre, vivre ensemble à l'heure du nationalisme. Il est inutile de chercher à faire cohabiter des gens qui ne le désirent pas, et sont au contraire décidés à s'entre-tuer. Les leçons de la Bosnie et du Kosovo semblent n'avoir pas été comprises.

Dans ce cadre, la décision la plus pertinente a été prise en 1923 par Mustapha Kemal, qui expulsa un million de Grecs de Turquie et accueillit 650 000 Turcs de Grèce. Au moins cela a-t-il évité qu'ils s'entre-tuent par la suite.

Ce qui est en fait nouveau est la chute de l'URSS et ses conséquences. L'une d'elles, que nous avons tendance à négliger, est que la Russie, à tort ou à raison, a le sentiment que si l'endiguement est terminé, il y a au contraire, à son encontre, une stratégie du refoulement en Asie centrale, au Caucase et en Ukraine. Dans ce cadre la perception de ce qui se joue en Tchétchénie est différente de celle qu'en donnent nos médias.

La chute de l'URSS a obligé les mouvements ou groupes irréguliers à davantage user de l'économie criminelle. Mais il importe d'ajouter qu'il est pertinent de juger un mouvement sur l'épaisseur de sa base sociale plutôt que sur ses sources de financement.

Certains avancent qu'une légalisation de la drogue couperait l'herbe sous le pied de l'économie criminelle. Il est ironique que, dans un pays où le tabac est légal, tant de gens ne fument plus et que tant d'autres, par contre, usent de drogues illégales.

On constate également un changement géographique. L'Afghanistan a pris la place du Liban des années 1975-1982 comme lieu d'entraînement des islamistes radicaux qui sont, à l'heure actuelle, la nébuleuse transnationale la plus dangereuse.

L'Afghanistan avec souvent l'aide directe du Pakistan et tous deux afin d'affaiblir l'URSS ont été aidés par la CIA qui, malheureusement selon bien des sources, n'a pas arrêté de soutenir les islamistes après le retrait des troupes soviétiques.

Les conséquences indirectes ont été les attentats de Dar es-Salam et de Nairobi. Mais les États-Unis ne doivent pas être blâmés de façon unilatérale. Israël a joué le même jeu avec Hamas afin, originellement, d'affaiblir l'OLP.

Le fait est que dans ce nouvel âge des communications, du développement des diasporas et de la privatisation croissante de la violence organisée, les groupes terroristes sont moins prévisibles car ils sont plus décentralisés et atomisés.

Ceci, pour moi, est la nouvelle réalité et elle s'exprime de façon très classique avec des bombes et des explosifs. Non pas que le terrorisme ne puisse évoluer et devenir plus meurtrier mais aux États-Unis, depuis quelques années, on se focalise sur le terrorisme de destruction massive de façon excessive.

L'utilisation du gaz sarin par le groupe Aum Shiriniko n'a, au cours des cinq dernières années, pas été imité. Non pas que cela ne puisse advenir ou qu'il ne soit pas utile d'y être le mieux préparé possible. Mais le fait est que ce à quoi nous avons assisté depuis reste du terrorisme classique parfois particulièrement meurtrier.

Je ne voudrais pas être taxé de nationalisme connaissant la réputation souvent méritée d'arrogance des Français, mais nos institutions qui travaillaient sur le terrorisme ont attiré l'attention de nos alliés dans les cinq dernières années sur le fait que la menace concrète d'aujourd'hui n'est pas le terrorisme commandité par un État ni le terrorisme de destruction de masse, mais le terrorisme islamiste souvent fondé sur de petits groupes agissant de façon semi-autonome selon une stratégie générale.

Lorsqu'on parle d'islamistes radicaux, il faut souligner que ceux-ci ne reconnaissent pas les frontières actuelles des pays musulmans et entendent retourner à l'Oumma (la Communauté des croyants).

Au cours des quarante dernières années, dans ce qu'on appelle le Tiers-Monde, les tentatives fédératrices ont toutes été des échecs : Nasser et le panarabisme, Castro et la révolution continentale latino-américaine, Nkrumah et le panafricanisme. Ce sera aussi le cas de l'islamisme radical parce que, bon gré mal gré, le modèle européen de l'État-nation a été emprunté partout au cours du XXᵉ siècle, à commencer par la Turquie en 1923. Un islamiste algérien reste un islamiste algérien et ne peut devenir un afghan ou un pakistanais.

En fait, le nationalisme est l'idéologie majeure des deux siècles écoulés et probablement celle du siècle à venir malgré la globalisation. Cependant on constate à une petite échelle quelque chose comme des brigades islamiques internationales qui combattent ou ont combattu en Bosnie, au Kosovo, en Tchétchénie, au Cachemire et qui perpétuent des actes à caractère terroriste en Occident.

Dans le phénomène terroriste, il n'est pas possible de surestimer l'importance du renseignement, à condition que celui-ci soit mené de façon cohérente. Le pire serait de jouer le jeu de vendre de l'angoisse pour obtenir des crédits et de consacrer l'essentiel de la recherche vers des risques potentiels et non vers des menaces réelles. En d'autres termes, de se concentrer sur le pire scénario possible en négligeant les menaces concrètes.

J'ajouterai, si ce n'est pas trop hors contexte, que nous pourrions parfois nous abstenir de donner des leçons morales et admettre le fait qu'il peut être cohérent et efficace d'user de violence pour provoquer le changement, du moins dans les sociétés moins démocratiques où il n'y a pas d'autres moyens d'être entendu. Après tout, les États-Unis ont été créés par une insurrection et bâtis les armes à la main.

L'existence même d'Israël montre que le terrorisme n'est pas une menace mortelle capable de déstabiliser un État mais une nuisance. Certains nostalgiques de la guerre froide voudraient apparemment présenter le monde d'aujourd'hui comme globalement plus dangereux que celui d'hier. En fait le choc des civilisations a déjà eu lieu au XIXᵉ siècle lorsque l'Europe impériale subjuguait l'Asie et l'Afrique, à une époque où nous étions obsédés par ce que nous appelions « le péril jaune » et qui était, pour ceux d'en face, l'époque du « péril blanc ».

En fait l'Occident n'a jamais été globalement plus en sécurité sauf du point de vue psychologique. L'un des grands changements des dernières décennies est la sensibilité des Occidentaux au terme d'une période prolongée de paix et de prospérité dans le cadre d'une population vieillissante. Nous ne paraissons pas remarquer à quel point notre perception du monde est différente du reste de la planète. Le premier signe visible de ce changement a été la guerre du Golfe. Pour la première fois depuis la bataille de Marathon, pour ne pas remonter à celle de Megiddo, on n'a pas fait le décompte, habituellement surestimé, des pertes militaires de l'adversaire. Cela n'a pas été fait parce que l'opinion publique occidentale n'aurait pas pu le supporter tant la disproportion des pertes était grande.

Ceci devrait nous rappeler que la dimension sociale de la stratégie est plus importante que jamais. La réponse au défi terroriste se situe aussi dans les esprits et les volontés.

Rien, à l'heure actuelle, ne peut menacer la sécurité globale de l'Occident sinon nous-mêmes en vendant de l'angoisse à une époque où l'Occident est de plus en plus préoccupé par le refus de l'idée de la mort. La guerre zéro mort n'en est qu'une des manifestations. J'ajouterai, pour conclure, que le terrorisme est le prix modeste payé pour un *statu quo* mondial qui est l'expression de l'hégémonie de l'Occident et par-dessus tout des États-Unis.

Gérard Chaliand,
Oklahoma City, 5 juin 2000
(traduit de l'anglais)

Bibliographie sélective

ALEXANDER Yonah, CARLTON David et WILKINSON Paul (eds.), *Terrorism : Theory and Practice*, Boulder, Westview Press, 1979.

BOTIVEAU Bernard et CESARI Jocelyne, *Géopolitique des Islams*, Paris, Économica, 1997.

BURGAT François, *L'islamisme en face*, Paris, La Découverte, 1995.

CARRÉ Olivier, *Mystique et politique : lecture révolutionnaire du Coran par Sayyid Qotb, Frère musulman radical*, Paris, Cerf, 1984.

CHALIAND Gérard, *Terrorismes et guérillas : Traité*, Bruxelles, Complexe, 1988.

–, *L'arme du terrorisme*, Louis Audibert, 2002.

CLUTTERBUCK Richard, *Living with Terrorism*, Londres, Faber & Faber, 1975.

–, *Terrorism in an Unstable World*, Londres, Routledge, 1994.

CRENSHAW Martha, *Revolutionary Terrorism*, Stanford, Hoover Institution Publications, 1978.

DAGUZAN J.F., CHALIAND G., PRENAT R., *Le terrorisme non conventionnel*, Paris, FED-CREST, 1999.

ÉTIENNE Bruno, *L'islamisme radical*, Paris, Hachette, 1987.

FREEDMAN Lawrence, *Terrorism and International Order*, Londres, Routledge, 1987.

GRESH Alain, *Un péril islamiste*, Paris, Complexe, 1994.

GUILLEN Abraham, *Philosophy of the Urban Guerilla*, New York, William Morrow, 1973.

HEISBOURG François et la Fondation pour la recherche stratégique, *L'hyperterrorisme*, Paris, Odile Jacob, 2001.

HOFFMAN Bruce, *Inside Terrorism*, Londres, Victor Gollancz, 1998.

JENKINS Brian, *International Terrorism : A New Mode of Conflict*, Los Angeles, Crescent Publications, 1975.

LAQUEUR Walter, *The Terrorism Reader*, New York, The New American Library Inc., 1978.

–, *The Age of Terrorism*, London, Weidenfeld and Nicholson, 1987.

MARIGHELLA Carlos, *Minimanual of the Urban Guerrilla*, Boulder, Paladin Pro, 1978.

Les stratégies du terrorisme

O'NEILL Bard E., *Insurgency and Terrorism : Inside Modern Revolutionary Warface*, New York, Pergamon Press, 1990.

RAPOPORT David, ed., *Inside Terrorist Organizations*, New York, Columbia University Press, 1988.

WIEVIORKA Michel, *Sociétés et terrorisme*, Paris, Fayard, 1988.

WILKINSON Paul, *Terrorism and the Liberal State*, Londres, 1994.

WILKINSON P., *Terrorism versus Democracy*, Londres, 2000.

Table

Table

Cet ouvrage a été composé et achevé d'imprimer
sur Roto-Page
par l'Imprimerie Floch à Mayenne,
en février 2002.
N° d'impression : 53422.
Dépôt légal : février 2002.

Imprimé en France.